LAROUSSE

guide de poche

CONJUGAISON

LAROUSSE

guide de poche
CONJUGAISON

21, rue du Montparnasse 75283 Paris cedex 06

Conception et rédaction des fiches du verbe et du commentaire des tableaux de conjugaison : Françoise Rullier-Theuret, maître de conférences à l'université de Paris-Sorbonne, Paris IV.

Direction éditoriale
Line Karoubi

Édition
Patricia Maire, *avec la collaboration de* Marie-Hélène Christensen

Lecture-correction
Chantal Pagès ; Jacques Barbaut, Édith Lançon

Informatique éditoriale
Marion Pépin ; Anna Bardon

Direction artistique
Ulrike Meindl

Conception graphique et mise en page
Bénédicte Bourdil – Tifinagh

Couverture
Z + Co.

Fabrication
Marlène Delbeken

L'Éditeur remercie Romain Lancrey-Javal pour le concours apporté à cet ouvrage.

ISBN : 2-03-533 200-1

SOMMAIRE

Les FICHES du VERBE

Françoise Rullier-Theuret
Maître de conférences
à l'université de Paris-Sorbonne, Paris IV

SOMMAIRE DES FICHES

MODE D'EMPLOI

Les 53 **fiches du verbe** rassemblent les difficultés de conjugaison et d'accord des verbes de la langue française et apportent des réponses simples et précises.

Chaque point de conjugaison ou d'accord est facilement accessible grâce à son classement alphabétique et à la question d'usage qui l'explicite.

Le déroulement d'une fiche s'articule autour de repères simples comme l'énoncé d'une règle de conjugaison et quelques rubriques attrayantes :

Petites astuces destinées à mémoriser certaines irrégularités de la grammaire du verbe ;

c'est là qu'on se trompe consigne les verbes sur lesquels les erreurs sont fréquentes ;

C'est permis ! réunit tous les verbes dont la réforme de 1990 autorise une nouvelle orthographe.

Une difficulté de conjugaison allant rarement seule, des renvois d'une fiche à une autre sont proposés dès que nécessaire.

Émaillées d'exemples tirés de la vie courante, de citations ainsi que de tableaux de synthèse, les fiches claires et attrayantes du *guide de poche conjugaison* faciliteront à tous la maîtrise des verbes et de leur construction.

L'ACCORD DU PARTICIPE PASSÉ

En bref

Dans tous les cas où la différence entre le masculin et le féminin, entre le singulier et le pluriel ne s'entend pas, l'accord du participe passé est une question d'orthographe plus encore que de grammaire.

• Le participe passé employé sans auxiliaire s'accorde comme un adjectif avec le nom auquel il se rapporte : *Des fleurs fanées.*

• Le participe passé employé avec l'auxiliaire *être* s'accorde avec le sujet, sauf avec certains verbes pronominaux : *Les employés sont partis.*

• Le participe passé employé avec l'auxiliaire *avoir* ne peut s'accorder qu'avec un complément d'objet direct placé avant l'auxiliaire.

• Le participe passé reste invariable si le verbe n'a pas de complément d'objet direct, ou si celui-ci est placé après le verbe : *J'ai perdu mes chaussures. Les dix euros que ce livre a coûté.*

• Le participe passé d'un verbe impersonnel est invariable : *Les grands froids qu'il a fait.*

c'est là qu'on se trompe

Le participe passé des verbes pronominaux, bien que conjugué avec l'auxiliaire *être*, suit la règle d'accord du participe conjugué avec le verbe *avoir* : *Ils se sont plu. Elles se sont écrit*, sauf quand le verbe est essentiellement pronominal ou de sens passif : *Ils se sont repentis. Les rues se sont vidées.*

Petites astuces

• Le participe passé suivi d'un verbe à l'infinitif s'accorde si le COD est l'agent du verbe à l'infinitif : *Les champions que j'ai vus courir.*

• Les participes passés de *faire* et *laisser* suivis d'un infinitif sont toujours invariables : *La robe qu'elle a fait faire.*

2 L'ACCORD DU PARTICIPE PASSÉ

Comment accorder le participe passé conjugué avec le verbe *avoir* ?

Le participe passé employé avec le verbe *avoir* ne s'accorde jamais avec son sujet.

LE PARTICIPE PASSÉ S'ACCORDE

Si le verbe est précédé de son complément d'objet direct, le participe passé s'accorde en genre et en nombre avec ce COD : *Quels problèmes as-tu rencontrés ? J'ai résumé les œuvres que j'ai lues. Les épreuves que m'a fournies le photographe.*

ATTENTION En français, le COD est généralement placé après le verbe. Il est placé avant le verbe dans trois cas :

- Avec les interrogatifs : *Quelles œuvres as-tu lues ?*
- Lorsqu'il est un pronom relatif : *J'ai résumé celles* ***que*** *j'ai lues.*
- Lorsqu'il est un pronom personnel : *Je* ***les*** *ai lues avant de les résumer. Il* ***nous*** *a invités, mon frère et moi.*

Petites astuces

- Dans les cas de subordination au deuxième degré, c'est-à-dire quand le participe passé est placé entre deux *que*, il faut bien identifier le COD : *La somme qu'il avait espérée./La somme qu'il avait espéré qu'on lui donnerait. Les aventures que j'ai imaginées./Les aventures que j'ai imaginé que je vivrais* (ici, *aventures* est COD de *vivrais* ; la proposition conjonctive *que je vivrais* est COD de *j'ai imaginé* : *J'avais imaginé que je vivrais des aventures*).
- Quand le pronom COD est *en*, le participe reste invariable : *Des fleurs, il n'en a pas offert souvent. Des nouvelles, il m'en a donné tous les jours.*

LE PARTICIPE PASSÉ NE S'ACCORDE PAS

- Si le verbe n'a pas de complément d'objet direct : *Les enfants ont sauté de joie.*
- Si le COD est placé après le verbe : *Ils ont apporté des documents. Il a fermé la porte.*

L'accord n'est donc possible que pour les verbes transitifs directs, c'est-à-dire les verbes qui ont un complément d'objet construit sans préposition. Il faut que le complément soit un vrai COD.

c'est là qu'on se trompe

- Il n'y a pas d'accord pour les verbes intransitifs : *Il ment./Il a menti.*
- Il n'y a pas d'accord pour les verbes transitifs indirects : *Elle parle à sa mère./ Elle lui a parlé.*
- Il n'y a pas d'accord pour les verbes impersonnels : *Les soins qu'il a fallu ; les tempêtes qu'il y a eu dans cette région ; les grandes chaleur qu'il a fait.*
- Il n'y a pas d'accord pour les verbes qui se construisent avec un complément circonstanciel de mesure sans préposition (*courir, coûter, durer, mesure, peser, valoir, vivre*…). Ce complément ressemble à un COD mais il répond à la question *combien* et non à la question *quoi* : *Les cinq euros que ce livre a coûté ; les mille mètres qu'elle a couru ; les deux heures que ce discours a duré.*

Vous avez dit bizarre ?

L'accord se fait lorsque ces verbes sont employés avec un COD dans un sens figuré : *Les dangers que j'ai courus ; les efforts que ce travail m'a coûtés ; la gloire que cette action lui a value ; l'histoire qu'il a vécue.*

CAS PARTICULIERS

- Quand le participe passé a pour COD un nom collectif, il s'accorde selon l'idée qui l'emporte : *La bande d'oiseaux que nous avons vue (vus) ; les bottes de foin qu'on a fauché…*
- Quand les COD sont joints par *ou* marquant l'exclusion, l'accord se fait avec le dernier : *Est-ce lui ou elle que tu as invitée ?*
- Un participe passé suivi d'un adjectif attribut s'accorde avec le COD quand il est placé avant le verbe : *Cette plage que l'on avait dite polluée, il l'a crue perdue.*

Vous avez dit bizarre ?

L'absence d'accord est fréquente et tolérée : *Cette plage que l'on avait dit polluée, il l'a trouvé belle.*

3 L'ACCORD DU PARTICIPE PASSÉ

Comment accorder le participe passé des verbes pronominaux ?

Les verbes pronominaux sont précédés d'un pronom de la même personne que le sujet : *Je me lève.* Ils sont toujours conjugués avec le verbe *être.*

LES VERBES ESSENTIELLEMENT PRONOMINAUX

• Comment reconnaître les verbes essentiellement pronominaux ?
Les verbes essentiellement pronominaux n'existent qu'à la forme pronominale et ils n'auraient aucun sens sans le pronom : *s'absenter, se souvenir, se méfier, se moquer, s'écrier…* Ils n'ont jamais de COD.

• Comment accorder les verbes essentiellement pronominaux ?
L'accord se fait obligatoirement avec le sujet : ***Les oiseaux*** *se sont envol**és**.* ***Les années*** *se sont enfui**es**.* ***Elles*** *se sont moqu**ées** de nous.*

exception Bien que le verbe *s'arroger* soit essentiellement pronominal, il se construit avec un COD : *s'arroger un droit.* Son participe passé ne s'accorde pas avec le sujet mais avec le COD s'il est placé devant le verbe : ***Les droits*** ***exorbitants*** *qu'il s'est arrog**és**/Ils se sont arrog**é** **des droits**.*

LES VERBES PRONOMINAUX PASSIFS

• Comment reconnaître les verbes pronominaux passifs ?
Les verbes pronominaux passifs ne sont pas de véritables pronominaux, car le pronom *se* n'est pas un pronom réfléchi : *Ce vin se boit au dessert* (= ce vin est bu au dessert). *Cette expression ne s'emploie plus aujourd'hui* (= n'est plus employée).

• Comment accorder les verbes pronominaux passifs ?
L'accord se fait obligatoirement avec le sujet, exactement comme au passif : *Les tableaux se sont vendus très cher* (= les tableaux ont été vendus très cher.)

LES VERBES OCCASIONNELLEMENT PRONOMINAUX

• Comment reconnaître les verbes occasionnellement pronominaux ?
Les verbes occasionnellement pronominaux sont susceptibles d'un emploi non pronominal : *acheter une robe/s'acheter une robe ; regarder un tableau/se regarder dans la glace.* Le pronom *se* prend alors une fonction grammaticale (COD ou COI).

• Comment accorder les verbes occasionnellement pronominaux ?

ATTENTION • La difficulté tient à ce qu'ils se conjuguent avec l'auxiliaire *être*, mais suivent des règles proches du participe passé conjugué avec *avoir*.

DES VERBES PRONOMINAUX

- Si le COD est placé après le verbe, il n'y a pas d'accord : *Elle s'est coupé le doigt. Elle s'est lavé les mains. Elle s'est préparé des côtelettes.*
- Si le COD est placé avant le verbe, il y a accord : ***Les belles vacances** qu'il s'est offert**es**. Voici **la chemise** qu'il s'est lav**ée.** Elle **s**'est coup**ée**, elle s'est lav**ée**, elle s'est prépar**ée**.*

• Le pronom et le sujet représentent toujours la même personne. Quand le verbe s'accorde avec le pronom COD, on peut dire aussi qu'il s'accorde avec le sujet. Le pronom placé avant le verbe est COD, qu'il s'agisse de pronominaux de sens réciproque : *C'est alors que nous nous sommes rencontrés, puis nous nous sommes appelés au téléphone et nous nous sommes revus* (*nous* mis pour « l'un l'autre » est COD) ou qu'il s'agisse de pronominaux de sens réfléchi : *Elle s'est lavée* (= elle a lavé elle-même). *Elles se sont levées tôt. Elle s'est calmée. Elle s'est regardée dans la glace et elle s'est vue.*

Petites astuces

Si l'on hésite sur la classification des verbes pronominaux, on peut simplifier la règle et retenir que le participe passé des verbes pronominaux s'accorde globalement en genre et en nombre avec le sujet, sauf quand le pronom intérieur est COI.

• Quand le verbe est suivi d'un complément d'objet direct, le pronom est COI : *Elles se sont lancé des pierres. Elle s'est lavé les dents. Nous nous sommes rappelé notre enfance. Elle s'est acheté une robe.*

• Quand le verbe se construit indirectement, le pronom est COI : *Nous nous sommes parlé. Vous vous êtes souri. Ils se sont plu. Ils se sont téléphoné. Trois présidents se sont succédé la même année.*

• Pour reconnaître le COI, on remplace *être* par *avoir* : *Ils se sont nui* (= ils ont nui à eux-mêmes). *Ils se sont préparé des côtelettes* (= ils ont préparé des côtelettes à eux-mêmes).

c'est là qu'on se trompe

• Le participe passé de certaines locutions verbales est invariable : *Des dissensions se sont fait jour. Elle s'est mis à dos le directeur. Elle s'en est rendu compte. Elle s'est fait fort de réussir.*

• D'autres locutions, au contraire, sont variables : *Elle s'est crue obligée de venir. Elles se sont trouvées court.*

4 L'ACCORD DU PARTICIPE PASSÉ

Quand faut-il accorder le participe passé conjugué avec le verbe être ?

LE PARTICIPE PASSÉ EMPLOYÉ AVEC *ÊTRE*

• Le participe passé employé avec le verbe *être* fonctionne comme un adjectif et s'accorde avec le sujet du verbe, tout comme un attribut du sujet : *À quelle heure es*-tu *sorti**e** ?* (*tu* désigne une fille). Les filles *ne sont pas admis**es***. Mes frères *sont arriv**és** aujourd'hui.*

• Cette règle s'applique aux verbes d'état *sembler, paraître, rester, demeurer* qui se construisent avec un attribut du sujet : Les spectateurs *semblent ravi**s***. La maison *restera fermé**e** tout l'été.* Sa position *ne semblait pas bien arrêté**e***.

ATTENTION Cette règle s'aménage dans le cas des participes passés des verbes pronominaux, qui se conjuguent aussi avec le verbe *être*.

Petites astuces

• *avoir été* est le participe passé du verbe *être* ; *été* est toujours invariable, le participe s'accorde avec le sujet : *Isabelle a été cambriolée. Les filles ont été admises. Les magasins avaient été décorés.*

• Quand le sujet est *on*, le participe passé se met au masculin singulier ou au pluriel, si *on* représente un pluriel ; l'accord se fait selon la grammaire ou selon le sens : *Mes amis et moi, on est très fatigué(s).*

• Quand le sujet est un *nous* de modestie ou un *vous* de politesse, le participe passé reste au singulier ; l'accord se fait plutôt selon le sens : *Dans ce mémoire, nous sommes parti d'une simple observation. Vous serez naturellement tout excusé.*

ÊTRE AUXILIAIRE DU PASSIF

• On définit le passif par rapport à l'actif ; la transformation passive inverse les rôles du sujet (= celui qui fait l'action) et de l'objet (= celui qui subit l'action) : *L'enfant casse ses jouets. / Les jouets sont cassés par l'enfant.*

• La voix passive se construit exclusivement à l'aide de l'auxiliaire *être*, dans une structure semblable à la construction de l'attribut : *La poupée a été cassée. Les voleurs sont arrêtés par les gendarmes.*

• Cette construction ne se confond pas avec les temps composés des verbes qui se conjuguent avec le verbe *être*, mais du point de vue de l'orthographe, elle suit les mêmes règles : le participe passé dans les formes passives s'accorde toujours avec le sujet.

Voir Accord du participe passé des verbes pronominaux.

Comment accorder le participe passé suivi d'un infinitif ?

Le participe passé suivi d'un infinitif ne suit pas exactement les règles générales.

FAIT + INFINITIF

Le participe est toujours invariable : *La maison que j'ai **fait** bâtir ; les amis qu'elle a **fait** venir ; les livres qu'il a **fait** envoyer.*

LAISSÉ + INFINITIF

L'accord est incertain dans l'usage, la réforme de l'orthographe recommande de ne pas accorder le participe passé.

C'est permis !

*Elle s'est **laissé** mourir. Je les ai **laissé** partir.*
Le participe passé est invariable même quand le complément d'objet est placé avant le verbe : *La maison qu'elle a **laissé** saccager.*

VERBE DE PERCEPTION + INFINITIF

- Le participe s'accorde si le COD (placé avant le verbe, naturellement) est l'agent de l'infinitif : *La chanteuse que j'ai entendue chanter* (elle chante). Chaque verbe de la phrase possède un sujet propre : c'est moi qui entends, c'est la cantatrice qui chante. On peut toujours intercaler *en train de* : *La chanteuse que j'ai entendue en train de chanter.*
- Le participe ne s'accorde pas si le COD n'est pas l'agent de l'infinitif : *La chanson que j'ai entendu chanter* (ce n'est pas la chanson qui chante) ; *la pièce que j'ai vu jouer* (la pièce ne fait pas l'action de jouer). Le verbe à l'infinitif n'a pas de sujet exprimé, il peut être mis au passif : *La pièce que j'ai vu être jouée.*

Vous avez dit bizarre ?

Le sens varie selon l'accord ; dans : *la chèvre que j'ai vue manger,* c'est la chèvre qui mange ; dans : *la chèvre que j'ai vu manger,* la chèvre est mangée.

Petite astuce

Les participes qui ont pour complément d'objet direct un infinitif sous-entendu sont toujours invariables : *Il n'a pas payé toutes les sommes qu'il aurait dû* (sous-entendu : « payer »). *Je lui ai rendu tous les services que j'ai pu* (sous-entendu : « lui rendre »).

6 L'ACCORD DU VERBE

Quand faut-il accorder le verbe en personne ?

Le verbe s'accorde en nombre et en personne avec son sujet.

Lorsqu'un sujet représente deux personnes différentes, le verbe se met toujours au pluriel, en accord avec la personne du rang le plus petit :

- *toi et moi partirons* (2e + 1ère personne = 1ère personne)
- *lui et moi partirons* (3e + 1ère personne = 1ère personne)
- *toi et lui partirez* (2e + 3e personne = 2e personne)
- *vous et moi partirons* (2e + 1ère personne = 1ère personne)
- *eux et moi partirons* (3e + 1ère personne = 1ère personne)
- *vous et eux partirez* (2e + 3e personne = 2e personne)

Petite astuce

Pour ne pas se tromper, il suffit de rajouter un pronom : *Toi et moi, nous partirons.*

L'ACCORD DU VERBE APRÈS LE PRONOM RELATIF

Le verbe s'accorde avec l'antécédent du pronom relatif : *C'est **moi** qui **suis** responsable. C'est **toi** qui **viendras**.* Il y a accord avec l'antécédent *moi, toi,* pronom de 1ère et 2e personne. *Vous êtes la **personne** qui m'**a** le plus aidé. Tu es la seule **personne** qui **soit** venue.* Il y a accord avec l'antécédent *personne*, attribut du sujet.

Petite astuce

Si l'antécédent est une apostrophe, le verbe est à la 2e personne : *Ah, fidèle ami, qui viens à moi dans le malheur !*

L'ACCORD DU VERBE *ÊTRE*

- Le verbe *être* précédé du pronom *ce* se met au pluriel si l'attribut est au pluriel : *Ce sont de gentils garçons. C'étaient les plus belles filles du pays.*
- Si *c'est* est considéré comme un présentatif figé, il n'y a aucune raison d'accorder : *C'est eux que j'attends. C'est des gens que je ne connais pas.*
- *C'est* ne s'accorde pas en personne et reste au singulier :
  - devant les pluriels *nous* et *vous* : *C'est nous qui avons gagné.*
  - devant l'indication de l'heure ou d'une somme : *C'est deux heures qui sonnent. C'est deux mille euros que tu me dois.*
  - devant une préposition : *C'est à eux seuls que je rendrai des comptes.*
  - dans les interrogations : *Est-ce tes parents qui sont là ?*

L'ACCORD DU VERBE

Comment accorder le verbe quand il y a plusieurs sujets ?

L'ACCORD DU VERBE AVEC PLUSIEURS SUJETS SE FAIT AU PLURIEL

Si le verbe a plusieurs sujets, on le met au pluriel, même si chacun des sujets est singulier : *Ma voisine et son mari sont venus nous voir. Ma voisine, son mari, ses enfants sont arrivés chez nous.*

L'ACCORD DU VERBE AVEC PLUSIEURS SUJETS SE FAIT AU SINGULIER

• Si le sujet est constitué de plusieurs groupes au singulier désignant la même chose, le verbe reste au singulier : *Un air, un chant lointain et inconnu, une mélodie infiniment douce s'éleva.*

• Après plusieurs sujets introduits chacun par *aucun, chaque, nul* ou *tout* répétés, le verbe s'accorde avec le dernier sujet : *Nulle route, nulle bâtisse, nul aménagement ne troublait le paysage. Chaque client, chaque solliciteur, chaque visiteur doit être bien reçu.*

L'ACCORD DU VERBE AVEC PLUSIEURS SUJETS SE FAIT AU SINGULIER OU AU PLURIEL

• Après *l'un ou l'autre, l'un et l'autre,* on met le singulier (même si le pluriel est également possible) : *L'un ou l'autre se dit / se disent.*

• Après *ni... ni...*, on accorde au singulier s'il y a exclusion : *Ni Paul, ni Sophie ne viendra* (personne ne viendra). L'accord se fait au pluriel dans le cas contraire : *Ni ses vacances en Italie, ni son voyage au Maroc ne l'ont enthousiasmé.*

• Quand les sujets sont coordonnés par *ou,* le verbe est au singulier si un seul sujet fait ou subit l'action : *Henri ou son frère sera président du club.* Il est au pluriel si l'on peut dire « l'un et l'autre » : *Henri ou son frère présenteront le projet avec la même conviction.*

• Après *comme, ainsi que*, le verbe est au pluriel s'il y a addition de sujets : *La mémoire comme l'imagination sont indispensables.* Le verbe est au singulier s'il s'agit d'une comparaison : *La mémoire, comme l'imagination, est une faculté étonnante.*

8 L'ACCORD DU VERBE

Quels sont les cas d'accord difficiles ?

• Avec ***un de ceux, une de celles***, le verbe se met au pluriel : *Je suis un de ceux qui ont réussi l'examen.*

• **Après un nom collectif**, le verbe se met généralement au pluriel après un article indéfini : *Une dizaine de gardes entourent notre héros.*
Il se met au singulier après un article défini : *La majorité des élèves déjeune à la cantine. L'équipe de basketteurs a été battue.*
Le verbe s'accorde ainsi avec celui des deux mots qui semble le plus important.

• **Après un adverbe de quantité** : *beaucoup de, la plupart de, peu de…* suivi d'un nom, le verbe s'accorde avec le nom qui suit l'adverbe : *Nombre de retraités s'ennuient. La plupart des invités sont arrivés. Beaucoup de courage sera nécessaire.*

c'est là qu'on se trompe

- ***Moins de deux*** **commande le pluriel** : *Moins de deux minutes m'ont suffi.*
- ***Plus d'un*** **commande le singulier** : *Plus d'une minute lui suffira.*

• **Quand le sujet est un pronom indéfini de sens pluriel**, le verbe se met au pluriel : *Beaucoup sont venus, la plupart m'ont paru sympathiques. Beaucoup sont appelés, peu sont élus.*

vous avez dit bizarre ?

- ***La plupart*** **commande le pluriel** : *La plupart arriveront à l'heure.*
- ***Le plus grand nombre*** **commande le singulier** : *Le plus grand nombre a approuvé le projet.*

• **L'accord du verbe après un titre de roman** :
- Le titre étant considéré comme neutre, l'accord du verbe et de l'adjectif peut toujours se faire au masculin singulier.
- Si le titre est un nom commun avec déterminant, l'accord se fait souvent avec ce nom : Les Oiseaux *est un film de Hitchcock*, ou Les Oiseaux *ont marqué leur temps.*
- L'accord peut se faire avec le premier nom de la proposition quand le titre est une phrase : Les oiseaux se cachent pour mourir *furent un grand succès de librairie.*
- Si le titre est constitué de deux noms singuliers coordonnés, l'accord se fait avec le premier nom : Le Rouge et le Noir *est un roman de Stendhal* (le pluriel est impossible).

L'ASPECT

Qu'est-ce que l'aspect ?

9

L'aspect est la manière dont le sujet envisage l'événement dans son déroulement. L'aspect indique le point de développement de l'action : dans son début, sa fin, son entier…

L'ASPECT ACCOMPLI / NON ACCOMPLI

L'aspect **accompli / non accompli** est marqué par l'opposition des temps simples et des temps composés :

- Les temps simples, d'aspect non accompli, présentent le procès en cours de déroulement : *Il lit.*
- Les temps composés, d'aspect accompli, présentent un procès achevé : *Il a lu.*

L'ASPECT BORNÉ / NON BORNÉ

L'aspect **borné / non borné** est lié aux limites de l'action :

- L'imparfait et le présent envisagent le procès de l'intérieur, dans le cours de son déroulement, sans donner une vision précise des limites initiale ou finale (c'est pourquoi on les appelle *non bornés*) : *Dans sa jeunesse, elle dessinait des chats. Toute la journée, elle dessine des chats.*
- Le passé simple *(borné)* saisit le procès de l'extérieur et le présente comme un tout indivisible : *L'ennemi signa l'armistice.*

LES AUXILIAIRES D'ASPECT

Des périphrases permettent d'exprimer les différents stades de la réalisation du procès :

- l'aspect inchoatif (commencement) : *Elle commence à écrire un livre.*
- l'aspect terminatif (fin) : *Elle finit d'écrire un livre.*
- l'aspect progressif (déroulement) : *Elle est en train d'écrire un livre.*

L'ASPECT SÉMANTIQUE

• L'aspect sémantique est lié au sens du verbe : on distingue les verbes **conclusifs** qu'on ne peut envisager que dans leur déroulement intégral (*mourir, arriver, entrer* contiennent dans leur sens même une limitation de durée) et les verbes **non conclusifs** dont le procès ne suppose aucune limite *(dormir)* et qu'on peut accompagner d'un complément de durée *(dormir longtemps).*

• Des valeurs d'aspect (aspect itératif, par exemple) peuvent être marquées par certains préfixes *(**re**dire, **re**faire…)* ou suffixes *(cri**ailler**, discut**ailler**, trembl**oter**).*

• Quand l'aspect n'a pas de marque verbale propre, il peut être exprimé par des adverbes ou des compléments circonstanciels.

10

L'AUXILIAIRE

Quelle est la fonction de l'auxiliaire ?

L'auxiliaire est un verbe qui sert à conjuguer un autre verbe. Il aide à construire certaines formes verbales et, dans ce cas, il perd sa signification propre : *Luc a une guitare* (= possède) / *Luc a acheté une guitare* (= le fait d'acheter est situé dans le passé).

ÊTRE ET *AVOIR* + PARTICIPE PASSÉ

• Les verbes *être* et *avoir* se distinguent des autres verbes de la langue car ils peuvent être utilisés comme auxiliaires de conjugaison.

• Aux temps composés :
  - tous les verbes transitifs se conjuguent avec l'auxiliaire *avoir* : *J'ai descendu la poubelle.*
  - les verbes intransitifs se conjuguent le plus souvent avec *avoir*, à commencer par le verbe *être* : *J'ai été, ayant été.*
  - les verbes qui indiquent un état *(demeurer, rester)* et les verbes qui expriment un changement d'état ou un déplacement *(devenir, naître, mourir, clore ; tomber, monter, descendre, entrer...)* se conjuguent avec *être* : *Je suis resté là. Je suis devenu raisonnable. Je suis tombé.*

• À la voix pronominale, tous les verbes construisent leurs temps composés avec *être* : *Je me suis blessé, je m'étais blessé.*

• À la voix passive, tous les verbes à tous les temps ont leurs formes construites avec *être* : *Je suis soigné, j'ai été soigné.*

SEMI-AUXILIAIRES + INFINITIF

Certains verbes ne jouent qu'occasionnellement le rôle d'auxiliaire, formant des périphrases avec des infinitifs : on les appelle les **semi-auxiliaires.** Ce n'est pas un domaine nettement délimité, aussi ne peut-on proposer une liste fermée :
  - aller : *Le facteur va passer d'une minute à l'autre.*
  - venir (de) : *Nous venons de manger.*
  - être (en train de) : *Elle est en train de lire.*
  - faillir : *Il a failli manquer son train.*
  - se mettre (à) : *Il s'est mis à rire.*
  - pouvoir : *Il peut pleuvoir, comme il peut faire beau, on ne sait pas.*
  - devoir : *Il doit être dans les dix heures. Elle devait se marier avec cet homme-là un an plus tard.*
  - faire : *Il fait travailler les enfants.*
  - laisser : *Il se laissait battre pour la laisser gagner.*

LA CONCORDANCE DES TEMPS

Comment accorder les temps entre eux ?

Dans une proposition subordonnée, l'emploi des temps est le plus souvent imposé par le temps du verbe de la proposition principale. On appelle concordance des temps le rapport qui doit exister entre le verbe de la principale et celui de la subordonnée.

DANS UNE SUBORDONNÉE À L'INDICATIF

• Quand la principale et la subordonnée sont toutes les deux à l'indicatif, les temps s'accordent de manière logique en fonction de la chronologie des procès et de l'aspect.

• Le rapport avec le moment de la parole est un élément essentiel. Les temps de la subordonnée sont sélectionnés par rapport au repère que constitue le temps de la principale.

Un repère présent (temps de la principale) appellera, dans la subordonnée :
- le présent pour exprimer une action simultanée : *Je crois qu'il arrive.*
- un temps du passé pour exprimer une action antérieure : *Je crois qu'il est arrivé. Je crois qu'il arriva ce jour-là. Je crois qu'il était arrivé le premier.*
- le futur (ou le futur antérieur) pour exprimer une action ultérieure : *Je crois qu'il arrivera demain.*

Un repère passé appellera, dans la subordonnée :
- l'imparfait pour exprimer la simultanéité : *Je croyais qu'il arrivait.*
- le plus-que-parfait pour exprimer l'antériorité : *Je croyais qu'il était arrivé.*
- le conditionnel (présent ou passé) pour exprimer la postériorité : *Je croyais qu'il arriverait. Je croyais qu'il serait arrivé.*

DANS UNE SUBORDONNÉE AU SUBJONCTIF

Les temps de la subordonnée sont là encore sélectionnés par rapport au repère que constitue le temps de la principale.

Un repère présent appellera :
- le présent pour exprimer une action simultanée ou postérieure : *Je regrette qu'il vienne* (maintenant, ou demain).
- le passé pour exprimer une action antérieure : *Je regrette qu'il soit venu.*

Un repère passé appellera :
- l'imparfait pour exprimer la simultanéité ou la postériorité : *Je regrettais qu'il vînt. J'ai regretté qu'il vînt.*
- le plus-que-parfait pour exprimer l'antériorité : *Je regrettais qu'il fût venu.*

ATTENTION Dans le langage courant, seuls sont utilisés le présent et le passé du subjonctif.

12

LE CONDITIONNEL

Dans quels cas employer le conditionnel ?

Le conditionnel employé comme temps correspond au futur du passé et au futur antérieur du passé. Avec une valeur modale, il sert à exprimer un procès dont la réalisation n'est pas certaine ou dépend d'une condition.

LES EMPLOIS TEMPORELS (FUTUR DU PASSÉ)

• Le conditionnel exprime un fait à venir (à un moment non précisé du futur) qu'il situe par rapport à un repère passé :

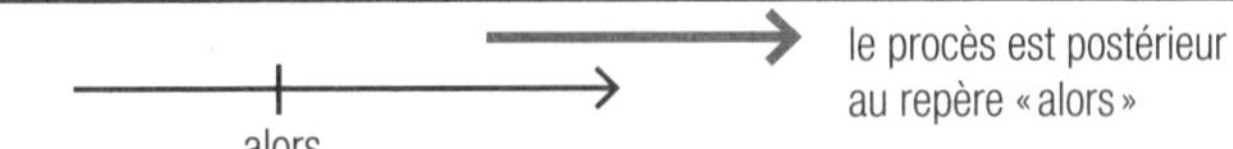

Il croyait (repère passé) *qu'il finirait hier* (futur devenu passé). *Je pensais qu'il me téléphonerait dès qu'il aurait couché les enfants* (futur antérieur du passé).

• En discours rapporté indirect (d.i.) ou indirect libre, le conditionnel transpose un futur de discours direct (d.d.) : *Elle a dit : « je viendrai »* (futur du d.d.) / *Elle a dit qu'elle viendrait* (conditionnel de d.i.).

• Le conditionnel est une marque du discours indirect libre, il permet d'inscrire le point de vue d'un personnage dans un texte (ici, celui des bourgeois regardant les mineurs) : *C'était la vision rouge de la révolution qui les emporterait tous [...]. Oui, un soir, le peuple lâché, débridé, galoperait ainsi sur les chemins [...]* (*Germinal*, Zola).

LES EMPLOIS MODAUX (VALEUR D'IRRÉEL)

• Le système hypothétique : *Si tu m'invitais, je viendrais.* La condition est exprimée par l'imparfait de la subordonnée, tandis que le conditionnel de la principale se comporte comme un futur hypothétique, il envisage le fait comme soumis à une condition (donc possible). C'est l'imparfait qui exprime l'irréel du présent ici *(mais tu ne m'invites pas).*

• La subordination absente mais implicite : *Tu ne l'aurais pas dit, je l'aurais deviné. M'inviterait-il, je ne mettrais pas les pieds chez lui.*

• En dehors de tout système de relation avec une autre proposition, le conditionnel énonce un fait dont la réalité n'est pas avérée (il ne pose pas l'existence du fait qu'il rapporte) : *C'est au cours de ce voyage que l'image se serait détachée, qu'elle aurait été enlevée à la somme. Elle aurait pu exister, une photographie aurait pu être prise [...]. Mais elle ne l'a pas été* (*l'Amant*, M. Duras).

LE CONDITIONNEL

Quelles sont les marques du conditionnel ?

13

Les formes du conditionnel présent sont construites sur l'élément *-r* de l'infinitif auquel s'ajoutent les terminaisons de l'imparfait.

Imparfait	conditionnel
j'aim-ais	*j'aimer-ais*
tu aim-ais	*tu aimer-ais*
il aim-ait	*il aimer-ait*
nous aim-ions	*nous aimer-ions*
vous aim-iez	*vous aimer-iez*
ils aim-aient	*ils aimer-aient*

LE CONDITIONNEL DES VERBES DU 1ᵉʳ GROUPE

• Dans l'infinitif en *-er* de ces verbes, il y a un *e* qu'il ne faut pas oublier, même quand il n'est pas prononcé : *je plier/ais, je crier/ais, il créer/ait, nous saluer/ions…*

• Les verbes en *-yer* changent leur *y* en *i* : *nous appuierions…*

• Les verbes en *-eter* et *-eler* conservent le « *e* muet » devant *r.*

je plierais	*j'appuierais*	*je gèlerais*
tu plierais	*tu appuierais*	*tu gèlerais*
il plierait	*il appuierait*	*il gèlerait*
nous plierions	*nous appuierions*	*nous gèlerions*
vous plieriez	*vous appuieriez*	*vous gèleriez*
ils plieraient	*ils appuieraient*	*ils gèleraient*

LE CONDITIONNEL DES VERBES DU 3ᵉ GROUPE

Les verbes du 3ᵉ groupe en *-re* perdent le *e* de l'infinitif : *prendre, je prendr/ais ; mordre, je mordr/ais ; écrire, j'écrir/ais.*

c'est là qu'on se trompe

Un certain nombre de verbes irréguliers ne suivent pas la règle de formation à partir de l'infinitif :

avoir : j'aurais	*venir : je viendrais*
être : je serais	*acquérir : j'acque**rr**ais*
apercevoir : j'apercevrais	*courir : je cou**rr**ais*
savoir : je saurais	*envoyer : j'enve**rr**ais*
aller : j'irais	*mourir : je mou**rr**ais*
cueillir : je cueillerais	*voir : je ve**rr**ais*
tenir : je tiendrais	*pouvoir : je pou**rr**ais*
faire : je ferais	

14 LE CONDITIONNEL

Faut-il parler de mode conditionnel ?

Dans la terminologie grammaticale officielle, publiée par le ministère de l'Éducation nationale en 1997, les conditionnels présent et passé sont classés dans les temps de l'indicatif.

LE DÉBAT

Le statut du conditionnel a été l'objet d'un débat. Une tradition ancienne faisait du conditionnel un mode spécifique. L'autorité a finalement tranché : le conditionnel est un temps de l'indicatif. C'est donc ce que les professeurs sont tenus d'enseigner.

DU POINT DE VUE DE LA FORMATION

Par ses origines, le conditionnel est de même nature que les temps de l'indicatif. Futur et conditionnel sont issus de périphrases verbales formées en latin populaire sur l'infinitif. Ils ont en commun l'élément *-r* qui est la marque du futur, à quoi le conditionnel ajoute les désinences de l'imparfait *(-ais, -ait,* etc.*)*

DU POINT DE VUE DU SENS

- Le conditionnel est apte à exprimer l'irréel : *On se croirait au printemps.* Mais il peut aussi bien énoncer un fait réel : *Je savais que tu viendrais.*
- D'autres temps de l'indicatif, d'ailleurs, possèdent des valeurs modales. Ainsi, l'imparfait hypothétique inscrit l'action dans l'irréel : *Si j'avais su, si j'avais osé…* Le futur de politesse se substitue au présent pour atténuer une action en la situant dans le futur : *Je me permettrai de vous demander un service.*
- Si l'on voulait traiter le conditionnel comme un mode à cause des valeurs modales qu'il peut véhiculer, il faudrait donc en faire autant, au moins pour le futur et pour l'imparfait.

DU POINT DE VUE DU FONCTIONNEMENT

- Le conditionnel peut presque toujours commuter avec les temps de l'indicatif (sauf derrière *si*), mais jamais avec les temps du subjonctif.
- Comme les temps de l'indicatif, il peut s'employer dans une proposition indépendante sans *que* et ne peut se rencontrer derrière *je veux que* (**je veux que tu viendrais* est fautif).

ATTENTION Dans la langue littéraire, le plus-que-parfait du subjonctif peut se substituer au conditionnel passé, aussi bien qu'au plus-que-parfait : *S'il eût tenté sa chance, il eût reçu une réponse* (pour : *S'il avait tenté sa chance, il aurait reçu une réponse*). Le nom de « conditionnel passé deuxième forme » qu'on lui a donné ne se justifie pas.

LES FORMES CONJUGUÉES

15

Quelles sont les principes généraux de la conjugaison ?

La conjugaison est la liste des formes fléchies du verbe. Les éléments qui interviennent pour réaliser ces formes sont le radical, la désinence et l'auxiliaire.

LE RADICAL

• Le radical est porteur du sens spécifique du verbe, on le retrouve parfois dans les mots de la même famille : ***chant**er*, ***chant***, ***chant**eur*, *dé**chant**er*.

• Pour certains verbes, le radical subit des modifications, il comporte alors plusieurs **bases**, parfois utilisées dans un même temps :

- **all**er : *je **v**ais, j'**i**rai, que j'**aill**e* ; - **boi**re : *je **boi**s, nous **buv**ons, ils **boiv**ent.*

• Du fait des variations du radical, il existe en français beaucoup de verbes irréguliers, dont la conjugaison est quelquefois unique.

LA DÉSINENCE

• Les désinences (ou terminaisons) forment un système de 92 formes. C'est de leur côté qu'on trouve la régularité qui rend les formes verbales prévisibles (le futur et le conditionnel, par exemple, ne connaissent aucune exception).

• Aux formes simples, la forme verbale comporte le radical et la désinence.

• La désinence donne plusieurs informations en même temps. Ainsi, *ils chanteraient* peut se décomposer en *chante – r – ai – ent* : *-r* est la marque du futur, *-ai* est la marque de l'imparfait, *-ent* est la marque de la 3e personne du pluriel.

c'est là qu'on se trompe

Les formes orales des verbes ont beaucoup moins de marques que les formes écrites. Elles ne distinguent pas *je mange, tu manges, ils mangent*, *mange* (impératif) ni *je chantais, tu chantais, ils chantaient*. D'où un certain nombre d'erreurs possibles dans la conjugaison des verbes si l'on se fie à ce qu'on entend.

L'AUXILIAIRE

Aux formes composées et au passif, la forme verbale comporte l'auxiliaire et le participe passé. C'est alors l'auxiliaire qui porte les marques de personne et de temps.

vous avez dit bizarre ?

Seul le passé composé a une forme surcomposée qu'on rencontre surtout dans le sud de la France, avec valeur aspectuelle : *J'ai eu joué à la belotte, jadis.*

16 LES FORMES EN -*ANT*

Comment comprendre *-ant* à la fin d'un mot ?

Les formes en -*ant* peuvent recouvrir trois réalités syntaxiques différentes : le gérondif, le participe présent et l'adjectif. Le participe présent et le gérondif sont des formes verbales, ils sont invariables. L'adjectif verbal en -*ant* s'accorde avec le nom auquel il se rapporte.

LE GÉRONDIF

• Le gérondif est toujours précédé de la préposition *en (en souriant),* en français moderne. Forme adverbiale du verbe, il fonctionne comme un complément circonstanciel par rapport au verbe principal : *Il aime rêver en écoutant des musiques d'autrefois.*

• Le gérondif est invariable : *Elles chantent en travaillant.*

LE PARTICIPE PRÉSENT

• Le participe présent *(souriant)* conserve des propriétés verbales, tout en occupant les mêmes fonctions que l'adjectif. On reconnaît que la forme en *-ant* est employée comme verbe :

- quand elle est précédée du pronom personnel réfléchi (construction pronominale) : ***Se** tournant vers l'assemblée, il sourit. De **soi**-disant guérisseurs.*
- quand elle est précédée de l'adverbe de négation *ne* (propre au verbe) : ***Ne** sachant pas lire, il récita. Des enfants **ne** mentant jamais.*
- quand elle est modalisée par un adverbe postposé : *Une fille souriant **toujours**.*
- quand elle se construit avec des compléments (COD, COI, attribut, complément circonstanciel), comme le fait un verbe : *On annonce des vents soufflant **du nord*** (CC lieu). *Un homme tenant **un chapeau** à la main se présenta* (COD).
- quand elle est le centre d'une proposition circonstancielle (il faut pour cela que le participe ait pour support un mot désignant l'agent qui n'occupe aucune autre fonction dans la phrase) : *La **pluie** tombant toujours, ils partirent* (CC cause). *L'**été** finissant, il fallut reprendre le chemin de l'école* (CC temps).
- quand elle suit le semi-auxiliaire *aller* : *Les ennuis **vont** croissant.*
- quand elle peut passer au participe passé : ***Ayant salué**, il sortit.*

• Le participe présent est invariable : *Les jours raccourcissant, il fallut rentrer plus tôt.*

L'ADJECTIF VERBAL

• L'adjectif verbal *(souriant/te/ts/tes)* est un ancien participe présent qui est passé dans la catégorie des adjectifs, il ne fait plus partie des formes verbales.

• L'adjectif verbal s'accorde avec le nom auquel il se rapporte : *Des fils souriants.*

LE FUTUR ANTÉRIEUR

17

Dans quels cas employer le futur antérieur ?

Le futur antérieur, temps composé, présente la même valeur fondamentale que le futur simple : il projette l'action dans le futur.

LA VALEUR TEMPORELLE

Le futur antérieur exprime l'antériorité par rapport à un procès au futur (il est alors employé en corrélation avec le futur simple) : *Dans quelques jours, l'hiver sera fini et les arbres fleuriront. Une semaine après que vous serez partis, je partirai à mon tour.*

LA VALEUR ASPECTUELLE

• Le futur antérieur exprime l'aspect accompli du futur quand il est employé de manière autonome : *J'aurai bientôt fini.*

• Il peut remplacer le futur simple avec un verbe conclusif, c'est-à-dire un verbe que l'on ne peut envisager que dans son déroulement intégral (comme *arriver*), quand on veut montrer l'action à son achèvement : *Demain, nous aurons gagné l'Angleterre. Ce soir, nous aurons gagné le match.*

• Avec tous les verbes, il peut exprimer la rapidité de l'action : *Nous aurons vite traversé la ville.*

LA VALEUR MODALE

• Le futur antérieur prend facilement une valeur exclamative (ou hyperbolique), en transposant dans le futur ce qui ne concerne que le présent : *On aura tout vu ! C'est le plus mauvais repas que j'aurai jamais fait !*

• Le futur antérieur permet d'énoncer une explication probable, emploi beaucoup plus fréquent que le futur simple. Le futur antérieur dans un contexte présent exprime une supposition, en laissant entendre qu'elle sera validée : *La doublure de ma poche est déchirée, la clé sera tombée en cours de route.* L'hypothèse peut se développer sur plusieurs phrases : *Je parie que c'est Tintin qui a fait le coup : il se sera enfui quand il nous aura entendus. Il est parvenu à se libérer ! Ça va mal ! Il aura été délivrer tous les autres* (*l'Île noire,* Hergé).

• Le futur antérieur peut également prendre une valeur de bilan anticipé : *Finalement, nous aurons bien travaillé cette année.* Le locuteur se détache du présent pour juger le procès comme s'il était déjà achevé, pour donner plus d'ampleur à son jugement.

Voir le futur simple.

18 LE FUTUR SIMPLE

Dans quels cas employer le futur simple ?

Le futur simple a pour valeur essentielle de projeter l'action dans un avenir plus ou moins proche. Il indique qu'une action est à venir ou qu'elle doit se réaliser avec certitude.

LES VALEURS TEMPORELLES

- Le futur indique que l'action est postérieure au « maintenant », c'est-à-dire au moment où je parle : *Mon cher Monsieur Tintin, vous avez échappé à bien des dangers [...] Mais il est une chose à laquelle vous n'échapperez pas : l'eau !* (*l'Île noire,* Hergé).
- Le futur historique prend appui sur un repère passé. Cet emploi tient à la concordance des temps dans un texte au présent de narration : *Le consul devient un prince. Napoléon sera couronné empereur en 1802.*
- Le futur de vérité générale (dit *futur gnomique*) vise des conseils généraux, formulés pour l'avenir. Il est fréquent dans les proverbes : *Qui vivra verra.*

LES VALEURS MODALES

Le futur parle d'un procès non encore réalisé mais envisagé, il situe l'action autant dans l'avenir que dans ce qui est projeté ; cette orientation fondamentale lui permet de prendre des valeurs modales :

- l'injonction (futur de volonté) : *Vous me ferez ce devoir pour demain. Vous prendrez bien un petit café.*
  La Bible exprime les dix commandements au futur :
  Un seul Dieu tu adoreras. [...] Tu ne voleras pas. Tu ne porteras pas de faux témoignage contre ton prochain [...].
- l'atténuation : *Je ne vous cacherai pas que je suis très mécontent. Je vous demanderai quelques minutes d'attention.* Il ne s'agit pas d'un procès à venir, mais déjà en cours de réalisation, que le locuteur présente comme simplement envisagé.
- le probable : *Pour qui a-t-on sonné la cloche des morts ? Ah ! mon Dieu, ce sera pour Mme Rousseau.* (*Du côté de chez Swann,* Proust). *Il y a une nouvelle en classe, ce sera la fille du nouveau directeur.* Le futur exprime un fait présent en le donnant comme probable, il exprime une supposition.
- l'irréel dans un système hypothétique : *S'il travaille, il réussira son examen* (*travailler* est donné comme la condition préalable à *réussir,* ce rapport logique et temporel est rendu par le passage du présent au futur).

LE FUTUR

Quelles sont les marques du futur ?

• Pour écrire le futur, on écrit d'abord l'infinitif du verbe, et on ajoute, pour tous les verbes, la terminaison du présent du verbe *avoir : -ai, -as, -a* (sauf *avons, avez*), *-ont*. Puisque tous les infinitifs en français sont en *r*, on obtient la désinence *-rai, -ras, -ra, -ront.*

avoir **: présent**	***manger*** **: futur**
j'ai	*je manger – ai*
tu as	*je manger – ai*
il a	*il manger – a*
nous avons	*nous manger –* ***ons***
vous avez	*vous manger –* ***ez***
ils ont	*ils manger – ont*

• Les verbes du premier groupe, conservant leur infinitif en *-er*, ont donc un *e* qu'il ne faut pas oublier, même quand il n'est pas prononcé : *je pli**e**rai, je cri**e**rai, il cré**e**ra, nous salu**e**rons…*

• Les verbes qui finissent en *-yer* changent le *y* en *i* : *il appu**i**era, nous netto**i**erons…*

ATTENTION Les verbes qui finissent en *-eter* et *-eler* doublent la consonne ou prennent un *è* : *il appe**ll**era, il g**è**lera, il ach**è**tera.*

• Les verbes du troisième groupe qui finissent en *-re* perdent le *e* de l'infinitif : *écrire / j'écrirai ; mordre / il mordra ; prendre / je prendrai.*

c'est là qu'on se trompe

Un certain nombre de verbes irréguliers ne suivent pas la règle de formation à partir de l'infinitif : *acquérir / j'acque**rr**ai ; aller / j'irai ; apercevoir / j'apercevrai ; avoir / j'aurai ; courir / je courrai ; cueillir / je cueillerai ; envoyer / j'enve**rr**ai ; être / je serai ; faire / je ferai ; mourir / je mou**rr**ai ; pouvoir / je pou**rr**ai ; savoir / je saurai ; tenir / je tiendrai ; venir / je viendrai ; voir / je ve**rr**ai.*

ATTENTION *pouvoir, courir, mourir, voir, envoyer* et *acquérir* prennent deux *r*.

Vous avez dit bizarre ?

• Le verbe *voir* est irrégulier mais ses composés *prévoir* et *pourvoir* sont réguliers : *je prévoirai, je pourvoirai.*

• Le verbe *asseoir* perd le *e* de son infinitif : *j'assoirai* alors que *surseoir* le conserve : *je surs**e**oirai.*

20 FUTUR OU CONDITIONNEL ?

Comment distinguer le futur du conditionnel ?

À la première personne du singulier, les deux formes sont homophones (elles se prononcent de la même façon), mais non homographes (elles ne s'écrivent pas de la même façon) : *Je viderai la poubelle demain, je souhaiterais ne plus en parler.*

Petite astuce

Un changement de personne fait apparaître la différence des formes : *Il videra la poubelle demain, il souhaiterait ne plus en parler.*

DISTINGUER LE FUTUR DU CONDITIONNEL DANS UNE PRINCIPALE

Dans une proposition principale, pour choisir entre le futur et le conditionnel, on fait intervenir le sens :

- Le futur exprime une action future dont la réalisation est considérée comme quasi certaine : *Demain, je* ***viderai*** *la poubelle.*
- Le conditionnel exprime une action plus ou moins future et plus ou moins probable : *Je* ***viderais*** *la poubelle si elle était pleine.*

DISTINGUER LE FUTUR DU CONDITIONNEL DANS UNE SUBORDONNÉE

Dans une proposition subordonnée, pour choisir entre le futur et le conditionnel, il faut connaître les règles de concordance des temps :

- Si la proposition principale est au présent, la subordonnée est au futur : *Mais puisque je te dis que je* ***viderai*** *la poubelle demain !*
- Si la principale est à un temps du passé, la subordonnée est au conditionnel présent : *Je t'ai déjà dit que je* ***viderais*** *la poubelle demain.*

C'est là qu'on se trompe

Dans les subordonnées de condition, on n'emploie jamais le conditionnel après *si*.

Petites astuces

- Si, dans la subordonnée, on emploie *si* suivi du présent, la principale est au futur : *Si c'est indispensable, je* ***viderai*** *la poubelle.*
- Si, dans la subordonnée, on emploie *si* suivi de l'imparfait, la principale est au conditionnel : *Si c'était possible, je ne* ***viderais*** *pas la poubelle.*

LE GÉRONDIF

Comment reconnaître le gérondif ?

21

Le gérondif est un mode à part entière. Il ne connaît aucune variation en personne ou en temps, mais il peut marquer des variations aspectuelles : *en travaillant, en ayant travaillé* (la forme composée du gérondif est rare).

L'AGENT DU GÉRONDIF

En tant que forme verbale, le gérondif exprime un procès qui suppose un agent, c'est-à-dire l'être ou la chose qui fait ou qui subit l'action. Le gérondif n'a jamais de sujet, mais son agent est obligatoirement le sujet du verbe principal : *En démolissant le mur, les ouvriers ont découvert un trésor* (ce sont les ouvriers qui démolissent et qui trouvent). La phrase : **En démolissant le mur, un trésor est apparu* est incorrecte. Le gérondif est incompatible avec la construction impersonnelle, puisque dans ce type de construction, le pronom *il,* simple marque de la 3e personne, n'a pas de référent précis : **Il pleut en mouillant la route.*

 Vous avez dit bizarre ?

En français classique, la construction était plus libre : *L'appétit vient en mangeant.*

LA FONCTION DU GÉRONDIF

• Le gérondif est la forme adverbiale du verbe, il occupe la fonction de complément circonstanciel (le plus souvent de temps), mais il peut prendre plusieurs valeurs, selon le contexte : *Elle s'est cassé la voix en criant trop fort* (cause). *Tu as réussi ton examen en ayant à peine révisé* (concession). *Il a obéi en grommelant* (manière)…

• Tout en fonctionnant comme un adverbe, le gérondif conserve cependant des propriétés verbales telles que la négation (sous la forme *en ne… pas*) : *Il s'est discrédité* ***en ne*** *répondant* ***pas*** *aux questions,* ou l'aptitude à régir des compléments verbaux : *En songeant au combat, il se recueille.*

LA VALEUR ASPECTUELLE DU GÉRONDIF

• Le gérondif n'inscrit pas l'action dans une chronologie, il n'a aucune valeur temporelle. Le gérondif a les mêmes valeurs aspectuelles que le participe présent, il présente le procès de l'intérieur, en cours de réalisation (aspect non borné).

• La préposition *en* sert à exprimer la simultanéité temporelle : *Je siffle en travaillant.* Elle peut être renforcée par l'adverbe *tout* : *Je siffle tout en travaillant.* La durée de l'action principale *(siffler)* se trouve inscrite dans la durée de l'action exprimée par le gérondif *(travailler).*

22

LES GROUPES DE VERBES

Comment les verbes sont-ils classés ?

La tradition répartit les verbes en trois groupes, en se fondant sur les formes de leur infinitif.

LE 1er GROUPE : TYPE *AIMER*

• Les verbes du premier groupe sont réguliers. La conjugaison de type *aimer* regroupe plus de 90 % des verbes français (environ 5 000 verbes).

• Ce groupe est très productif. C'est sur ce modèle que se conjuguent les nouveaux verbes formés à partir de noms, en français : *faxer, scotcher, téléphoner*…

LE 2e GROUPE : TYPE *FINIR*

• La conjugaison de type *finir* est régulière, elle est caractérisée par son infinitif en *-ir* et son participe présent en *-issant*, elle compte environ 300 verbes.

• Tous les verbes du deuxième groupe suivent le modèle de *finir*, sauf *haïr* et *s'entre-haïr*, seuls verbes irréguliers du 2e groupe.

• Tous les verbes de ce type font leurs temps composés avec l'auxiliaire *avoir*.

• Ce groupe produit essentiellement des verbes formés sur des adjectifs : *brunir, jaunir*… (exceptionnellement : *alunir*, sur le modèle de *atterrir*).

LE 3e GROUPE : LES VERBES IRRÉGULIERS

• Ce groupe se définit négativement, il réunit les verbes qui ne se conjuguent ni sur le type *aimer* ni sur le type *finir*.

• On les répartit en trois séries :
- les verbes en *-ir* : *courir (courant)*
- les verbes en *-oir* : *pleuvoir*
- les verbes en *-re* : *rire*
+ le verbe *aller*
+ les auxiliaires *être* et *avoir*.

ATTENTION La ressemblance des infinitifs masque les multiples irrégularités et les variations des radicaux.

Vous avez dit bizarre ?

• Le 3e groupe comporte les verbes les plus irréguliers qui sont aussi les plus fréquents (les verbes les plus employés sont, dans l'ordre décroissant : *être, avoir, faire, dire, aller, voir, savoir, pouvoir, falloir, vouloir, venir*).

• Le 3e groupe n'est plus productif, au contraire, il s'appauvrit lentement (*quérir, choir, gésir*… sont des verbes défectifs et archaïques).

L'IMPARFAIT

23

Dans quels cas employer l'imparfait ?

Comme son nom l'indique, l'imparfait exprime surtout un procès passé envisagé dans le cours de son déroulement. Il s'emploie aussi dans un système conditionnel.

LES VALEURS TEMPORELLES ET ASPECTUELLES

Du point de vue du temps, l'imparfait indique seulement que le procès est antérieur au repère présent, il ne peut pas servir de repère passé. Du point de vue aspectuel, il a la particularité de ne pas enclore l'action passée dans les limites (initiale et finale) de sa réalisation, mais de l'envisager de l'intérieur, dans le cours de son déroulement (aspect non borné) :

- il exprime la simultanéité de procès passés : *Pascal dormait dans le fauteuil, le chat sur ses genoux ronronnait tranquillement.*
- il peut, en fonction du contexte, s'accorder à une valeur itérative, c'est-à-dire à ce qui indique la répétition d'une action : *Tous les jours, vers six heures, il s'endormait.*
- dans le discours indirect, il transpose un présent de discours direct : *Je demandai à Brichot s'il savait ce que signifiait Balbec* (Proust).
- dans le récit littéraire, l'imparfait descriptif s'oppose au passé simple. Les procès à l'imparfait sont de l'ordre de l'arrière-plan ou du commentaire, les procès au passé simple sont tirés au premier plan : *Il lutta de sa main que l'épée découpait peu à peu [...]. Alors il ne résista plus, il secouait seulement son bras droit [...]* (Giraudoux).
- l'imparfait narratif exprime un événement ponctuel, c'est un tour littéraire (effet de dramatisation) : *Ils se promirent de se revoir ; le lendemain, il mourait dans un accident de voiture.*

LES VALEURS MODALES

• Dans les systèmes hypothétiques, l'imparfait exprime l'irréel du présent ou du futur (qu'on appelle potentiel) : *Si j'avais trois oreilles, j'entendrais mieux. Si tu écrivais au journal, tu aurais les renseignements qui te manquent.* Derrière *si* + imparfait, la principale est au conditionnel.

• En dehors de tout système de relation avec une autre proposition, l'imparfait peut prendre des valeurs modales :

- politesse : *Je venais vous demander un renseignement.*
- procès sur le point de se réaliser : *Il était temps, nous partions.*
- hypothèse : *Il faisait un pas de plus, c'était un homme mort.*
- imparfait hypocoristique (exprimant une intention affectueuse) : *Il était joli le chien-chien à sa maman.*

24 L'IMPARFAIT

Quelles sont les marques de l'imparfait ?

À l'imparfait, tous les verbes ont les mêmes terminaisons. Généralement, on forme l'imparfait avec le radical de l'infinitif suivi des désinences en *-ais, -ais, -ait, -ions, -iez, -aient.*

avoir	*marcher*	*souffrir*
j'avais *tu avais* *il avait* *nous avions* *vous aviez* *ils avaient*	*je marchais* *tu marchais* *il marchait* *nous marchions* *vous marchiez* *ils marchaient*	*je souffrais* *tu souffrais* *il souffrait* *nous souffrions* *vous souffriez* *ils souffraient*

exceptions Un certain nombre de verbes font leur imparfait sur un autre radical :

boire *: je buvais*
coudre *: je cousais*
craindre *: je craignais*
croire *: je croyais*
dire *: je disais*
écrire *: j'écrivais*
faire *: je faisais*
fleurir *: je fleurissais*
maudire *: je maudissais*
moudre *: je moulais*
résoudre *: je résolvais*
suffire *: il suffisait*

ATTENTION Aux *i* ou *y* du radical et de la désinence qui se rencontrent et se cumulent :

- Dans les verbes du premier groupe :
  - verbes en *-ier* : *crier, nous cr**ii**ons ; copier, vous cop**ii**ez…*
  - verbes en *-yer* : *balayer, nous bala**yi**ons ; payer, vous pa**yi**ez…*
  - verbes en *-iller* : *conseiller, nous conse**illi**ons…*
- Dans certains verbes du troisième groupe :
  - verbes en *-ire* : *rire, nous r**ii**ons ; dire, nous disions…*
  - verbes en *-indre* : *craindre, nous crai**gni**ons ; joindre, nous joi**gni**ons…*
  - verbes qui ont *y* à l'imparfait : *fuir, je fuyais, nous fu**yi**ons ; distraire, je distrayais, nous distra**yi**ons ; croire, je croyais, nous cro**yi**ons…*

ATTENTION *Nous nous ass**eyi**ons.*

- La règle de position s'applique :
  - aux verbes qui se terminent en *-cer* : *rapiécer, je rapié**ç**ais…*
  - aux verbes qui se terminent en *-ger* : *protéger, je proté**ge**ais…*
- Les verbes qui se terminent en *-guer* conservent le *u* devant *a* : *naviguer, je navi**gu**ais ; fatiguer, il fati**gu**ait.*

L'IMPÉRATIF

25

Dans quels cas employer l'impératif ?

L'impératif constitue un mode à part entière. L'effacement du pronom personnel sujet est une propriété syntaxique remarquable qui le caractérise. De plus, le système des personnes est réduit à trois : les personnes destinataires de l'énoncé, auxquelles on peut donner des ordres *(tu, nous, vous).*

LES VALEURS TEMPORELLES ET ASPECTUELLES

• L'impératif est un mode non temporel. Les formes simples et les formes composées s'opposent du point de vue de l'aspect *(chante, aie chanté).*

• Comme l'impératif exprime l'ordre, la réalisation de l'action commandée ne peut être envisagée que dans le présent : *Écoute épervier qui tiens les clefs de l'orient […] écoute squale qui veille sur l'occident, écoutez chien blanc du nord, serpent noir du midi* (A. Césaire), ou dans l'avenir :

- l'impératif présent situe le procès à un moment postérieur à l'énonciation : *Fais bien mes amitiés à ton mari, quand tu le verras.*
- l'impératif présent peut cependant exprimer un ordre valable dans tous les temps : *Ne tuez pas le fils dont vous aimez la mère.*
- l'impératif passé envisage un procès achevé à un moment futur : *Ayez fini avant mon arrivée.*

LES VALEURS MODALES

• L'impératif ne s'emploie qu'en proposition indépendante.

• L'impératif sert essentiellement à exprimer tous les degrés de l'ordre (avec des nuances : exhortation, conseil, suggestion, prière, injonction brutale, etc.) : *Fais ceci, fais cela, et je le fais. Je ne refuse jamais.* (Beckett). *Donnez-nous aujourd'hui notre pain quotidien.*

• Dans une phrase négative, l'impératif exprime la défense : *Ne soyez pas sévères.*

• Dans des propositions coordonnées ou juxtaposées, la proposition à l'impératif prend des valeurs particulières :

- condition : *Recommence et je crie. Fais un pas, je t'assomme.*
- concession : *Continuez tant que vous voulez, vous ne me convaincrez pas.*
- hypothèse : *Demandez, et vous serez servi. Cherchez, vous trouverez.*

• L'impératif narratif est riche de possibilités stylistiques : *Et puis je grimpe sur mon impériale, j'ouvre mon ombrelle et* ***fouette*** *cocher !* (Maupassant).

26

L'IMPÉRATIF

Quelles sont les marques de l'impératif ?

L'impératif présent prend généralement la forme du présent de l'indicatif sans le pronom.

finir	
présent	impératif
tu finis *nous finissons* *vous finissez*	*finis* *finissons* *finissez*

• Les verbes du troisième groupe en *-re* (*-dre, -pre, -cre, -tre*) qui gardent la consonne au présent de l'indicatif la gardent aussi à l'impératif :

prendre		*mettre*	
présent	impératif	présent	impératif
tu prends *nous prenons* *vous prenez*	*prends* *prenons* *prenez*	*tu mets* *nous mettons* *vous mettez*	*mets* *mettons* *mettez*

ATTENTION Les verbes qui se terminent en *-indre* et *-soudre* perdent le *d* : *je peins, je crains, j'absous.*

• À l'impératif, la deuxième personne du singulier ne prend pas de *s* après le son *e*, certains verbes du troisième groupe (dont *aller*) se conjuguent comme les verbes du premier groupe :

chanter	*cueillir*	*ouvrir*	*aller*
*chant**e*** *chantons* *chantez*	*cueill**e*** *cueillons* *cueillez*	*ouvr**e*** *ouvrons* *ouvrez*	*va* *allons* *allez*

ATTENTION Les verbes *avoir, être, savoir* et *vouloir* ont des formes irrégulières :

avoir	*être*	*savoir*	*vouloir*
aie *ayons* *ayez*	*sois* *soyons* *soyez*	*sache* *sachons* *sachez*	*veux/veuille* *voulons/veuillons* *voulez/veuillez*

Petite astuce

Le verbe à l'impératif doit être joint par un trait d'union au pronom personnel qui le suit : *Chante-lui une chanson, laissez-vous faire, allez-vous-en, donnez-le-moi.*

Vous avez dit bizarre ?

On rétablit le *s* (pour des raisons euphoniques) devant les pronoms compléments *en* et *y*, liés par un trait d'union : *Manges-en, achètes-en, vas-y, penses-y.*

L'IMPERSONNEL

27

Pourquoi certains verbes sont-ils à la 3e personne ?

Le terme *impersonnel* signifie « dépourvu des marques de personne ». On lui préfère souvent le terme *unipersonnel* quand il s'applique à un verbe ou à une tournure verbale et *non-personnel* quand il s'applique à un mode.

LES VERBES IMPERSONNELS

• Certains verbes ne peuvent s'employer qu'à la 3e personne du singulier, toujours précédés de *il*, on les appelle *les verbes impersonnels* (ou *unipersonnels* pour éviter toute confusion). Les verbes météorologiques sont tous des verbes impersonnels : *Il neige, il pleut, il vente, il grêle…*

• Les locutions impersonnelles empruntent des formes aux verbes conjugués : *Il y a un chat sur mon bureau. Il est 17 heures. Il fait beau. Il s'agit d'en profiter. Il faut sortir. Il vaut mieux prendre un pull.*

LA TOURNURE IMPERSONNELLE

• La construction impersonnelle concerne de nombreux verbes intransitifs : *Il est arrivé un accident. Il reste à manger dans le réfrigérateur…*

• La construction impersonnelle (qu'on peut considérer comme « voix impersonnelle ») modifie la manière dont on exprime la participation du sujet à l'action. Comme la voix passive, elle retire l'agent de la position sujet pour en faire un complément : *Il manque des outils dans la boîte* (= des outils manquent dans la boîte).

• *Il*, en position de sujet, n'est pas un véritable pronom (il n'a aucun antécédent) ; c'est seulement une marque de 3e personne, sans référent précis : *Il se passe quelque chose d'intéressant.* L'agent du procès n'est pas en position grammaticale de sujet.

• La construction impersonnelle est utilisée pour éviter de placer une subordonnée en tête de phrase : *Il est nécessaire que tu lises ce livre* (= que tu lises ce livre est nécessaire).

LES MODES IMPERSONNELS

Trois modes du verbe, l'infinitif, le participe et le gérondif, qui ne varient pas en personne sont appelés *impersonnels* (ou *non-personnels,* pour éviter toute confusion).

Voir l'infinitif, le participe, le gérondif.

L'INDICATIF

Quelles sont les valeurs de l'indicatif ?

L'indicatif permet le plus souvent de décrire des états ou des faits réels, mais il peut également prendre des valeurs subjectives.

LES VALEURS TEMPORELLES

• Seul l'indicatif, avec ses dix temps, inscrit le procès dans une chronologie (on appelle *procès* l'action ou l'état exprimé par le verbe) : par rapport à un repère, il situe le procès avant (antériorité), après (postériorité) ou pendant (simultanéité).

• Si l'on figure le temps par une ligne orientée du passé vers l'avenir, on peut situer le procès par rapport à un repère présent ou un repère passé :

- le procès est situé par rapport à un repère présent « maintenant » (moment où je suis) :

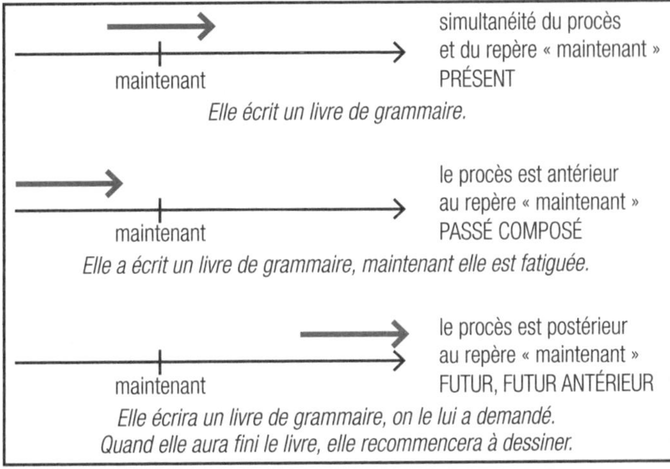
maintenant
simultanéité du procès
et du repère « maintenant »
PRÉSENT
Elle écrit un livre de grammaire.
maintenant
le procès est antérieur
au repère « maintenant »
PASSÉ COMPOSÉ
Elle a écrit un livre de grammaire, maintenant elle est fatiguée.
maintenant
le procès est postérieur
au repère « maintenant »
FUTUR, FUTUR ANTÉRIEUR
Elle écrira un livre de grammaire, on le lui a demandé.
Quand elle aura fini le livre, elle recommencera à dessiner.

- le procès est situé par rapport à un repère passé « alors » :

alors
simultanéité du procès
et du repère passé
IMPARFAIT, PASSÉ SIMPLE
À cette époque, elle dessinait des chats.
Elle dessina beaucoup de chats quand elle était jeune.

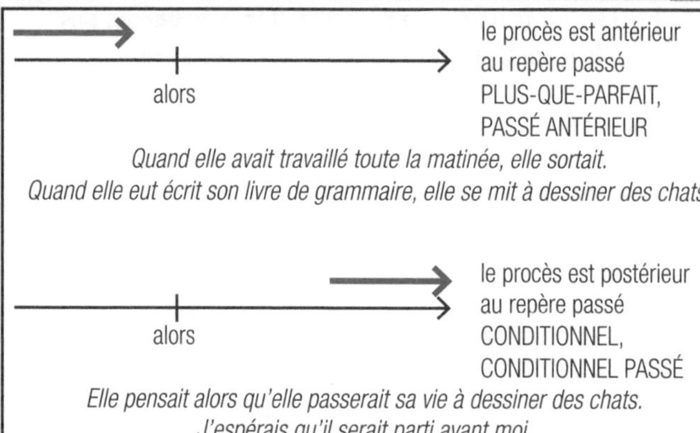

Quand elle avait travaillé toute la matinée, elle sortait.
Quand elle eut écrit son livre de grammaire, elle se mit à dessiner des chats.

Elle pensait alors qu'elle passerait sa vie à dessiner des chats.
J'espérais qu'il serait parti avant moi.

LES VALEURS ASPECTUELLES

Les temps de l'indicatif marquent des oppositions aspectuelles.

- L'aspect **accompli / non accompli** est marqué par l'opposition des temps simples et des temps composés.
- L'aspect **borné / non borné** s'exprime surtout dans l'opposition entre l'imparfait et le passé simple.

LES VALEURS MODALES

On dit un peu trop vite que l'indicatif sert à exprimer des procès présentés comme réels ou certains. En fait, les temps de l'indicatif peuvent tous exprimer l'attitude du sujet devant l'événement et prendre des valeurs subjectives (qu'on appelle *valeurs modales*) et permettent d'énoncer des réserves sur le procès :

- le futur donne un fait présent comme probable : *L'appareil photo a été volé, ce sera un pickpocket.*
- le conditionnel (considéré comme temps de l'indicatif) accompagne des informations données comme peu sûres : *Il y aurait un million de manifestants.*
- l'imparfait donne un fait futur comme exclu de l'avenir du locuteur : *Il y avait une fête prévue pour dimanche prochain, mais je dois travailler.*
- le présent peut exprimer l'irréel : *Si je mange plus, j'éclate.*

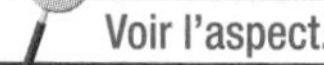

Voir l'aspect.

29 L'INFINITIF

Dans quels cas employer l'infinitif ?

L'infinitif est la forme nominale du verbe. Il faut distinguer ses traits en emplois nominaux et ses traits en emplois verbaux.

L'INFINITIF SUBSTANTIVÉ

L'infinitif change facilement de catégorie grammaticale. Précédé ou non d'un article, il peut devenir un nom, perdant alors toute trace de son fonctionnement verbal : *Un éclat de rire. Un souvenir, de beaux souvenirs. En perdre le boire et le manger.*

L'INFINITIF DANS UN GROUPE NOMINAL

L'infinitif centre d'un groupe nominal assume toutes les fonctions du nom, tout en conservant ses propriétés verbales :

- en tant que verbe, l'infinitif est invariable. Il peut avoir des compléments : *Je veux tirer un soleil de mon cœur.* Il peut être nié avec *ne… pas* : *Il importe de ne pas trop rêver.*
- comme un nom, l'infinitif peut être remplacé par un pronom : *J'espère coucher auprès du ciel ; je l'espère.*

L'INFINITIF DANS UNE PROPOSITION SUBORDONNÉE

• L'infinitif est centre d'une proposition comme le serait un verbe conjugué, il ne peut plus alors être remplacé par un pronom : *Je cherche qui inviter pour les vacances.*

• Derrière un verbe de perception *(voir, entendre, sentir…)*, on peut trouver une proposition infinitive : *J'entends les oiseaux chanter.*

L'INFINITIF DANS UNE PÉRIPHRASE VERBALE

• Combiné avec un semi-auxiliaire, l'infinitif forme une périphrase verbale : *Je vais partir, je viens d'arriver…*

• Le verbe à l'infinitif apporte l'information et le semi-auxiliaire sert à préciser le procès du point de vue de l'aspect ou du temps : *L'orateur finit de parler* (l'action de *parler* est envisagée dans sa phase terminale). *Je vais partir* (futur proche).

L'INFINITIF DANS UNE PROPOSITION INDÉPENDANTE

Le procès est toujours de l'ordre du virtuel et l'infinitif prend des valeurs modales (c'est-à-dire subjectives) :

Faire cuire à feu doux (ordre). *Moi, lui demander quelque chose ?* (indignation). *Être ou ne pas être ?* (interrogation).

L'INFINITIF

Quelles sont les formes de l'infinitif ?

Tous les verbes du deuxième groupe sans exception se terminent par *-ir* (*finir*).
L'écrasante majorité des verbes du troisième groupe se termine par *-re*.

• On reconnaît les verbes du deuxième groupe au fait qu'ils forment leur participe présent en *-issant* : *finir / finissant ; haïr / haïssant.*

• On reconnaît les verbes du troisième groupe au fait qu'ils forment leur participe présent en *-ant*: *dormir / dormant ; prendre / prenant.*

• Les verbes dont l'infinitif se termine par ***-re***:

-aire	*faire*	*plaire*	*extraire*
-cre	*vaincre*	*convaincre*	
-dre	*prendre*	*répondre*	*peindre*
-ore	*clore*	*éclore*	
-pre	*rompre*	*interrompre*	
-tre	*mettre*	*connaître*	*battre*
-vre	*suivre*	*vivre* (et ses dérivés)	
-uire	*traduire*	*luire*	*nuire*
-ure	*conclure*	*exclure*	

exceptions Parmi les verbes qui se terminent en *-uir* : *fuir, s'enfuir.*

• Tous les verbes du troisième groupe en ***-oir*** s'écrivent sans *e* : *s'asseoir, déchoir, émouvoir, prévoir, recevoir, valoir, voir, vouloir.*

exceptions *boire, croire.*

Petites astuces

Comment distinguer les verbes en *-ir* et *-ire*?

• Quand, à la première personne du pluriel, au présent de l'indicatif, le *i* de la terminaison disparaît, comme dans *mourir, nous mourons*; *mentir, nous mentons*; *ouvrir, nous ouvrons*, l'infinitif s'écrit ***-ir***. Cette règle s'applique par exemple aux verbes suivants : *bouillir, courir, dormir, fuir, mourir, ouvrir, partir, revêtir.*

• Quand, à la première personne du pluriel, au présent de l'indicatif, le *i* s'entend toujours, comme dans *dire, nous disons*; *écrire, nous écrivons*; *rire, nous rions*, l'infinitif s'écrit ***-ire***. Cette règle s'applique par exemple aux verbes suivants : *circoncire, circonscrire, écrire, lire, médire, occire, suffire.*

31 L'INTERROGATION

Comment la conjugaison se comporte-t-elle à la forme interrogative ?

L'interrogation ne change rien à la conjugaison des verbes, elle modifie les rapports de place entre le verbe et son sujet.

SI LE SUJET EST UN PRONOM

• Dans la langue soignée, on marque l'interrogation par l'inversion du pronom personnel qui est relié au verbe par un trait d'union : *As-**tu** jamais eu un instant de bonheur ?* (Beckett)

• À la 3e personne du singulier, un *-t-* euphonique est ajouté si la forme verbale se termine par une voyelle : *Reste-**t**-il du pain ? Où va-**t**-on ?*

• Si le verbe est construit avec un auxiliaire, le pronom se met après l'auxiliaire : *A-t-**il** été heureux ? Est-**il** blessé ?*

• Le pronom sujet qui suit le verbe ne peut pas être sous-entendu lorsque deux verbes sont coordonnés : *Regardera-t-**il** par ici et nous verra-t-**il** ?*

SI LE SUJET EST UN GROUPE NOMINAL

• Quand le sujet est un groupe nominal, il ne peut être postposé que dans certaines interrogations, portant sur un élément de la phrase, et non sur la phrase entière : *Où est **la bicyclette de Martin** ?*

• Quand l'interrogation porte sur toute la phrase, on recourt à une inversion complexe qui, laissant le sujet à la première place, le répète sous la forme d'un pronom postposé : *Un **homme** peut-**il** vraiment être heureux ? L'**expérience** a-t-**elle** été tentée ?*

LES INVERSIONS À LA PREMIÈRE PERSONNE

• Quand la forme verbale ne se termine pas par *-e*, l'inversion est rare, elle est quelquefois impossible ; pour éviter des effets comiques, on n'écrit pas : **Où cours-je ? *Que sers-je ? *Meurs-je ?* On ne trouve l'inversion qu'avec des verbes très courants : *Vais-je ? Puis-je ? Que dis-je ?*

• Quand la forme verbale se termine par *-e,* on l'écrit *-e* accent aigu, malgré la prononciation [ɛ] : *Rest**é**-je ? Me tromp**é**-je ? Euss**é**-je ?*

La réforme de l'orthographe recommande d'accorder la graphie à la prononciation et d'écrire : *Restè-je ? Me trompè-je ? Eussè-je ?*

LES MODES

32

Que désignent les modes en conjugaison ?

Les modes représentent un cadre de classement des temps hérité des langues anciennes.

LES MODES TRADITIONNELS DE LA CONJUGAISON

• Les modes se différencient d'abord par leur capacité à présenter les personnes : on distingue les formes qui varient en personne (les modes personnels) des formes qui ne varient pas en personne (les modes impersonnels).

• Les verbes aux **modes impersonnels** peuvent sortir de leur fonction strictement verbale et se comporter comme des mots non verbaux : l'infinitif remplit alors toutes les fonctions du nom ; le participe, celles de l'adjectif, et le gérondif, celles de l'adverbe.

• Les **modes personnels** distinguent l'impératif, le subjonctif et l'indicatif :
  - l'impératif ne connaît que trois personnes, il est le seul mode personnel à être employé sans pronom sujet : *Écris, écrivons, écrivez* (non : **Écrirons*).
  - le subjonctif est caractérisé par la « béquille » *que,* il est le seul mode personnel à pouvoir être employé derrière *je veux que* : *Je veux que Sylvie écrive* (non : **Je veux que Sylvie écrirait*).
  - l'indicatif peut être employé avec un sujet dans une proposition indépendante sans la conjonction *que* : *Sylvie écrit* (non : **Sylvie écrive*).

MODES ET VALEURS MODALES

• Les temps du verbe peuvent manifester le sentiment du locuteur par rapport à ce qu'il dit, la manière dont il envisage le degré de réalisation de l'action. Par exemple, le futur et le conditionnel, tournés vers l'avenir, donnent le fait comme non encore réalisé, mais probable ou possible. On parle alors de « valeurs modales ».

ATTENTION Il n'y a pas d'équivalence entre les modes traditionnels de la conjugaison et les valeurs modales que peuvent prendre les temps :
  - un mode peut exprimer des valeurs modales différentes. Le subjonctif peut exprimer la volonté, le souhait, le doute, la crainte…
  - une même valeur modale peut être rendue par des modes différents. L'irréel s'exprime aussi bien à l'indicatif *(si tu étais là ; j'aurais aimé le rencontrer ; il reviendra)* qu'à l'impératif (*revenez* indique également que l'événement n'est pas réalisé).

Voir l'indicatif, le conditionnel, l'infinitif, l'impératif, le subjonctif.

33

LA NÉGATION

Comment la conjugaison se comporte-t-elle à la forme négative ?

La négation du verbe en français se fait au moyen d'une locution négative en deux parties : *ne… pas, ne… plus, ne… guère…* Elle ne change rien à la conjugaison des verbes, mais la place du deuxième élément peut varier.

LA PARTICULE NÉGATIVE *NE*

- La particule négative *ne* se place toujours à gauche du verbe, dont elle ne peut être séparée que par des pronoms atones : *Je **ne** le regarde pas. **Ne** me le dis plus.*
- À la voix pronominale, *ne* se place avant le pronom réfléchi : *Il **ne** se rend jamais.*
- *Ne* peut s'employer seul avec certains verbes : *Je **n**'ose, je **ne** peux, je **ne** cesse.*

L'ÉLÉMENT ADVERBIAL *PAS*

- L'élément adverbial *pas* se place généralement à droite du verbe. Le verbe à un temps simple se trouve encadré par les deux éléments : *L'argent **n**'a **pas** d'odeur.* La négation encadre l'auxiliaire d'un verbe à un temps composé : *Il **ne** m'a **pas** vu.*
- Quand la négation porte sur un verbe à l'infinitif, les deux éléments sont placés avant le verbe : *Il m'a demandé de **ne pas** le réveiller. Être ou **ne pas** être…*

c'est là qu'on se trompe

Le regroupement des deux éléments de la négation (*ne* et *pas*) est incorrect quand le verbe est conjugué. La faute est fréquente dans les propositions de but introduites par *pour que.* Il faut dire : *Soyez discret pour qu'il **ne** se réveille **pas*** (la construction fautive **pour ne pas que,* formée par analogie avec *pour ne pas* + infinitif, s'entend dans la langue populaire).

vous avez dit bizarre ?

Certains verbes comme *falloir, aller, devoir, vouloir* portent quelquefois la négation par déplacement : *Il **ne** doit rien manger* (= il doit ne rien manger).

LE *NE* EXPLÉTIF

Ne, employé seul, perd sa valeur négative dans certaines subordonnées, après une principale marquant un désir négatif : *Je crains qu'il **ne** vienne* et après *avant que* : *Je partirai avant qu'il **n**'arrive.* La suppression du *ne* explétif est possible et ne change rien au sens de la phrase : *Je partirai avant qu'il arrive.* Le *ne* explétif est facultatif, il marque une langue soutenue.

LE PARTICIPE PASSÉ

34

Dans quels cas employer le participe passé ?

Le participe, comme son nom l'indique, participe de deux catégories distinctes, le verbe et l'adjectif. On appelle participe passé soit la forme composée du participe présent *(ayant fini)*, soit la forme qui suit l'auxiliaire *(fini, finie)*.

EN PROPOSITION PARTICIPIALE

Le participe passé, centre d'une proposition, a un agent propre exprimé qui n'a aucune autre fonction dans la phrase : *L'averse passée, la fanfare recommença à jouer* (l'agent du participe passé est *l'averse*).

DANS LES FORMES COMPOSÉES

- Associé aux auxiliaires *être* ou *avoir*, le participe passé permet de construire les temps composés des verbes : *J'ai mangé. Les invités sont arrivés tôt.*
- Associé à l'auxiliaire *être*, le participe passé permet de mettre un verbe transitif à la voix passive : *Voilà qui est fait. La voiture a été rayée par des voyous.*

EMPLOYÉ SANS AUXILIAIRE

Le participe passé employé sans auxiliaire occupe les fonctions d'un adjectif, mais il conserve des propriétés verbales. Il peut être épithète : *Il porte des chaussettes rayées*, ou attribut : *Ses chaussettes sont rayées.*

LA SÉQUENCE *ÊTRE* + PARTICIPE PASSÉ

- Dans le cas des verbes transitifs :
  - on reconnaît le passif quand on identifie un complément de type verbal (agent ou circonstanciel) : *La porte est ouverte par le gardien à huit heures.*
  - en l'absence de complément de type verbal, le participe passé occupe la fonction attribut du sujet comme un adjectif : *Son visage est ouvert.* S'il peut varier en degré ou se coordonner avec un adjectif qualificatif, c'est qu'il est devenu un adjectif : *Son visage est ouvert et sympathique. Cette œuvre est très achevée.*
- Dans le cas des verbes intransitifs qui se conjuguent avec *être* :
  - on reconnaît le passé composé parce qu'il exprime une action passée dans un contexte passé : *Pierre s'est assis sur le lit, il a soupiré* (le passé composé *s'est assis* exprime l'action de *s'asseoir* au passé dans un contexte passé).
  - on reconnaît le participe passé parce qu'il exprime un état présent dans un contexte présent : *Pierre est assis sur le lit, il soupire* (*est assis* est détaché de l'action de *s'asseoir*, ce n'est pas un passé composé mais un participe passé employé comme attribut).

35 LE PARTICIPE PASSÉ

Quelles sont les difficultés orthographiques du participe passé?

On peut faire des fautes sur la terminaison du participe passé au masculin singulier: la dernière voyelle prononcée est quelquefois suivie d'une consonne muette.

- Les verbes du 1er et du 2e groupe ne prennent pas de *s*.
  - Les verbes du 1er groupe ont leur participe passé en *-é*: *mangé…*
  - Les verbes du 2e groupe ont leur participe passé en *-i*, ils ne prennent pas de *s*: *fleuri, grandi…*
- Les verbes du 3e groupe sont irréguliers:
  - **Avec -*u* final**, le participe passé ne prend pas d'*s*: *bu, lu, attendu, cousu…*

exception *Inclure*: *inclus.*

ATTENTION *Devoir, mouvoir et croître* prennent un accent circonflexe au masculin singulier uniquement: *J'ai crû, j'ai dû, je suis mû. J'ai dû payer la somme* ***due****. Les arriérés* ***dus****.*

- **Avec -*i* final**, le participe passé est en ***-i*** / ***-is*** / ***-it*** : *cueilli, lui, nui, dormi… / pris, mis, acquis, assis, circoncis, occis… / dit, écrit, cuit, frit, confit, déduit…*

Petite astuce

Pour faire apparaître la consonne muette, on met la forme au féminin en faisant précéder le participe passé de « la chose que j'ai » : *J'ai acquis. / La chose que j'ai acquise.*

C'est permis!

- *Absoudre et dissoudre* prennent un *s* au masculin et *-te* au féminin: *J'ai dissous l'assemblé. / L'assemblée est dissoute.*
- La réforme de 1990 autorise: *absout, absoute; dissout, dissoute.*

c'est là qu'on se trompe

- Le verbe *bénir* a eu jusqu'au XIXe siècle deux participes passés: *béni* et *bénit.* Aujourd'hui le participe passé de *bénir* est *béni, bénie*: *Le pape a béni la foule. C'est une région bénie des dieux.*
- *Bénit, bénite* est un adjectif, il s'emploie pour désigner une chose qui a reçu une bénédiction: *pain bénit, eau bénite, rameaux bénits.*

PARTICIPE PASSÉ / INFINITIF

36

Comment distinguer le participe en -é de l'infinitif en -er ?

Le participe passé épithète qui se termine en *-é* et l'infinitif des verbes en *-er* ont le même son *é*. Il ne faut pas les confondre.

• La formule qui veut que « lorsque deux verbes se suivent, le second se met à l'infinitif » est simpliste et n'est pas toujours vraie : *Cette maison, je l'ai vu construire, ensuite, je l'ai vue construite. L'oiseau tomba foudroyé* (= l'oiseau est foudroyé). *Ces médicaments se prennent dilués* (attribut du sujet).

Petite astuce

Pour choisir entre *-é* et *-er*, on peut substituer au verbe du premier groupe le verbe *faire* ou n'importe quel verbe d'un autre groupe :
On peut ***chanter****. / On peut le* ***faire*** (infinitif).
Le livre ***acheté*** *hier. Le livre vendu hier* (participe).
La famille ***rassemblée*** *festoyait. La famille* ***réunie*** *festoyait* (participe).

• Derrière une préposition, on trouve toujours l'infinitif :
Il parvient à ***déchiffrer*** (= lire) *le texte.*
Il est chargé de ***garder*** (= réunir) *les chevaux.*
Il commence par ***refuser*** (= choisir) *d'y croire.*

• Derrière un auxiliaire *être* ou *avoir*, la forme en *-é* est un participe :
Le bateau a ***quitté*** *le port. La maison est* ***fermée****.*

• Derrière des verbes tels que *aller, venir, commencer, devoir*, la forme en *-er* est un infinitif : *Le bateau va* ***quitter*** *le port. Le bateau doit* ***quitter*** *le port.*

Petite astuce

On reconnaît le participe passé lorsqu'il a valeur d'adjectif, car il s'accorde, alors que le verbe à l'infinitif est invariable :
- **épithète** : *Il habite une maison* ***adossée*** *à la colline* (= **construite**).
- **attribut** : *Cette maison, je la crois* ***hantée*** (= **détruite**).

ATTENTION Après *paraître, sembler, rester* : *L'histoire m'a paru* ***inventée*** (= l'histoire est inventée). / *L'enfant m'a paru* ***inventer*** *l'histoire* (= l'enfant invente l'histoire).

37 PARTICIPE PASSÉ / VERBE

Comment distinguer un participe passé d'un verbe conjugué ?

Des verbes ont des participes passés qui se prononcent comme certaines de leurs formes conjuguées, il faut donc savoir distinguer les temps composés (avec participe) des temps simples.

- Le verbe conjugué à un temps simple porte la marque de la personne (désinence).
- Dans les temps composés, c'est l'auxiliaire qui porte la marque de la personne.
- Le participe passé ne connaît pas la variation en personne, mais seulement en genre et en nombre (sous certaines conditions).

Petites astuces

- Si l'on peut mettre le verbe à l'imparfait, il s'agit d'une forme conjuguée qui varie en temps et en personne : *L'enfant **prit** la route. / L'enfant **prenait** la route.*
- Si l'on peut transposer la forme au féminin, il s'agit du participe : *Les murs **détruits** ne protégeaient pas la ville. / Les murailles **détruites**...*

verbe en *-is / -it*	participe passé en *-i*
*je **sortis**, il **sortit** / il **sortait**, nous **sortions***	*il est **sorti** / je suis **sorti**, il était **sorti***
La forme conjuguée varie en temps et en personne.	L'auxiliaire varie en temps et en personne.

ATTENTION *Tu réussis* (*s* = marque de deuxième personne) / *Les concours que tu as réussis* (*s* = marque du pluriel d'un participe passé accordé).

verbe en *-is / -it*	participe passé en *-is*
*Le chasseur **prit** l'oiseau.* (passé simple)	*L'oiseau **pris** dans le filet s'arrachait les plumes. / La colombe **prise** dans les filets s'arrachait les plumes.* La variation en genre fait apparaître l'accord du participe.

verbe en *-us / -ut*	participe passé en *-u*
*je **courus**, il **courut** / je **courais**, nous **courions***	*j'ai **couru**, j'avais **couru**, nous avions **couru**.*

verbe en *-re*	participe passé en *-t*
*Le maçon **construit** une maison.* (présent) / *Les maçons **construisent** une maison.* La forme conjuguée est susceptible de varier en personne.	*C'est un magasin **construit** trop vite. / C'est une maison **construite** trop vite.* Le participe varie en genre mais pas en personne.

LE PARTICIPE PRÉSENT

38

Dans quels cas employer le participe présent ?

Le participe présent peut jouer le rôle d'un verbe ou occuper les fonctions de l'adjectif. Il est toujours invariable.

EN PROPOSITION PARTICIPIALE

Le participe présent, centre d'une proposition jouant un rôle de complément circonstanciel, a un agent propre exprimé qui n'a aucune autre fonction dans la phrase : *Le temps me manquant, je n'ai pas encore terminé mon livre.*

EN PÉRIPHRASE VERBALE

Dans un usage littéraire, en combinaison avec le verbe *aller*, la périphrase marque l'aspect progressif (duratif) du procès : *Il va cherchant sa voie à travers ses erreurs. Les ennuis vont croissant.*

EN FONCTION ADJECTIVALE

• Le participe présent occupe les fonctions de l'adjectif, sans pouvoir toutefois les occuper toutes :

- il n'est jamais attribut du sujet derrière le verbe *être* : **Un homme est marchant sur la route* est une construction incorrecte.
- il peut être attribut du COD : *Je revois mon père ouvrant la porte.*
- il est épithète : *Les albatros suivent le navire glissant sur les gouffres amers* (Baudelaire).
- il est aussi épithète détachée : *Le grillon, les regardant passer, redouble sa chanson* (Baudelaire).

• Tout en occupant les fonctions de l'adjectif, le participe présent garde certaines propriétés verbales.

LA VALEUR ASPECTUELLE DU PARTICIPE PRÉSENT

• Le participe présent indique que le procès est déjà commencé et en cours de déroulement, il n'en précise pas les limites (aspect non borné) : *Il vit alors les enfants jouant dans le ruisseau* (= les enfants sont en train de jouer quand il les voit).

• Le participe présent ne situe pas le procès dans le temps, c'est le contexte et le temps du verbe principal qui lui donnent un ancrage temporel : *Tu l'imagines faisant un cours de grammaire ?* (futur). *J'ai connu Pierre habitant cette maison* (passé).

• Le participe présent (non accompli) s'oppose au participe passé (accompli) : *L'homme, rejetant ses couvertures, se leva. / L'homme, ayant cassé la porte, partit.*

Voir les formes en *-ant*.

39

LE PASSÉ ANTÉRIEUR

Dans quels cas employer le passé antérieur ?

Au temps passé de forme simple, le passé simple, correspond un passé de forme composée, le passé antérieur, qui appartient aussi à la langue écrite et dont l'emploi est plus restreint.

LA VALEUR TEMPORELLE

• Le passé antérieur situe l'action dans un temps antérieur à un procès exprimé au passé simple. C'est la valeur qu'il prend en proposition subordonnée, où le passé antérieur ne se rencontre que dans des subordonnées exprimant l'antériorité (avec : *après que, dès que, quand, lorsque…*) et dépend d'un verbe principal au passé simple ou à l'imparfait :
Longtemps après que nous eûmes quitté la salle de concert, Gertrude restait encore silencieuse (Gide). *Quand il eut écrit son roman, il fréquenta les salons.*
Le passé antérieur exprime l'antériorité de l'action de *quitter* par rapport à l'état qui suit, exprimé à l'imparfait.

• Le passé antérieur intervient surtout dans les propositions subordonnées circonstancielles de temps et en particulier dans une construction de la langue soutenue qu'on appelle « subordination inverse », parce que la proposition qui est la principale représente les circonstances, tandis que la circonstancielle exprime le fait essentiel. Le passé antérieur apporte une valeur d'antériorité aux « fausses principales » qui entrent dans des relations de succession temporelle : *À peine eut-il tourné les talons* (fausse principale) *que tout le monde éclata de rire.*

LA VALEUR ASPECTUELLE

La valeur aspectuelle fondamentale du passé antérieur est l'accompli (achèvement du procès à un certain moment du temps) : on l'emploie à la place du passé simple quand on veut mettre l'accent non sur l'action elle-même, mais sur son achèvement. C'est la valeur qu'il prend toujours en proposition indépendante, où il est apte à exprimer des procès rapidement survenus dans le passé : *Et le drôle eut lapé le tout en un moment* (La Fontaine).

Vous avez dit bizarre ?

La langue parlée remplace le passé simple par le passé composé et le futur antérieur par un passé surcomposé : *Dès qu'il a eu terminé son roman, il l'a apporté à l'éditeur.*

Voir le passé simple.

LE PASSÉ COMPOSÉ

40

Dans quels cas employer le passé composé ?

Le passé composé est toujours lié au moment de l'énonciation : il présente une action vue depuis le « maintenant » de l'énonciateur. Le passé composé est le temps de la première personne et de la mémoire.

LA VALEUR TEMPORELLE

• Le passé composé a une valeur d'antériorité par rapport aux procès exprimés au présent : *Pierre a rencontré la femme de sa vie, il l'épouse demain.*

• Il est apte à exprimer la répétition dans le passé : *On m'a souvent dit de me tenir droite* (l'aspect itératif est indiqué par le contexte).

• Il n'est pas incompatible avec l'expression d'une vérité générale : *De tous temps, les hommes ont raconté des histoires.*

• Il se substitue au passé simple dans l'usage oral : *Il a ouvert la porte, il est sorti, les gendarmes se sont élancés derrière lui.*

• Dans *l'Étranger* d'Albert Camus, le passé composé est le temps dominant, ce qui est rare dans un récit écrit :
J'ai pris l'autobus à deux heures. Il faisait très chaud. J'ai mangé au restaurant, chez Céleste, comme d'habitude. Contrairement au passé simple qui enchaîne successivement les actions et semble établir une chronologie, le passé composé ne construit pas de chronologie et laisse les événements dans le flou temporel.

LA VALEUR ASPECTUELLE

• L'aspect accompli du passé composé exprime depuis le présent un procès qui n'est envisagé que par son résultat dans le présent :
J'ai pris ma retraite. J'ai arrêté de fumer. L'action d'*arrêter* est envisagée dans ses conséquences sur mon comportement présent : *Je suis retraité. Je suis non-fumeur.*

• Pur « accompli du présent », il présente l'action comme déjà accomplie : *Attends-moi, j'ai fini* (ce que ne ferait pas le présent : *Attends-moi, je finis* [= je suis en train de finir]).

LA VALEUR MODALE

Dans la subordonnée hypothétique, le passé composé peut exprimer le procès à venir envisagé dans l'accompli : *Si tu as réussi ton examen, téléphone-moi tout de suite.*

41 LE PASSÉ SIMPLE

Dans quels cas employer le passé simple ?

Ce temps est aujourd'hui absent de la langue parlée, il ne se trouve qu'à l'écrit où il est bien vivant dans tous les registres. Situant l'action dans un temps antérieur au « maintenant » du locuteur, il est coupé du présent du locuteur.

LA VALEUR ASPECTUELLE

Le passé simple prend en compte les limites du procès (aspect borné). Il cerne le procès, il en exprime le déroulement complet. On l'appelle « passé objectif » parce qu'il offre une vision différenciée de l'action passée.

LA VALEUR TEMPORELLE

Lorsque des verbes se suivent au passé simple, les procès sont interprétés comme successifs : *Enfin il* [un perroquet] ***se perdit.*** *Elle* [sa propriétaire] *l'avait posé sur l'herbe,* ***s'absenta*** *une minute, et quand elle* ***revint,*** *plus de perroquet ! D'abord elle le* ***chercha*** *dans les buissons [...]. Ensuite elle* ***inspecta*** *tous les jardins [...] Enfin elle* ***rentra,*** *épuisée, les savates en lambeaux, la mort dans l'âme* (Flaubert).

• Le contexte peut présenter deux procès au passé simple comme simultanés : *Tout le temps qu'il fut dans la pièce, elle ne cessa de le suivre des yeux.*

LE PASSÉ SIMPLE / L'IMPARFAIT

Dans le récit, le passé simple se combine avec l'imparfait. Le passé simple est le temps des verbes d'action et du premier plan, c'est lui qui fait progresser le texte, tandis que l'imparfait (qui n'envisage pas les limites temporelles du procès et le présente dans son déroulement) est le temps de l'arrière-plan :
Elle battait un méchant tapis à sa fenêtre, comme cela se faisait dans les maisons bourgeoises où l'aspirateur n'avait pas encore droit de cité. Nous adressa un geste amitieux auquel je répondis par un autre. La présence de Blanc à mon côté l'incertitudina (San-Antonio).

LE PASSÉ SIMPLE / LE PASSÉ COMPOSÉ

• Le passé simple est concurrencé dans la langue parlée par le passé composé. On dira spontanément : *Le facteur est passé.* La formulation : *Le facteur passa* est moins fréquente à l'oral.

• Le passé simple apparaît comme marqué d'une connotation littéraire. C'est le temps du récit écrit par excellence : *La marquise demanda son carrosse et sortit à cinq heures* ne peut s'écrire qu'au passé simple.

LE PASSÉ SIMPLE

42

Quelles sont les marques du passé simple ?

Le passé simple exprime une action passée dont on connaît les limites précises.

Petite astuce

Il ne faut pas oublier l'accent circonflexe avec *nous* et *vous* uniquement.

- **Le passé simple des verbes du premier groupe**

je fermai *tu fermas* *il ferma*	*nous fermâmes* *vous fermâtes* *ils fermèrent*

ATTENTION Les verbes en *-cer* prennent une cédille devant *a* : *je plaçai.* Les verbes en *-ger* prennent un *e* devant le *a* : *je mangeai.*

- **Le passé simple des verbes du deuxième groupe**

je remplis *tu remplis* *il remplit*	*nous remplîmes* *vous remplîtes* *ils remplirent*

Petite astuce

Les formes du singulier sont identiques à celles du présent.

- **Le passé simple des verbes du troisième groupe**

- De nombreux verbes se conjuguent sur le modèle du deuxième groupe :

je dormis *tu dormis* *il dormit*	*nous dormîmes* *vous dormîtes* *ils dormirent*

- Se conjuguent comme *dormir* : *je sentis, je mentis, je partis...*
- Se conjuguent comme *dormir* de nombreux verbes en *-dre* et *-tre* : *je rendis, je battis, je cousis...*
- Se conjuguent comme *dormir* des verbes en *-ire* : *je dis, je ris, j'écrivis, je cuisis...*

ATTENTION Les verbes en *-ndre* font : *j'atteignis, je craignis.*

- Les autres verbes se conjuguent en *u* :

je voulus *tu voulus* *il voulut*	*nous voulûmes* *vous voulûtes* *ils voulurent*

ATTENTION Aux terminaisons particulières des verbes *venir* et *tenir* :

je vins *tu vins* *il vint*	*nous vînmes* *vous vîntes* *ils vinrent*

43

LE PASSIF

Comment reconnaître le passif ?

Il n'existe pas en français de désinences passives. La voix passive se construit exclusivement à l'aide de l'auxiliaire *être*, dans une structure semblable à la construction de l'attribut : *Il est mangé. Le jouet a été cassé.*

L'ACTIF / LE PASSIF

On définit le passif par opposition à l'actif : la transformation passive inverse les rôles du sujet (celui qui fait l'action) et de l'objet (celui qui subit l'action) : ***L'enfant** casse les jouets* (voix active) / *Les jouets sont cassés par* ***l'enfant*** (voix passive). À la voix active, *l'enfant* est sujet du verbe *casser.* À la voix passive, l'agent *(l'enfant)* ne coïncide plus avec la fonction sujet, il est complément d'agent.

PERMETTRE LE PASSIF

• La voix passive suppose que le verbe a un complément d'objet direct. Tous les verbes transitifs directs peuvent être mis au passif : *J'aime / Je suis aimé. Je regarde / Je suis regardé…*

• Le verbe *avoir* ne peut pas être mis au passif.

• Les verbes pronominaux n'ont pas de passif.

• Les verbes *obéir (à)* et *pardonner (à),* qui sont suivis d'un COI à la voix active, peuvent néanmoins être mis au passif : *Pierre a été obéi, Lucie est pardonnée.*

• Il existe une construction passive impersonnelle : *Il est reproché à cet homme d'avoir volé un pain.*

RECONNAÎTRE LE PASSIF

• On reconnaîtra un véritable passif si la forme avec le verbe *être* est la transformation du procès correspondant actif : *L'orateur entra, il fut applaudi par la foule* (= la foule applaudit l'orateur).

• Au passé simple passif correspond un passé simple actif ; au présent passif correspond un présent actif : *Il est furieux, la serrure résiste, en deux secondes la porte est fendue* (= il fend la porte).

ATTENTION Quand le complément d'agent est effacé, la construction avec *être* peut exprimer l'état résultant d'une action antérieure. Le verbe *être* n'est pas alors un véritable auxiliaire : *La porte est fendue* n'est pas la transformation du procès correspondant actif : *On fend la porte*, mais de : *Quelque chose a fendu la porte.* Les temps ne sont plus les mêmes : *fendue* sera analysé comme un participe passé adjectivé en fonction d'attribut du sujet.

LES PÉRIPHRASES VERBALES

44

Quelles sont les différentes périphrases verbales ?

Un verbe à l'infinitif peut se combiner avec un semi-auxiliaire pour former une périphrase verbale.

LA CONSTRUCTION D'UNE PÉRIPHRASE

• Dans une périphrase verbale, l'infinitif garde tout son sens, tandis que le verbe qui sert de semi-auxiliaire perd son sens fort : *Il peut le faire* (= il est capable de le faire) / *Il peut être 10 heures* (= il est possible qu'il soit 10 heures).

• La périphrase verbale représente un fait de composition où les deux mots sont indissociables et réunis en une seule unité de sens. Les périphrases verbales concurrencent les temps de la conjugaison (en anglais *may, should, would, might*).

• De nombreux verbes peuvent former des périphrases verbales.

LES PÉRIPHRASES TEMPORELLES

Les périphrases temporelles permettent d'exprimer le passé immédiat *(il vient de manger)* et le futur proche *(il va manger)* :

- le futur périphrastique est plus utilisé dans la langue parlée que le futur simple : *Il va partir* (plutôt que : *Il partira*).
- le futur périphrastique peut également être employé dans un contexte passé : *Ils se quittèrent, ils ne devaient plus se revoir.*

LES PÉRIPHRASES ASPECTUELLES

Les périphrases aspectuelles envisagent l'action dans l'un des moments de sa durée interne, à différents stades de sa réalisation :

- aspect inchoatif (commencement) : *L'orateur se mit à parler.*
- aspect progressif (déroulement) : *L'orateur est en train de parler.*
- aspect terminatif (fin) : *L'orateur finissait de parler.*

LES PÉRIPHRASES MODALES

Les périphrases modales manifestent la manière dont le locuteur envisage l'action :

- probabilité : *Il peut avoir 20 ans. Il doit être 8 heures.*
- presque accompli : *Il a failli nous échapper. J'ai manqué tomber.*

LES PÉRIPHRASES DE VOIX

La voix dépend de la manière dont on envisage la participation du sujet à l'action. Les semi-auxiliaires de voix placent en position sujet la cause de l'action et non l'agent : *Le professeur fait travailler les enfants* (le sujet ne fait pas l'action, mais il est présenté comme la faisant faire : ce sont les enfants, COD, qui travaillent).

45 LE PRÉSENT DE L'INDICATIF

Dans quels cas employer le présent de l'indicatif ?

Le présent est le temps le moins marqué de l'indicatif (privé de désinence temporelle, il ne marque que les personnes). Il s'oppose au futur marqué par l'élément *-r* et à l'imparfait marqué par l'élément *-ai*. C'est pourquoi il est apte à des emplois très variés et capable de figurer dans tout énoncé, quelle que soit l'époque.

LES VALEURS TEMPORELLES

- **Incluant l'actuel :**
  - Incluant l'actuel, le présent peut occuper un espace minimal sur la ligne du temps et coïncider avec le repère « maintenant » :

maintenant

C'est le présent étroit ou ponctuel : *Je lis une fiche de grammaire*, ou encore plus étroit, le présent de reportage : *Zidane prend le ballon, il tire, but !*

  - Il peut occuper un espace intermédiaire autour de l'actuel :

maintenant

actuel

C'est le présent étendu : *J'aime les voyages.*
- Il s'accorde avec l'expression de la répétition : *Tous les matins je pars de chez moi à 8 heures* (l'aspect itératif est donné par le contexte).
- Il s'accorde avec la description : *La petite ville de Verrières peut passer pour l'une des plus jolies de Franche-Comté* (Stendhal).

- Il peut occuper tout l'espace temporel autour de l'actuel :

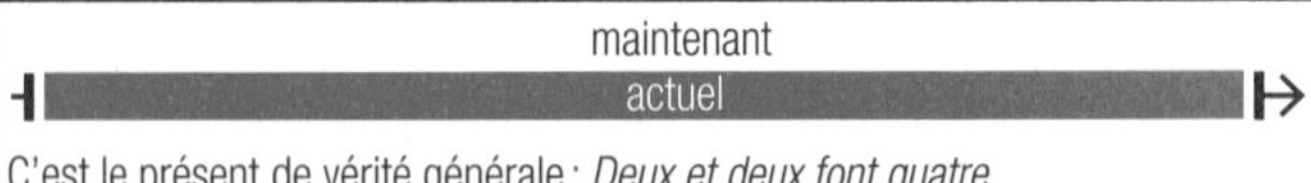

C'est le présent de vérité générale : *Deux et deux font quatre.*
Entre un homme et une femme, l'argent prend toujours un masque (Aragon).

  - Du présent très étroit au présent très large, tous les emplois courants du présent se situent entre les deux extrêmes, en fonction de leur plus ou moins grande extension.

• **Le futur imminent ou le passé immédiat :**

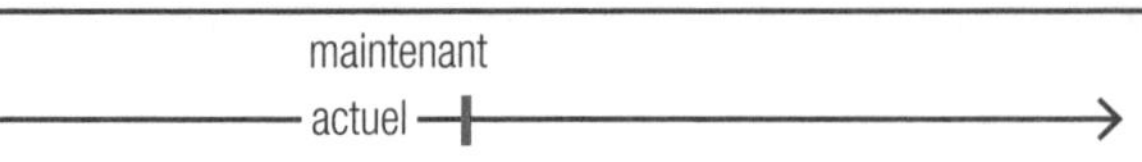

- Le présent à valeur de futur envisage un procès tout entier à venir comme déjà en train de se réaliser : *Voyons ! Dans une heure je suis à Douvres. De là, nous prenons le train jusqu'à Puddlecombe, où nous n'arrivons qu'à 5 h 10* (*l'Île noire*, Hergé).
Puisque c'est comme ça, je pars (= *je* menace de partir).

- Le présent à valeur de passé immédiat actualise un procès tout entier dans le passé comme s'il était encore en train de se dérouler : *Je rentre à l'instant d'Italie.*

• **Le présent de narration :**

Nous, on riait. Mais voilà un type à bécane, avec un message pour le colon. Rassemblement. On met les bouts. Une fois sur la route, on se croyait à des milles et des cents… Puis tout d'un coup, tatatatac, tatatatac… Les mitrailleuses. On se couche par terre. On était en plein bousin, avec des uhlans qui se baladaient à cheval (Aragon).

- Le présent de narration est détaché de l'actuel : c'est un temps du passé qui peut commuter avec le passé simple. Dans un contexte de temps du passé, il produit un fort effet de rupture dans la cohérence des temps. Il est porteur de la tension dramatique et tire les procès qu'il actualise au premier plan. C'est un temps narratif (comme son nom l'indique) qui concerne principalement les verbes d'action et les verbes déclaratifs qui se mettraient au passé simple dans le récit.
- Le présent de narration est une forme qui se réfère à un procès passé et ne produit aucun effet d'hésitation dans le positionnement temporel.

LES VALEURS ASPECTUELLES

Le présent montre le procès en partie accompli et, pour le reste, en accomplissement. L'effet de l'aspect non borné du présent est accru par sa valeur aspectuelle d'inaccompli.

46 LE PRÉSENT DE L'INDICATIF

Quelles sont les marques du présent de l'indicatif ?

Les terminaisons du présent de l'indicatif dépendent de l'infinitif et du groupe du verbe.

LES VERBES DU PREMIER GROUPE

- ***-e*, *-es*, -e au singulier** : *j'habite, tu habit**es**, il habit**e**.*
- ***-ons*, *-ez*, *-ent* au pluriel** : *nous habit**ons**, vous habit**ez**, ils habit**ent**.*

ATTENTION Sont concernés tous les verbes du premier groupe sans exception et quelques verbes du troisième groupe en *-ir* comme *cueillir, offrir, ouvrir, couvrir* : *je cueille, tu cueilles, il cueille, nous cueillons, vous cueillez, ils cueillent.*

Petite astuce

Les verbes en *-yer* changent le *y* en *i* devant *e* muet : *j'appu**i**e, je netto**i**e…*

ATTENTION Le verbe *aller* n'est pas un verbe du premier groupe.

LES VERBES DU DEUXIÈME GROUPE

- ***-s*, *-s*, *-t* au singulier** : *je fini**s**, tu fini**s**, il fini**t**.*
- ***-issons*, *-issez*, *-issent* au pluriel** : *nous fin**issons**, vous fin**issez**, ils fin**issent**.*

Petite astuce

-issons est le « symptôme » du deuxième groupe.

LES VERBES DU TROISIÈME GROUPE

- ***-s*, *-s*, *-t* au singulier**
- ***-ons*, *-ez*, *-ent* au pluriel**
  - Les verbes en *-ir* perdent le *-i* et prennent *-s*, *-s*, *-t* : *ven**i**r (je vien**s**).*
  - certains verbes conservent leur consonne finale : les verbes en *-pre (je rom**p**s)*, en *-cre (il vain**c**)*, certains verbes en *-dre (je ven**d**s, je tor**d**s, je mou**d**s).*
  - certains verbes perdent leurs consonne finale : les verbes en *-tir (je sens)*, en *-tre (je parais)*, certains verbes en *-dre (je peins, je résous, j'absous).*

Indicatif ou subjonctif : comment distinguer les formes homophones ?

LES HOMOPHONES HOMOGRAPHES

Les verbes du premier groupe et les verbes du troisième groupe qui ont une désinence *e* à la première personne ont quatre formes homophones entre le présent de l'indicatif et le présent du subjonctif :

présent du subjonctif	présent de l'indicatif	présent du subjonctif	présent de l'indicatif
que j'ouvre	*j'ouvre*	*que je cueille*	*je cueille*
que tu ouvres	*tu ouvres*	*que tu cueilles*	*tu cueilles*
qu'il ouvre	*il ouvre*	*qu'il cueille*	*il cueille*
qu'ils ouvrent	*ils ouvrent*	*qu'ils cueillent*	*ils cueillent*

Petites astuces

- On peut distinguer un subjonctif d'un indicatif en changeant les personnes (les variations de temps sont moins naturelles) : *Il ne veut pas que je* ***mange****. / Il ne veut pas que nous* ***mangions****. / Il ne voulait pas que je* ***mangeasse****.*
- On peut aussi remplacer le verbe par un autre verbe du 2e ou du 3e groupe : *Il ne veut pas que je* ***vienne****.*

LES HOMOPHONES HÉTÉROGRAPHES

- À la troisième personne du singulier, le présent de l'indicatif et le présent du subjonctif se prononcent souvent de la même façon, mais ne s'écrivent pas de la même façon. L'erreur sur les temps produit une faute d'orthographe :

présent du subjonctif	présent de l'indicatif
*qu'il voi**e***	*il voi**t***
*qu'il fui**e***	*il fui**t***
*qu'il cour**e***	*il cour**t***
*qu'il meur**e***	*il meur**t***

- Aux deux premières personnes du pluriel pour les verbes en *-yer*, *-ier*, *-iller* et *-gner*, le présent de l'indicatif et le présent du subjonctif se prononcent souvent de la même façon, mais ne s'écrivent pas de la même façon :

présent du subjonctif	présent de l'indicatif
*que nous bala**yions***	*nous bala**yons***
*que nous emplo**yions***	*nous emplo**yons***
*que nous brill**ions***	*nous brill**ons***
*que nous étudi**ions***	*nous étudi**ons***
*que nous saign**ions***	*nous saign**ons***

48 LES PRONOMINAUX

À quoi sert la forme pronominale ?

Les verbes pronominaux se conjuguent avec un pronom personnel réfléchi *(me, te, se, nous, vous, se)* de la même personne que le sujet *(je, tu, il/elle/[on], nous, vous, ils/elles)*.

LE PRONOM APPARTIENT AU SENS DU VERBE

• Les verbes « essentiellement pronominaux » ne s'emploient qu'à la forme pronominale. Dans la plupart des cas, le pronom *se* n'a aucune autonomie et ne joue aucun rôle ; il fait corps avec le verbe : *s'abstenir, s'arroger, s'évanouir, s'enfuir, se souvenir, s'envoler…*

• Les verbes « pronominaux lexicalisés » existent aux deux formes, pronominale et non pronominale, avec des sens différents et parfois aussi des constructions particulières au pronominal : *adresser, s'adresser à ; faire, se faire à ; apercevoir, s'apercevoir de ; douter, se douter de ; plaindre, se plaindre de ; déchaîner, se déchaîner… Il se trompe* ne représente pas une action du sujet sur lui-même (*il trompe lui-même), mais un sens nouveau (= il commet une erreur).

• On parle de « construction pronominale neutre » : le pronom n'est pas analysable, il n'a aucun sens et fait partie de la forme verbale. La substitution d'une forme non pronominale est impossible : *Pierre écoute se déchaîner la tempête. *Pierre écoute déchaîner la tempête.*

LES CONSTRUCTIONS PRONOMINALES

Des verbes non pronominaux peuvent connaître une construction pronominale, dans laquelle le pronom réfléchi reste analysable :

- dans les formes « pronominales réfléchies » (ou réflexives), le sujet-agent agit sur lui-même : *Elle se regarde dans la glace* (= elle regarde elle dans la glace).
- dans les formes « pronominales réciproques », le sujet est toujours pluriel car les agents agissent les uns sur les autres : *Les garnements se poursuivent* (= les garnements se poursuivent les uns les autres).

Ces verbes représentent une synthèse de l'actif et du passif.

LE TOUR PRONOMINAL À VALEUR PASSIVE

Le tour pronominal à valeur passive permet de ne pas nommer l'agent du procès. Il se construit avec un sujet à la troisième personne, non animé : *Les livres se vendent bien. Le festin se prépare.* On peut tourner la phrase au passif et restituer un complément d'agent : *Les livres sont vendus par les libraires. Le festin est préparé par les cuisiniers.*

LE SUBJONCTIF

49

Quelles sont les valeurs du subjonctif ?

Le subjonctif est le mode du virtuel qui présente le procès comme pensé plutôt que comme réalisé. C'est par excellence le mode de la subjectivité et de la subordination.

LES VALEURS DU SUBJONCTIF

- Les quatre temps du subjonctif ne marquent pas le temps, mais l'aspect :
  - les formes simples (présent *que je sois* et imparfait *que je fusse*) présentent le procès sous l'aspect non accompli.
  - les formes composées (passé *que j'aie été* et plus-que-parfait *que j'eusse été*) présentent le procès sous l'aspect accompli.
  - l'imparfait et le plus-que-parfait ne se rencontrent plus que dans l'usage écrit très soutenu.

- Sauf dans des expressions figées *(Vive les vacances !)*, le verbe au subjonctif, même en construction libre, est toujours précédé d'un *que* qui n'introduit aucune subordonnée. Mais le subjonctif apparaît surtout dans les propositions subordonnées derrière la conjonction *que* ou une conjonction composée avec *que* (d'où le *que* dans la conjugaison).

EN CONSTRUCTION LIBRE

Dans les propositions indépendantes, les valeurs modales (souhait, ordre) sont fondamentales : *Qu'il parte ! Que Dieu nous vienne en aide !* (phrases impératives ou exclamatives).

DANS UNE PROPOSITION SUBORDONNÉE

- Le subjonctif est obligatoire :
  - dans les complétives introduites par *que* après un verbe qui suspend le jugement ou marque une appréciation subjective (doute, souhait, incertitude, opinion…), chaque fois que l'interprétation l'emporte : *Je regrette qu'il pleuve* (car la phrase ne porte pas sur la pluie mais sur ce qu'on en pense).
  - dans certaines circonstancielles qui expriment un jugement (réserve, hypothèse, anticipation, intention) : *Je t'ai appelé pour que tu viennes. J'aurai fini avant que tu partes.*

- Le choix existe entre l'indicatif et le subjonctif :
  - dans certaines complétives introduites par *que* : *Je ne crois pas qu'il pleuvra demain / qu'il pleuve demain.*
  - dans les relatives, si l'antécédent est présenté comme virtuel : *Je cherche un mouton qui ait cinq pattes / qui a cinq pattes.*

50

LE SUBJONCTIF

Quelles sont les marques du subjonctif ?

Nous ne nous poserons pas la question grammaticale de l'emploi de ce mode, nous pointerons ici quelques particularités de conjugaison qui rendent l'orthographe difficile.

LE SUBJONCTIF PRÉSENT

• Tous les verbes ont la même désinence au subjonctif présent.

exceptions *Avoir* et *être*.

croire	*avoir*	*être*
*que je croi**e***	*que j'aie*	*que je soi**s***
*que tu croi**es***	*que tu aies*	*que tu soi**s***
*qu'il croi**e***	*qu'il ai**t***	*qu'il soi**t***
*que nous croy**ions***	*que nous ay**ons***	*que nous soy**ons***
*que vous croy**iez***	*que vous ay**ez***	*que vous soy**ez***
*qu'ils croi**ent***	*qu'ils aient*	*qu'ils soient*

• Tous les verbes du 2e groupe font leur subjonctif en *-isse*.

Petites astuces

• Les terminaisons des 2e et 3e personnes du pluriel sont les mêmes qu'à l'imparfait de l'indicatif.

• On retrouve la forme du subjonctif présent à partir de la 3e personne du pluriel du présent de l'indicatif :

***prendre :** ils prennent / que je prenne*
***tordre :** ils tordent / que je torde*
***bouillir :** ils bouillent / que je bouille*
***fleurir :** ils fleurissent / que je fleurisse*

• Quelques verbes forment leur subjonctif sur une base particulière :

***aller :** que j'aille*
***faire :** que je fasse*
***savoir :** que je sache*
***pouvoir :** que je puisse*
***vouloir :** que je veuille*
***valoir :** que je vaille*

c'est là qu'on se trompe

• Dans les verbes en *-ier*, les 1re et 2e personnes du pluriel ont deux *i* : *que nous cri**i**ons, que vous cri**i**ez.*

• Dans les verbes en *-yer*, *-oir* et *-oire*, la 1ère et la 2e personne du pluriel s'écrivent avec un *i* que l'on n'entend pas toujours : *que nous pay**i**ons, que nous nous assey**i**ons, que vous voy**i**ez, que vous croy**i**ez.*

LE SUBJONCTIF IMPARFAIT

• Les terminaisons sont les mêmes pour tous les verbes sans exception :

crier
*que je cria**sse***
*que tu cria**sses***
*qu'il criâ**t***
*que nous cria**ssions***
*que vous cria**ssiez***
*qu'ils cria**ssent***

• La 3e personne du singulier ne fait pas entendre le son *s*. Elle s'écrit toujours avec un accent circonflexe pour la distinguer de la 3e personne du passé simple avec laquelle elle est homophone : *il aima / qu'il aim**â**t ; il vint / qu'il v**î**nt.*

exceptions *Qu'il haït, qu'il ouït.*

Petite astuce

On retrouve la forme du subjonctif imparfait à partir de la 2e personne du passé simple :

chanter : *tu chantas / que je chantasse*
prendre : *tu pris / que je prisse*
tordre : *tu tordis / que je tordisse*
bouillir : *tu bouillis / que je bouillisse*
fleurir : *tu fleuris / que je fleurisse*

Vous avez dit bizarre ?

tenir, venir prennent deux *s* derrière une consonne. Ici, l'orthographe est en contradiction avec la loi de position qui veut qu'on ne rencontre deux *s* qu'entre deux voyelles : *que je tinsse, que je vinsse.*

LE SUBJONCTIF IMPARFAIT DES VERBES *AVOIR* ET *ÊTRE*

avoir	*être*
que j'eusse	*que je fusse*
que tu eusses	*que tu fusses*
qu'il eût	*qu'il fût*
que nous eussions	*que nous fussions*
que vous eussiez	*que vous fussiez*
qu'ils eussent	*qu'ils fussent*

51 LES TERMINAISONS

Récapitulons !

La terminaison des trois personnes du singulier d'un verbe est une marque écrite qui ne s'entend pas à l'oral : *je veux, tu veux, il veut; j'aime, tu aimes, il aime…*
On rajoute un *s* à l'impératif de certains verbes devant *en* et *y* : *prends-en, vas-y* ; on rajoute un *t* devant *il, elle* et *on* : *dit-il, va-t-on.*

LA TERMINAISON DES VERBES À LA PREMIÈRE PERSONNE

Le *s* est la terminaison la plus fréquente. Lorsqu'un verbe conjugué est à la 1re personne, sa dernière lettre ne peut être que *s* (et sa variante *x*), *e*, *i* ou *ai*.

• **Au présent du subjonctif,** tous les verbes se terminent par ***e***.
exception Le verbe *être* : *que je sois.*

• **Au présent de l'indicatif :**
- Les verbes du 1er groupe ainsi que certains verbes du 3e groupe se terminent par *e* : *je mange* ; *je cueille.*
- Tous les autres verbes prennent *s* : *je prends, je dis, je finis…*

exceptions *J'ai, je veux, je peux, je vaux, j'équivaux, je prévaux.*
ATTENTION *Aller* est un verbe irrégulier : *je vai**s**.*

• **Au passé simple :**
- Les verbes du 1er groupe se terminent par *ai* : *je chantai.*
- Tous les autres verbes se terminent par *s* : *je finis, je lus, je cueillis…*

• **Au futur,** la première personne se termine par *ai* : *j'irai.*
ATTENTION • Il ne faut pas la confondre avec la forme presque homophone du conditionnel : *j'irais.*

• Pour différencier les deux formes, on passe à la 2e personne : *tu iras* n'est pas homophone de *tu irais.* Aucun verbe ne prend *s* au futur.

LA TERMINAISON DES VERBES À LA DEUXIÈME PERSONNE

La terminaison la plus fréquente est *s* et sa variante *x* : *tu veux, tu pouvais, tu vaudras, tu équivalais, tu prévaudrais…*

ATTENTION Aux cas de l'impératif :
• La 2e personne du singulier ne prend pas de *s* dans les verbes du 1er groupe et dans certains verbes du 3e groupe : *Sache tenir ta langue. Mange ta soupe. Ouvre la porte.*

- La 2e personne du singulier du verbe *avoir* ne prend pas de *s*: *aie confiance.*
- La 2e personne du singulier du verbe *aller* ne prend pas de *s*: *Va chez la voisine.*

exception On met un *s* euphonique si la forme est suivie de *y* ou de *en*: *Vas-y.*

Tous les autres verbes prennent *s*: *Prends ta douche. Dis-moi à quoi tu penses…*

LA TERMINAISON DES VERBES À LA TROISIÈME PERSONNE

La terminaison la plus fréquente est le *t*, mais ce n'est pas la seule: *il finit, elle penserait, il s'assit…*

- Au présent du subjonctif, tous les verbes se terminent par *e*: *qu'elle pense, qu'il agisse, qu'elle cueille…*

exceptions Le verbe *être*: *qu'il soit* et le verbe *avoir: qu'il ait.*

- À l'imparfait du subjonctif, c'est toujours *t*: *qu'il chantât, qu'il mentît, qu'il mourût, qu'il vînt.*
- Au présent de l'indicatif:
  - Les verbes du 1er groupe et certains verbes du 3e groupe se terminent par *e*: *il mange*; *il cueille.*
  - Le verbe *avoir*: *il a.*

ATTENTION • Certains verbes du 3e groupe se terminent par un *c*: *il vainc, il convainc* ou un *d*: *il rend, il prend, il pond…*

- Le verbe *asseoir* a deux formes: *il s'assoi**t**, il s'assie**d**.*
- Au futur, c'est toujours *a*: *il viendra, il sera.*
- À l'imparfait et au conditionnel, c'est toujours *ait*: *il venait, il viendrait…*

c'est là qu'on se trompe

- Au passé simple, les verbes du 1er groupe se terminent par *a*: *il acheta, il mangea.* Ils ne prennent jamais de *t*. Tous les autres verbes se terminent par *t*: *il vint, il fuit, il finit…*
- Au passé simple, les verbes du 2e groupe se terminent par *it*: *il finit, il fleurit.*
- Au passé simple, les verbes du 3e groupe n'ont pas cette régularité: *fendre / il fend**it**; paraître / il par**ut**; mourir / il mour**ut**.*

52

LE VERBE

Peut-on définir le verbe ?

Le verbe est un mot qui ajoute à sa propre signification celle du temps, il situe un procès par rapport au « maintenant » du locuteur. Il permet la représentation des époques (temps) et l'expression de la durée (aspect).

DU POINT DE VUE DE LA FORME

La forme permet, en français, de distinguer le verbe des noms. Le verbe est le seul mot qui se conjugue. C'est-à-dire qu'il présente une série de variations de sa forme par lesquelles sont exprimés la personne, le temps, l'aspect, la voix et le mode. On appelle **conjugaison** l'ensemble des formes que peut prendre un verbe.

DU POINT DE VUE DU SENS

Le verbe exprime soit une action, soit un état, soit un changement d'état, rapportés à un sujet : *Le train entre en gare. Le chef de gare est très vieux.* Pour synthétiser ces trois notions, on emploie le mot de sens plus général de **procès** (du latin *processus,* « ce qui s'avance, ce qui se passe »).

DU POINT DE VUE LOGIQUE

On peut analyser la proposition en **sujet** et **prédicat** selon le modèle de la logique classique. Derrière le sujet qui sert de point d'ancrage, le verbe remplit la fonction prédicative dans l'énoncé (il apporte l'élément nouveau de l'information), il affirme quelque chose de son sujet : *Ta fille pleure. La poubelle n'a pas été descendue.*

DU POINT DE VUE DE LA SYNTAXE

• Le verbe a la vocation d'être le noyau de l'énoncé. Établissant des relations entre les éléments de l'énoncé, il est la base de l'unité syntaxique qu'on appelle la **proposition**. Les verbes commandent le nombre et la disposition des **compléments** (aucun : *dormir, souffrir* ; un : *écrire quelque chose* ; deux : *donner quelque chose à quelqu'un*).

• Un verbe est transitif s'il accepte un complément d'objet : *Il mange une banane* (il est alors le terme qui met en relation le COD avec le sujet : sans le verbe, **Il, une banane* n'a aucun sens).

• Un verbe est attributif lorsqu'il exprime l'attribution d'une propriété au sujet ou au COD : *La banane est mûre. Je trouve cette banane trop mûre.* Le verbe joue alors le rôle de **copule** (c'est-à-dire qu'il lie l'attribut à son support).

LA VOIX

Comment définir la voix en conjugaison ?

53

La voix est une construction syntaxique qui permet d'indiquer quelle relation grammaticale existe entre le sujet, le verbe et l'éventuel complément d'objet.

LA VOIX ACTIVE

La voix active est non marquée, c'est celle qu'on emploie le plus couramment (sauf dans une intention particulière, on ne dira pas *ce verre a été bu par mon père*, mais *mon père a bu ce verre*). C'est pourquoi les tableaux de conjugaison sont présentés à la voix active : *L'enfant casse ses jouets.* Le sujet est le point de départ du procès exprimé par le verbe.

LA VOIX PASSIVE

- Le passif concerne les verbes transitifs, il se caractérise par l'inversion des rôles du sujet et de l'objet.
- Le verbe prend une forme composée formée avec le verbe *être* : *Les jouets sont cassés par l'enfant.* L'agent *(l'enfant)* ne coïncide plus avec la fonction sujet, il est devenu complément d'agent.

LA FORME PRONOMINALE

- La forme pronominale est caractérisée par le redoublement de l'expression du sujet sous la forme d'un pronom réfléchi COD.
- Les pronominaux réfléchis et réciproques réalisent une sorte de synthèse entre l'actif et le passif, pour laquelle on parle parfois d'une « voix moyenne ». Le sujet est à la fois l'agent et l'objet du procès : *Il se lave.*

LA CONSTRUCTION IMPERSONNELLE

La construction impersonnelle, plaçant le verbe en tête de phrase, l'accompagne d'un simple marqueur de 3e personne qui joue le rôle de sujet « postiche » : *Il passe un train tous les jours* (= un train passe tous les jours).

LES PÉRIPHRASES DE VOIX

La construction *faire* + infinitif introduit un sujet qui ne fait pas l'action mais la fait faire par un agent qui occupe la position de complément : *Le professeur fait travailler les enfants.*

Voir le passif, les pronominaux, l'impersonnel, les périphrases verbales.

Les TABLEAUX de CONJUGAISON

1 ÊTRE

Indicatif

présent

je	suis
tu	es
il/elle	est
nous	sommes
vous	êtes
ils/elles	sont

passé composé

j'	ai	été
tu	as	été
il/elle	a	été
nous	avons	été
vous	avez	été
ils/elles	ont	été

imparfait

j'	étais
tu	étais
il/elle	était
nous	étions
vous	étiez
ils/elles	étaient

plus-que-parfait

j'	avais	été
tu	avais	été
il/elle	avait	été
nous	avions	été
vous	aviez	été
ils/elles	avaient	été

futur simple

je	serai
tu	seras
il/elle	sera
nous	serons
vous	serez
ils/elles	seront

futur antérieur

j'	aurai	été
tu	auras	été
il/elle	aura	été
nous	aurons	été
vous	aurez	été
ils/elles	auront	été

passé simple

je	fus
tu	fus
il/elle	fut
nous	fûmes
vous	fûtes
ils/elles	furent

passé antérieur

j'	eus	été
tu	eus	été
il/elle	eut	été
nous	eûmes	été
vous	eûtes	été
ils/elles	eurent	été

Conditionnel

présent

je	serais
tu	serais
il/elle	serait
nous	serions
vous	seriez
ils/elles	seraient

passé

j'	aurais	été
tu	aurais	été
il/elle	aurait	été
nous	aurions	été
vous	auriez	été
ils/elles	auraient	été

Infinitif

présent	passé
être	avoir été

Participe

présent	passé
étant	**été**
	ayant été

Impératif

présent	passé
sois	aie été
soyons	ayons été
soyez	ayez été

Subjonctif

présent

que	je	soi**s**
que	tu	soi**s**
qu'	il/elle	soi**t**
que	nous	so**yons**
que	vous	so**yez**
qu'	ils/elles	soient

passé

que	j'	aie	été
que	tu	aies	été
qu'	il/elle	ait	été
que	nous	ayons	été
que	vous	ayez	été
qu'	ils/elles	aient	été

imparfait

que	je	fusse
que	tu	fusses
qu'	il/elle	fût
que	nous	fussions
que	vous	fussiez
qu'	ils/elles	fussent

plus-que-parfait

que	j'	eusse	été
que	tu	eusses	été
qu'	il/elle	eût	été
que	nous	eussions	été
que	vous	eussiez	été
qu'	ils/elles	eussent	été

Le verbe *être* sert d'auxiliaire de conjugaison :

- **pour toutes les formes de la voix passive,**
- **pour les temps composés de la voix pronominale et de certains verbes à la voix active.**

ATTENTION

Au subjonctif présent, *être* est le seul verbe qui ne se termine pas en *-e* aux trois personnes du singulier, et il ne prend pas de *i* après *y* aux 1re et 2e personnes du pluriel.

c'est là qu'on se trompe Le participe passé du verbe *être* est toujours invariable.

Indicatif

présent

j'	ai
tu	as
il/elle	a
nous	avons
vous	avez
ils/elles	ont

passé composé

j'	ai	eu
tu	as	eu
il/elle	a	eu
nous	avons	eu
vous	avez	eu
ils/elles	ont	eu

imparfait

j'	avais
tu	avais
il/elle	avait
nous	avions
vous	aviez
ils/elles	avaient

plus-que-parfait

j'	avais	eu
tu	avais	eu
il/elle	avait	eu
nous	avions	eu
vous	aviez	eu
ils/elles	avaient	eu

futur simple

j'	aurai
tu	auras
il/elle	aura
nous	aurons
vous	aurez
ils/elles	auront

futur antérieur

j'	aurai	eu
tu	auras	eu
il/elle	aura	eu
nous	aurons	eu
vous	aurez	eu
ils/elles	auront	eu

passé simple

j'	eus
tu	eus
il/elle	eut
nous	eûmes
vous	eûtes
ils/elles	eurent

passé antérieur

j'	eus	eu
tu	eus	eu
il/elle	eut	eu
nous	eûmes	eu
vous	eûtes	eu
ils/elles	eurent	eu

Conditionnel

présent

j'	aurais
tu	aurais
il/elle	aurait
nous	aurions
vous	auriez
ils/elles	auraient

passé

j'	aurais	eu
tu	aurais	eu
il/elle	aurait	eu
nous	aurions	eu
vous	auriez	eu
ils/elles	auraient	eu

Infinitif

présent	**passé**
avoir	avoir eu

Participe

présent	**passé**
ayant	eu/eue, eus/eues
	ayant eu

Impératif

présent	**passé**
aie	aie eu
ayons	ayons eu
ayez	ayez eu

Subjonctif

présent

que	j'	aie
que	tu	aies
qu'	il/elle	ai**t**
que	nous	a**yons**
que	vous	a**yez**
qu'	ils/elles	aient

passé

que	j'	aie	eu
que	tu	aies	eu
qu'	il/elle	ait	eu
que	nous	ayons	eu
que	vous	ayez	eu
qu'	ils/elles	aient	eu

imparfait

que	j'	eusse
que	tu	eusses
qu'	il/elle	eût
que	nous	eussions
que	vous	eussiez
qu'	ils/elles	eussent

plus-que-parfait

que	j'	eusse	eu
que	tu	eusses	eu
qu'	il/elle	eût	eu
que	nous	eussions	eu
que	vous	eussiez	eu
qu'	ils/elles	eussent	eu

- **Le verbe *avoir* sert d'auxiliaire de conjugaison pour les temps composés de la plupart des verbes à la voix active.**
- ***Avoir* est susceptible d'un emploi impersonnel : *Il y a, il y avait, il y aura...***

ATTENTION

Au subjonctif présent, *avoir* se termine en *-t* à la 3e personne du singulier et ne prend pas de *i* après *y* aux 1re et 2e personnes du pluriel.

Indicatif

présent

je	vais
tu	vas
il/elle	va
nous	allons
vous	allez
ils/elles	vont

passé composé

je	suis	allé/ée
tu	es	allé/ée
il/elle	est	allé/ée
nous	sommes	allés/ées
vous	êtes	allés/ées
ils/elles	sont	allés/ées

imparfait

j'	allais
tu	allais
il/elle	allait
nous	allions
vous	alliez
ils/elles	allaient

plus-que-parfait

j'	étais	allé/ée
tu	étais	allé/ée
il/elle	était	allé/ée
nous	étions	allés/ées
vous	étiez	allés/ées
ils/elles	étaient	allés/ées

futur simple

j'	irai
tu	iras
il/elle	ira
nous	irons
vous	irez
ils/elles	iront

futur antérieur

je	serai	allé/ée
tu	seras	allé/ée
il/elle	sera	allé/ée
nous	serons	allés/ées
vous	serez	allés/ées
ils/elles	seront	allés/ées

passé simple

j'	allai
tu	allas
il/elle	alla
nous	allâmes
vous	allâtes
ils/elles	allèrent

passé antérieur

je	fus	allé/ée
tu	fus	allé/ée
il/elle	fut	allé/ée
nous	fûmes	allés/ées
vous	fûtes	allés/ées
ils/elles	furent	allés/ées

Conditionnel

présent

j'	irais
tu	irais
il/elle	irait
nous	irions
vous	iriez
ils/elles	iraient

passé

je	serais	allé/ée
tu	serais	allé/ée
il/elle	serait	allé/ée
nous	serions	allés/ées
vous	seriez	allés/ées
ils/elles	seraient	allés/ées

Infinitif

présent	passé
aller	être allé/ée, allés/ées

Participe

présent	passé
allant	allé/ée, allés/ées
	étant allé/ée/es/ées

Impératif

présent	passé
va	sois allé/ée
allons	soyons allés/ées
allez	soyez allés/ées

Subjonctif

présent			passé			
que	j'	aille	que	je	sois	allé/ée
que	tu	ailles	que	tu	sois	allé/ée
qu'	il/elle	aille	qu'	il/elle	soit	allé/ée
que	nous	allions	que	nous	soyons	allés/ées
que	vous	alliez	que	vous	soyez	allés/ées
qu'	ils/elles	aillent	qu'	ils/elles	soient	allés/ées

imparfait			plus-que-parfait			
que	j'	allasse	que	je	fusse	allé/ée
que	tu	allasses	que	tu	fusses	allé/ée
qu'	il/elle	allât	qu'	il/elle	fût	allé/ée
que	nous	allassions	que	nous	fussions	allés/ées
que	vous	allassiez	que	vous	fussiez	allés/ées
qu'	ils/elles	allassent	qu'	ils/elles	fussent	allés/ées

- **Le verbe *aller* forme ses temps composés avec l'auxiliaire *être*.**
- ***Aller* sert d'auxiliaire pour le futur proche : *Je vais partir.***

ATTENTION

Comme les verbes du premier groupe, *aller* ne prend pas de *-s* final à la 2e personne du singulier de l'impératif, sauf dans *va**s**-y* (*s* euphonique).

Vous avez dit bizarre ? Bien qu'il fasse son infinitif en *-er*, *aller* est un verbe irrégulier, c'est le seul verbe en *-er* qui ne fasse pas partie du premier groupe.

VENIR

tenir, retenir, revenir, circonvenir, prévenir,

Indicatif

présent

je	viens
tu	viens
il/elle	vient
nous	venons
vous	venez
ils/elles	viennent

imparfait

je	venais
tu	venais
il/elle	venait
nous	venions
vous	veniez
ils/elles	venaient

futur simple

je	viendrai
tu	viendras
il/elle	viendra
nous	viendrons
vous	viendrez
ils/elles	viendront

passé simple

je	vins
tu	vins
il/elle	vint
nous	**vînmes**
vous	vîntes
ils/elles	vinrent

passé composé

je	suis	venu/ue
tu	es	venu/ue
il/elle	est	venu/ue
nous	sommes	venus/ues
vous	êtes	venus/ues
ils/elles	sont	venus/ues

plus-que-parfait

j'	étais	venu/ue
tu	étais	venu/ue
il/elle	était	venu/ue
nous	étions	venus/ues
vous	étiez	venus/ues
ils/elles	étaient	venus/ues

futur antérieur

je	serai	venu/ue
tu	seras	venu/ue
il/elle	sera	venu/ue
nous	serons	venus/ues
vous	serez	venus/ues
ils/elles	seront	venus/ues

passé antérieur

je	fus	venu/ue
tu	fus	venu/ue
il/elle	fut	venu/ue
nous	fûmes	venus/ues
vous	fûtes	venus/ues
ils/elles	furent	venus/ues

Conditionnel

présent

je	viendrais
tu	viendrais
il/elle	viendrait
nous	viendrions
vous	viendriez
ils/elles	viendraient

passé

je	serais	venu/ue
tu	serais	venu/ue
il/elle	serait	venu/ue
nous	serions	venus/ues
vous	seriez	venus/ues
ils/elles	seraient	venus/ues

3e groupe

subvenir, contenir, survenir, contrevenir...

Infinitif

présent	passé
venir	être venu/ue, venus/ues

Participe

présent	passé
venant	venu/ue, venus/ues
	étant venu/ue/us/ues

Impératif

présent	passé
viens	sois venu/ue
venons	soyons venus/ues
venez	soyez venus/ues

Subjonctif

présent

que	je	vienne
que	tu	viennes
qu'	il/elle	vienne
que	nous	venions
que	vous	veniez
qu'	ils/elles	viennent

passé

que	je	sois	venu/ue
que	tu	sois	venu/ue
qu'	il/elle	soit	venu/ue
que	nous	soyons	venus/ues
que	vous	soyez	venus/ues
qu'	ils/elles	soient	venus/ues

imparfait

que	je	vinsse
que	tu	vinsses
qu'	il/elle	vînt
que	nous	vinssions
que	vous	vinssiez
qu'	ils/elles	vinssent

plus-que-parfait

que	je	fusse	venu/ue
que	tu	fusses	venu/ue
qu'	il/elle	fût	venu/ue
que	nous	fussions	venus/ues
que	vous	fussiez	venus/ues
qu'	ils/elles	fussent	venus/ues

- ***Venir* et ses dérivés forment leurs temps composés avec l'auxiliaire *être*, sauf *circonvenir, prévenir* et *contrevenir.***
- ***Venir* sert d'auxiliaire pour le passé proche : *Je viens d'arriver.***
- ***Tenir* et ses composés forment leurs temps composés avec l'auxiliaire *avoir* ou *être.***

ATTENTION

Tenir, venir et leurs dérivés font leur passé simple en *-in (je **tins**, il **vint**).*

Vous avez dit bizarre ? La forme *nous vînmes* contredit la règle d'orthographe : *n* devient *m* devant *n, b, p.*

Indicatif

présent

je	fais
tu	fais
il/elle	fait
nous	**faisons**
vous	faites
ils/elles	font

passé composé

j'	ai	fait
tu	as	fait
il/elle	a	fait
nous	avons	fait
vous	avez	fait
ils/elles	ont	fait

imparfait

je	**faisais**
tu	**faisais**
il/elle	**faisait**
nous	**faisions**
vous	**faisiez**
ils/elles	**faisaient**

plus-que-parfait

j'	avais	fait
tu	avais	fait
il/elle	avait	fait
nous	avions	fait
vous	aviez	fait
ils/elles	avaient	fait

futur simple

je	ferai
tu	feras
il/elle	fera
nous	ferons
vous	ferez
ils/elles	feront

futur antérieur

j'	aurai	fait
tu	auras	fait
il/elle	aura	fait
nous	aurons	fait
vous	aurez	fait
ils/elles	auront	fait

passé simple

je	fis
tu	fis
il/elle	fit
nous	fîmes
vous	fîtes
ils/elles	firent

passé antérieur

j'	eus	fait
tu	eus	fait
il/elle	eut	fait
nous	eûmes	fait
vous	eûtes	fait
ils/elles	eurent	fait

Conditionnel

présent

je	ferais
tu	ferais
il/elle	ferait
nous	ferions
vous	feriez
ils/elles	feraient

passé

j'	aurais	fait
tu	aurais	fait
il/elle	aurait	fait
nous	aurions	fait
vous	auriez	fait
ils/elles	auraient	fait

3e groupe

parfaire, stupéfaire, surfaire

5

Infinitif

présent	passé
faire	avoir fait

Participe

présent	passé
faisant	fait/te, faits/tes
	ayant fait

Impératif

présent	passé
fais	aie fait
faisons	ayons fait
faites	ayez fait

Subjonctif

présent

que	je	fasse
que	tu	fasses
qu'	il/elle	fasse
que	nous	fassions
que	vous	fassiez
qu'	ils/elles	fassent

passé

que	j'	aie	fait
que	tu	aies	fait
qu'	il/elle	ait	fait
que	nous	ayons	fait
que	vous	ayez	fait
qu'	ils/elles	aient	fait

imparfait

que	je	fisse
que	tu	fisses
qu'	il/elle	fît
que	nous	fissions
que	vous	fissiez
qu'	ils/elles	fissent

plus-que-parfait

que	j'	eusse	fait
que	tu	eusses	fait
qu'	il/elle	eût	fait
que	nous	eussions	fait
que	vous	eussiez	fait
qu'	ils/elles	eussent	fait

- **Le verbe *faire* sert d'auxiliaire pour indiquer qui fait faire l'action, qui en est la cause : *Il m'a fait tomber.***
- ***Faire* est susceptible d'un emploi impersonnel : *Il fait chaud, il fait nuit.***

ATTENTION

L'orthographe diffère de la prononciation dans les formes en gras (par exemple, *faisons* se prononce [fəzɔ̃]).

c'est là qu'on se trompe À l'indicatif présent, la 2e personne du pluriel n'est pas construite sur le modèle de la 1re personne du pluriel : dire **vous faisez* pour *vous faites* est fautif.

admettre, compromettre, omettre, promettre,

Indicatif

présent		passé composé		
je	**mets**	j'	ai	mis
tu	**mets**	tu	as	mis
il/elle	**met**	il/elle	a	mis
nous	**mettons**	nous	avons	mis
vous	**mettez**	vous	avez	mis
ils/elles	**mettent**	ils/elles	ont	mis

imparfait		plus-que-parfait		
je	**mettais**	j'	avais	mis
tu	**mettais**	tu	avais	mis
il/elle	**mettait**	il/elle	avait	mis
nous	**mettions**	nous	avions	mis
vous	**mettiez**	vous	aviez	mis
ils/elles	**mettaient**	ils/elles	avaient	mis

futur simple		futur antérieur		
je	**mettrai**	j'	aurai	mis
tu	**mettras**	tu	auras	mis
il/elle	**mettra**	il/elle	aura	mis
nous	**mettrons**	nous	aurons	mis
vous	**mettrez**	vous	aurez	mis
ils/elles	**mettront**	ils/elles	auront	mis

passé simple		passé antérieur		
je	mis	j'	eus	mis
tu	mis	tu	eus	mis
il/elle	mit	il/elle	eut	mis
nous	mîmes	nous	eûmes	mis
vous	mîtes	vous	eûtes	mis
ils/elles	mirent	ils/elles	eurent	mis

Conditionnel

présent		passé		
je	**mettrais**	j'	aurais	mis
tu	**mettrais**	tu	aurais	mis
il/elle	**mettrait**	il/elle	aurait	mis
nous	**mettrions**	nous	aurions	mis
vous	**mettriez**	vous	auriez	mis
ils/elles	**mettraient**	ils/elles	auraient	mis

3e groupe

transmettre, permettre, émettre, soumettre...

6

Infinitif

présent	**passé**
mettre	avoir mis

Participe

présent	**passé**
mettant	mis/ise, mis/ises
	ayant mis

Impératif

présent	**passé**
mets	aie mis
mettons	ayons mis
mettez	ayez mis

Subjonctif

présent

que	je	**mette**
que	tu	**mettes**
qu'	il/elle	**mette**
que	nous	**mettions**
que	vous	**mettiez**
qu'	ils/elles	**mettent**

passé

que	j'	aie	mis
que	tu	aies	mis
qu'	il/elle	ait	mis
que	nous	ayons	mis
que	vous	ayez	mis
qu'	ils/elles	aient	mis

imparfait

que	je	misse
que	tu	misses
qu'	il/elle	mît
que	nous	missions
que	vous	missiez
qu'	ils/elles	missent

plus-que-parfait

que	j'	eusse	mis
que	tu	eusses	mis
qu'	il/elle	eût	mis
que	nous	eussions	mis
que	vous	eussiez	mis
qu'	ils/elles	eussent	mis

- ***Mettre*** **et ses dérivés conservent dans toutes leurs formes au moins un *t* de leur radical : *Je mets, tu permets.***
- **Le verbe *mettre* sert d'auxiliaire pour indiquer qu'une action en est à son début : *Elle s'est mise à rire.***

ATTENTION

Il y a deux *t* devant une voyelle *(je mettais)* et devant un *r (je mettrais).*

Voir *battre* (dont *mettre* se distingue au passé simple et à l'imparfait du subjonctif).

POUVOIR

Indicatif

présent

je	**peux/puis**
tu	**peux**
il/elle	peut
nous	pouvons
vous	pouvez
ils/elles	peuvent

passé composé

j'	ai	pu
tu	as	pu
il/elle	a	pu
nous	avons	pu
vous	avez	pu
ils/elles	ont	pu

imparfait

je	pouvais
tu	pouvais
il/elle	pouvait
nous	pouvions
vous	pouviez
ils/elles	pouvaient

plus-que-parfait

j'	avais	pu
tu	avais	pu
il/elle	avait	pu
nous	avions	pu
vous	aviez	pu
ils/elles	avaient	pu

futur simple

je	**pourrai**
tu	**pourras**
il/elle	**pourra**
nous	**pourrons**
vous	**pourrez**
ils/elles	**pourront**

futur antérieur

j'	aurai	pu
tu	auras	pu
il/elle	aura	pu
nous	aurons	pu
vous	aurez	pu
ils/elles	auront	pu

passé simple

je	pus
tu	pus
il/elle	put
nous	pûmes
vous	pûtes
ils/elles	purent

passé antérieur

j'	eus	pu
tu	eus	pu
il/elle	eut	pu
nous	eûmes	pu
vous	eûtes	pu
ils/elles	eurent	pu

Conditionnel

présent

je	**pourrais**
tu	**pourrais**
il/elle	**pourrait**
nous	**pourrions**
vous	**pourriez**
ils/elles	**pourraient**

passé

j'	aurais	pu
tu	aurais	pu
il/elle	aurait	pu
nous	aurions	pu
vous	auriez	pu
ils/elles	auraient	pu

Infinitif

présent	passé
pouvoir	avoir pu

Participe

présent	passé
pouvant	**pu**
	ayant pu

Impératif

présent	passé
inusité	*inusité*

Subjonctif

présent			passé			
que	je	puisse	que	j'	aie	pu
que	tu	puisses	que	tu	aies	pu
qu'	il/elle	puisse	qu'	il/elle	ait	pu
que	nous	puissions	que	nous	ayons	pu
que	vous	puissiez	que	vous	ayez	pu
qu'	ils/elles	puissent	qu'	ils/elles	aient	pu

imparfait			plus-que-parfait			
que	je	pusse	que	j'	eusse	pu
que	tu	pusses	que	tu	eusses	pu
qu'	il/elle	pût	qu'	il/elle	eût	pu
que	nous	pussions	que	nous	eussions	pu
que	vous	pussiez	que	vous	eussiez	pu
qu'	ils/elles	pussent	qu'	ils/elles	eussent	pu

- **Le verbe *pouvoir* sert d'auxiliaire pour indiquer l'éventualité : *Il peut arriver demain, il peut être huit heures.***
- ***Pouvoir* est susceptible d'un emploi impersonnel : *Il se peut que* (+ subjonctif).**

ATTENTION

- La terminaison est *-x* aux deux premières personnes de l'indicatif présent.
- À l'indicatif présent, la 1re personne du singulier *je peux* appartient à la langue courante alors que *je puis* appartient au registre soutenu.
- Le participe passé du verbe *pouvoir* est invariable.

8

VOULOIR

Indicatif

présent		passé composé		
je	**veux**	j'	ai	voulu
tu	**veux**	tu	as	voulu
il/elle	veut	il/elle	a	voulu
nous	voulons	nous	avons	voulu
vous	voulez	vous	avez	voulu
ils/elles	veulent	ils/elles	ont	voulu

imparfait		plus-que-parfait		
je	voulais	j'	avais	voulu
tu	voulais	tu	avais	voulu
il/elle	voulait	il/elle	avait	voulu
nous	voulions	nous	avions	voulu
vous	vouliez	vous	aviez	voulu
ils/elles	voulaient	ils/elles	avaient	voulu

futur simple		futur antérieur		
je	voudrai	j'	aurai	voulu
tu	voudras	tu	auras	voulu
il/elle	voudra	il/elle	aura	voulu
nous	voudrons	nous	aurons	voulu
vous	voudrez	vous	aurez	voulu
ils/elles	voudront	ils/elles	auront	voulu

passé simple		passé antérieur		
je	voulus	j'	eus	voulu
tu	voulus	tu	eus	voulu
il/elle	voulut	il/elle	eut	voulu
nous	voulûmes	nous	eûmes	voulu
vous	voulûtes	vous	eûtes	voulu
ils/elles	voulurent	ils/elles	eurent	voulu

Conditionnel

présent		passé		
je	voudrais	j'	aurais	voulu
tu	voudrais	tu	aurais	voulu
il/elle	voudrait	il/elle	aurait	voulu
nous	voudrions	nous	aurions	voulu
vous	voudriez	vous	auriez	voulu
ils/elles	voudraient	ils/elles	auraient	voulu

Infinitif

présent	passé
vouloir	avoir voulu

Participe

présent	passé
voulant	voulu/ue, voulus/ues
	ayant voulu

Impératif

présent	passé
veux/**veuille**	aie voulu
voulons/veuillons	ayons voulu
voulez/veuillez	ayez mis

Subjonctif

présent

que	je	veuille
que	tu	veuilles
qu'	il/elle	veuille
que	nous	voulions/**veuillions**
que	vous	vouliez/**veuilliez**
qu'	ils/elles	veuillent

passé

que	j'	aie	voulu
que	tu	aies	voulu
qu'	il/elle	ait	voulu
que	nous	ayons	voulu
que	vous	ayez	voulu
qu'	ils/elles	aient	voulu

imparfait

que	je	voulusse
que	tu	voulusses
qu'	il/elle	voulût
que	nous	voulussions
que	vous	voulussiez
qu'	ils/elles	voulussent

plus-que-parfait

que	j'	eusse	voulu
que	tu	eusses	voulu
qu'	il/elle	eût	voulu
que	nous	eussions	voulu
que	vous	eussiez	voulu
qu'	ils/elles	eussent	voulu

ATTENTION

- La terminaison est *-x* aux deux premières personnes de l'indicatif présent.
- L'impératif présent s'écrit *veuille* sans *-s*, comme tous les verbes qui font leur impératif en *-e*.

Vous avez dit bizarre ? • L'impératif est employé négativement dans l'expression *en vouloir : Ne m'en veux pas.*

- Dans les formules de politesse, on emploie *veuille, veuillez* (et non **veux, *voulez*) : *Veuillez m'excuser.*

Indicatif

présent

je	sais
tu	sais
il/elle	sait
nous	savons
vous	savez
ils/elles	savent

passé composé

j'	ai	su
tu	as	su
il/elle	a	su
nous	avons	su
vous	avez	su
ils/elles	ont	su

imparfait

je	savais
tu	savais
il/elle	savait
nous	savions
vous	saviez
ils/elles	savaient

plus-que-parfait

j'	avais	su
tu	avais	su
il/elle	avait	su
nous	avions	su
vous	aviez	su
ils/elles	avaient	su

futur simple

je	saurai
tu	sauras
il/elle	saura
nous	saurons
vous	saurez
ils/elles	sauront

futur antérieur

j'	aurai	su
tu	auras	su
il/elle	aura	su
nous	aurons	su
vous	aurez	su
ils/elles	auront	su

passé simple

je	sus
tu	sus
il/elle	sut
nous	sûmes
vous	sûtes
ils/elles	surent

passé antérieur

j'	eus	su
tu	eus	su
il/elle	eut	su
nous	eûmes	su
vous	eûtes	su
ils/elles	eurent	su

Conditionnel

présent

je	saurais
tu	saurais
il/elle	saurait
nous	saurions
vous	sauriez
ils/elles	sauraient

passé

j'	aurais	su
tu	aurais	su
il/elle	aurait	su
nous	aurions	su
vous	auriez	su
ils/elles	auraient	su

Infinitif

présent	passé
savoir	avoir su

Participe

présent	passé
sachant	su/sue, sus/sues
	ayant su

Impératif

présent	passé
sache	aie su
sachons	ayons su
sachez	ayez su

Subjonctif

présent

que	je	**sache**
que	tu	**saches**
qu'	il/elle	**sache**
que	nous	**sachions**
que	vous	**sachiez**
qu'	ils/elles	**sachent**

passé

que	j'	aie	su
que	tu	aies	su
qu'	il/elle	ait	su
que	nous	ayons	su
que	vous	ayez	su
qu'	ils/elles	aient	su

imparfait

que	je	susse
que	tu	susses
qu'	il/elle	sût
que	nous	sussions
que	vous	sussiez
qu'	ils/elles	sussent

plus-que-parfait

que	j'	eusse	su
que	tu	eusses	su
qu'	il/elle	eût	su
que	nous	eussions	su
que	vous	eussiez	su
qu'	ils/elles	eussent	su

ATTENTION

La 2e personne du singulier de l'impératif *(sache)* ne prend pas de *-s*, comme tous les verbes qui font leur impératif en *-e*.

c'est là qu'on se trompe *Vous n'êtes pas sans savoir* signifie *vous n'ignorez pas*, donc *vous savez.*

vous avez dit bizarre ? • Les formes de l'imparfait du subjonctif sont homonymes de celles du verbe *sucer*, c'est pourquoi elles ne sont pratiquement pas employées.

• *Que je sache* est une expression figée : *Il n'est pas venu me voir, que je sache* (à ma connaissance, il n'est pas venu).

10 DEVOIR

redevoir

Indicatif

présent		passé composé		
je	dois	j'	ai	dû
tu	dois	tu	as	dû
il/elle	doit	il/elle	a	dû
nous	devons	nous	avons	dû
vous	devez	vous	avez	dû
ils/elles	doivent	ils/elles	ont	dû

imparfait		plus-que-parfait		
je	devais	j'	avais	dû
tu	devais	tu	avais	dû
il/elle	devait	il/elle	avait	dû
nous	devions	nous	avions	dû
vous	deviez	vous	aviez	dû
ils/elles	devaient	ils/elles	avaient	dû

futur simple		futur antérieur		
je	devrai	j'	aurai	dû
tu	devras	tu	auras	dû
il/elle	devra	il/elle	aura	dû
nous	devrons	nous	aurons	dû
vous	devrez	vous	aurez	dû
ils/elles	devront	ils/elles	auront	dû

passé simple		passé antérieur		
je	dus	j'	eus	dû
tu	dus	tu	eus	dû
il/elle	dut	il/elle	eut	dû
nous	dûmes	nous	eûmes	dû
vous	dûtes	vous	eûtes	dû
ils/elles	durent	ils/elles	eurent	dû

Conditionnel

présent		passé		
je	devrais	j'	aurais	dû
tu	devrais	tu	aurais	dû
il/elle	devrait	il/elle	aurait	dû
nous	devrions	nous	aurions	dû
vous	devriez	vous	auriez	dû
ils/elles	devraient	ils/elles	auraient	dû

Infinitif

présent	passé
devoir	avoir dû

Participe

présent	passé
devant	**dû**/due, dus/dues
	ayant dû

Impératif

présent	passé
dois	aie dû
devons	ayons dû
devez	ayez dû

Subjonctif

présent			passé			
que	je	doive	que	j'	aie	dû
que	tu	doives	que	tu	aies	dû
qu'	il/elle	doive	qu'	il/elle	ait	dû
que	nous	devions	que	nous	ayons	dû
que	vous	deviez	que	vous	ayez	dû
qu'	ils/elles	doivent	qu'	ils/elles	aient	dû
imparfait			**plus-que-parfait**			
que	je	dusse	que	j'	eusse	dû
que	tu	dusses	que	tu	eusses	dû
qu'	il/elle	dût	qu'	il/elle	eût	dû
que	nous	dussions	que	nous	eussions	dû
que	vous	dussiez	que	vous	eussiez	dû
qu'	ils/elles	dussent	qu'	ils/elles	eussent	dû

- **Le verbe *devoir* sert d'auxiliaire pour indiquer la probabilité : *J'ai dû me tromper de route.***
- ***Devoir* est susceptible d'un emploi impersonnel : *Comme il se doit.***

ATTENTION

Le subjonctif imparfait s'emploie sans la « béquille » *que* dans des expressions figées : *Dussé-je* (même si je dois), *dût-il, dussions-nous… dût-elle s'y ruiner, elle ne renoncera pas.*

c'est là qu'on se trompe Le participe passé prend un accent circonflexe au masculin singulier, mais non aux autres formes : *J'ai **dû** payer les sommes d**ues**.*

FALLOIR

Indicatif

présent
il faut

imparfait
il fallait

futur simple
il faudra

passé simple
il fallut

passé composé
il a fallu

plus-que-parfait
il avait fallu

futur antérieur
il aura fallu

passé antérieur
il eut fallu

Conditionnel

présent
il faudrait

passé
il aurait fallu

Infinitif

présent
falloir

passé
avoir fallu

Participe

présent
inusité

passé
fallu
ayant fallu

Impératif

présent
inusité

passé
inusité

Subjonctif

présent
qu'il faille

imparfait
qu'il fallût

passé
qu'il ait fallu

plus-que-parfait
qu'il eût fallu

- **Le verbe *falloir* est défectif, c'est-à-dire qu'il a une conjugaison incomplète : il ne se conjugue ni à tous les modes, ni à tous les temps, ni à toutes les personnes. *Falloir* ne s'emploie plus qu'à l'infinitif et à la forme impersonnelle, le plus souvent dans des expressions toutes faites, ce qui montre qu'il est sorti de l'usage courant.**
- **En se combinant à des verbes à l'infinitif, le verbe *falloir* permet de former des constructions impersonnelles : *Il faut manger, il faut dormir, il ne faut pas s'en faire.***

ATTENTION

Le participe passé du verbe *falloir* est invariable.

c'est là qu'on se trompe On confond souvent *il vaut mieux* (il est préférable de : *Il vaut mieux tenir que courir*) et *il faut* (il est nécessaire de : *Il faut travailler pour réussir*). Dire **il faut mieux* pour *il vaut mieux* est fautif.

vous avez dit bizarre ? *Falloir* a le sens de *manquer* dans la construction *peu s'en faut, il s'en faut de peu : Il s'en faut de beaucoup qu'il ait réussi, il s'en est fallu de peu qu'elle se fasse renverser par le bus.*

AIMER

dégivrer, accrocher, gagner, zapper,

Indicatif

présent

j'	aime
tu	aimes
il/elle	aime
nous	aimons
vous	aimez
ils/elles	aiment

passé composé

j'	ai	aimé
tu	as	aimé
il/elle	a	aimé
nous	avons	aimé
vous	avez	aimé
ils/elles	ont	aimé

imparfait

j'	aimais
tu	aimais
il/elle	aimait
nous	aimions
vous	aimiez
ils/elles	aimaient

plus-que-parfait

j'	avais	aimé
tu	avais	aimé
il/elle	avait	aimé
nous	avions	aimé
vous	aviez	aimé
ils/elles	avaient	aimé

futur simple

j'	aimerai
tu	aimeras
il/elle	aimera
nous	aimerons
vous	aimerez
ils/elles	aimeront

futur antérieur

j'	aurai	aimé
tu	auras	aimé
il/elle	aura	aimé
nous	aurons	aimé
vous	aurez	aimé
ils/elles	auront	aimé

passé simple

j'	aimai
tu	aimas
il/elle	aima
nous	aimâmes
vous	aimâtes
ils/elles	aimèrent

passé antérieur

j'	eus	aimé
tu	eus	aimé
il/elle	eut	aimé
nous	eûmes	aimé
vous	eûtes	aimé
ils/elles	eurent	aimé

Conditionnel

présent

j'	aimerais
tu	aimerais
il/elle	aimerait
nous	aimerions
vous	aimeriez
ils/elles	aimeraient

passé

j'	aurais	aimé
tu	aurais	aimé
il/elle	aurait	aimé
nous	aurions	aimé
vous	auriez	aimé
ils/elles	auraient	aimé

1er groupe

planter, marcher, rêver, pleurer, sonner...

12

Infinitif

présent	**passé**
aimer	avoir aimé

Participe

présent	**passé**
aimant	aimé/ée, aimés/ées
	ayant aimé

Impératif

présent	**passé**
aime	aie aimé
aimons	ayons aimé
aimez	ayez aimé

Subjonctif

présent

que	j'	aime
que	tu	aimes
qu'	il/elle	aime
que	nous	aimions
que	vous	aimiez
qu'	ils/elles	aiment

passé

que	j'	aie	aimé
que	tu	aies	aimé
qu'	il/elle	ait	aimé
que	nous	ayons	aimé
que	vous	ayez	aimé
qu'	ils/elles	aient	aimé

imparfait

que	j'	aimasse
que	tu	aimasses
qu'	il/elle	aimât
que	nous	aimassions
que	vous	aimassiez
qu'	ils/elles	aimassent

plus-que-parfait

que	j'	eusse	aimé
que	tu	eusses	aimé
qu'	il/elle	eût	aimé
que	nous	eussions	aimé
que	vous	eussiez	aimé
qu'	ils/elles	eussent	aimé

- **La conjugaison française compte plus de 5 000 verbes en *-er*.**
- **Les verbes du 1er groupe se conjuguent tous sur ce modèle, mais certains, dont le tableau figure dans l'ouvrage, présentent des difficultés orthographiques particulières.**

JOUER

amadouer, s'engouer, échouer, se dévouer,

Indicatif

présent

je	**joue**
tu	**joues**
il/elle	**joue**
nous	jouons
vous	jouez
ils/elles	**jouent**

imparfait

je	jouais
tu	jouais
il/elle	jouait
nous	jouions
vous	jouiez
ils/elles	jouaient

futur simple

je	**jouerai**
tu	**joueras**
il/elle	**jouera**
nous	**jouerons**
vous	**jouerez**
ils/elles	**joueront**

passé simple

je	jouai
tu	jouas
il/elle	joua
nous	jouâmes
vous	jouâtes
ils/elles	jouèrent

passé composé

j'	ai	joué
tu	as	joué
il/elle	a	joué
nous	avons	joué
vous	avez	joué
ils/elles	ont	joué

plus-que-parfait

j'	avais	joué
tu	avais	joué
il/elle	avait	joué
nous	avions	joué
vous	aviez	joué
ils/elles	avaient	joué

futur antérieur

j'	aurai	joué
tu	auras	joué
il/elle	aura	joué
nous	aurons	joué
vous	aurez	joué
ils/elles	auront	joué

passé antérieur

j'	eus	joué
tu	eus	joué
il/elle	eut	joué
nous	eûmes	joué
vous	eûtes	joué
ils/elles	eurent	joué

Conditionnel

présent

je	**jouerais**
tu	**jouerais**
il/elle	**jouerait**
nous	**jouerions**
vous	**joueriez**
ils/elles	**joueraient**

passé

j'	aurais	joué
tu	aurais	joué
il/elle	aurait	joué
nous	aurions	joué
vous	auriez	joué
ils/elles	auraient	joué

1er groupe : verbes en -(O)UER

clouer, flouer, huer, puer, avouer, embuer...

Infinitif

présent	**passé**
jouer	avoir joué

Participe

présent	**passé**
jouant	joué/ée, joués/ées
	ayant joué

Impératif

présent	**passé**
joue	aie joué
jouons	ayons joué
jouez	ayez joué

Subjonctif

présent

que	je	**joue**
que	tu	**joues**
qu'	il/elle	**joue**
que	nous	jouions
que	vous	jouiez
qu'	ils/elles	**jouent**

passé

que	j'	aie	joué
que	tu	aies	joué
qu'	il/elle	ait	joué
que	nous	ayons	joué
que	vous	ayez	joué
qu'	ils/elles	aient	joué

imparfait

que	je	jouasse
que	tu	jouasses
qu'	il/elle	jouât
que	nous	jouassions
que	vous	jouassiez
qu'	ils/elles	jouassent

plus-que-parfait

que	j'	eusse	joué
que	tu	eusses	joué
qu'	il/elle	eût	joué
que	nous	eussions	joué
que	vous	eussiez	joué
qu'	ils/elles	eussent	joué

La prononciation ne fait pas entendre le « *e* muet » derrière la voyelle du radical à l'intérieur des formes conjuguées, au futur et au conditionnel *(je jouerai, je jouerais)*.

CRÉER

procréer, recréer, maugréer, agréer, béer,

Indicatif

présent

je	**crée**
tu	**crées**
il/elle	**crée**
nous	créons
vous	créez
ils/elles	**créent**

passé composé

j'	ai	créé
tu	as	créé
il/elle	a	créé
nous	avons	créé
vous	avez	créé
ils/elles	ont	créé

imparfait

je	créais
tu	créais
il/elle	créait
nous	créions
vous	créiez
ils/elles	créaient

plus-que-parfait

j'	avais	créé
tu	avais	créé
il/elle	avait	créé
nous	avions	créé
vous	aviez	créé
ils/elles	avaient	créé

futur simple

je	**créerai**
tu	**créeras**
il/elle	**créera**
nous	**créerons**
vous	**créerez**
ils/elles	**créeront**

futur antérieur

j'	aurai	créé
tu	auras	créé
il/elle	aura	créé
nous	aurons	créé
vous	aurez	créé
ils/elles	auront	créé

passé simple

je	créai
tu	créas
il/elle	créa
nous	créâmes
vous	créâtes
ils/elles	créèrent

passé antérieur

j'	eus	créé
tu	eus	créé
il/elle	eut	créé
nous	eûmes	créé
vous	eûtes	créé
ils/elles	eurent	créé

Conditionnel

présent

je	**créerais**
tu	**créerais**
il/elle	**créerait**
nous	**créerions**
vous	**créeriez**
ils/elles	**créeraient**

passé

j'	aurais	créé
tu	aurais	créé
il/elle	aurait	créé
nous	aurions	créé
vous	auriez	créé
ils/elles	auraient	créé

1er groupe : verbes en -ÉER

récréer, guéer, suppléer, gréer, congréer...

14

Infinitif

présent	**passé**
créer	avoir créé

Participe

présent	**passé**
créant	créé/**créée**, créés/**créées**
	ayant créé

Impératif

présent	**passé**
crée	aie créé
créons	ayons créé
créez	ayez créé

Subjonctif

présent

que	je	**crée**
que	tu	**crées**
qu'	il/elle	**crée**
que	nous	créions
que	vous	créiez
qu'	ils/elles	**créent**

passé

que	j'	aie	créé
que	tu	aies	créé
qu'	il/elle	ait	créé
que	nous	ayons	créé
que	vous	ayez	créé
qu'	ils/elles	aient	créé

imparfait

que	je	créasse
que	tu	créasses
qu'	il/elle	créât
que	nous	créassions
que	vous	créassiez
qu'	ils/elles	créassent

plus-que-parfait

que	j'	eusse	créé
que	tu	eusses	créé
qu'	il/elle	eût	créé
que	nous	eussions	créé
que	vous	eussiez	créé
qu'	ils/elles	eussent	créé

- **Le *-é* final du radical est présent à toutes les formes.**
- **La prononciation ne fait pas entendre le « *e* muet » derrière la voyelle du radical à l'intérieur des formes conjuguées, au futur et au conditionnel *(je créerai, je créerais)*.**

ATTENTION

Notez la succession des voyelles, en particulier au féminin du participe passé *(créée, créées)*.

Vous avez dit bizarre ? L'orthographe de *bouche bée*, avec un seul *é*, s'écarte de l'orthographe du participe passé *(béée)*. De plus, *bouche bée* est toujours au singulier : *Les enfants en sont restés bouche bée.*

15 ÉTUDIER

skier, lier, nier, plier, crier, atrophier, vérifier,

Indicatif

présent

j'	étudie
tu	étudies
il/elle	étudie
nous	étudions
vous	étudiez
ils/elles	étudient

passé composé

j'	ai	étudié
tu	as	étudié
il/elle	a	étudié
nous	avons	étudié
vous	avez	étudié
ils/elles	ont	étudié

imparfait

j'	étudiais
tu	étudiais
il/elle	étudiait
nous	**étudiions**
vous	**étudiiez**
ils/elles	étudiaient

plus-que-parfait

j'	avais	étudié
tu	avais	étudié
il/elle	avait	étudié
nous	avions	étudié
vous	aviez	étudié
ils/elles	avaient	étudié

futur simple

j'	étudierai
tu	étudieras
il/elle	étudiera
nous	étudierons
vous	étudierez
ils/elles	étudieront

futur antérieur

j'	aurai	étudié
tu	auras	étudié
il/elle	aura	étudié
nous	aurons	étudié
vous	aurez	étudié
ils/elles	auront	étudié

passé simple

j'	étudiai
tu	étudias
il/elle	étudia
nous	étudiâmes
vous	étudiâtes
ils/elles	étudièrent

passé antérieur

j'	eus	étudié
tu	eus	étudié
il/elle	eut	étudié
nous	eûmes	étudié
vous	eûtes	étudié
ils/elles	eurent	étudié

Conditionnel

présent

j'	étudierais
tu	étudierais
il/elle	étudierait
nous	étudierions
vous	étudieriez
ils/elles	étudieraient

passé

j'	aurais	étudié
tu	aurais	étudié
il/elle	aurait	étudié
nous	aurions	étudié
vous	auriez	étudié
ils/elles	auraient	étudié

1er groupe : verbes en -IER

15

associer, bêtifier, apprécier, orthographier...

Infinitif

présent	**passé**
étudier	avoir étudié

Participe

présent	**passé**
étudiant	étudié/ée, étudiés/ées
	ayant étudié

Impératif

présent	**passé**
étudie	aie étudié
étudions	ayons étudié
étudiez	ayez étudié

Subjonctif

présent

que	j'	étudie
que	tu	étudies
qu'	il/elle	étudie
que	nous	**étudiions**
que	vous	**étudiiez**
qu'	ils/elles	étudient

passé

que	j'	aie	étudié
que	tu	aies	étudié
qu'	il/elle	ait	étudié
que	nous	ayons	étudié
que	vous	ayez	étudié
qu'	ils/elles	aient	étudié

imparfait

que	j'	étudiasse
que	tu	étudiasses
qu'	il/elle	étudiât
que	nous	étudiassions
que	vous	étudiassiez
qu'	ils/elles	étudiassent

plus-que-parfait

que	j'	eusse	étudié
que	tu	eusses	étudié
qu'	il/elle	eût	étudié
que	nous	eussions	étudié
que	vous	eussiez	étudié
qu'	ils/elles	eussent	étudié

La prononciation ne fait pas entendre le « *e* muet » derrière la voyelle du radical à l'intérieur des formes conjuguées, au futur et au conditionnel *(j'étudierai, j'étudierais).*

ATTENTION

Notez les deux *i* à l'imparfait de l'indicatif *(étudi**i**ons, étudi**i**ez)* et au présent du subjonctif *(étudi**i**ons, étudi**i**ez)*, qui proviennent de la rencontre entre le *-i* final du radical et le *i-* initial de la désinence.

16 DISTINGUER 1er groupe :

communiquer, provoquer, prodiguer, déléguer,

Indicatif

présent

je	distingue
tu	distingues
il/elle	distingue
nous	**distinguons**
vous	distinguez
ils/elles	distinguent

passé composé

j'	ai	distingué
tu	as	distingué
il/elle	a	distingué
nous	avons	distingué
vous	avez	distingué
ils/elles	ont	distingué

imparfait

je	**distinguais**
tu	**distinguais**
il/elle	**distinguait**
nous	distinguions
vous	distinguiez
ils/elles	**distinguaient**

plus-que-parfait

j'	avais	distingué
tu	avais	distingué
il/elle	avait	distingué
nous	avions	distingué
vous	aviez	distingué
ils/elles	avaient	distingué

futur simple

je	distinguerai
tu	distingueras
il/elle	distinguera
nous	distinguerons
vous	distinguerez
ils/elles	distingueront

futur antérieur

j'	aurai	distingué
tu	auras	distingué
il/elle	aura	distingué
nous	aurons	distingué
vous	aurez	distingué
ils/elles	auront	distingué

passé simple

je	**distinguai**
tu	**distinguas**
il/elle	**distingua**
nous	**distinguâmes**
vous	**distinguâtes**
ils/elles	distinguèrent

passé antérieur

j'	eus	distingué
tu	eus	distingué
il/elle	eut	distingué
nous	eûmes	distingué
vous	eûtes	distingué
ils/elles	eurent	distingué

Conditionnel

présent

je	distinguerais
tu	distinguerais
il/elle	distinguerait
nous	distinguerions
vous	distingueriez
ils/elles	distingueraient

passé

j'	aurais	distingué
tu	aurais	distingué
il/elle	aurait	distingué
nous	aurions	distingué
vous	auriez	distingué
ils/elles	auraient	distingué

verbes en -GUER et -QUER

16

conjuguer, naviguer, indiquer, manquer...

Infinitif

présent	passé
distinguer	avoir distingué

Participe

présent	passé
distinguant	distingué/ée, distingués/ées ayant distingué

Impératif

présent	passé
distingue	aie distingué
distinguons	ayons distingué
distinguez	ayez distingué

Subjonctif

présent

que	je	distingue
que	tu	distingues
qu'	il/elle	distingue
que	nous	distinguions
que	vous	distinguiez
qu'	ils/elles	distinguent

passé

que	j'	aie	distingué
que	tu	aies	distingué
qu'	il/elle	ait	distingué
que	nous	ayons	distingué
que	vous	ayez	distingué
qu'	ils/elles	aient	distingué

imparfait

que	je	**distinguasse**
que	tu	**distinguasses**
qu'	il/elle	**distinguât**
que	nous	**distinguassions**
que	vous	**distinguassiez**
qu'	ils/elles	**distinguassent**

plus-que-parfait

que	j'	eusse	distingué
que	tu	eusses	distingué
qu'	il/elle	eût	distingué
que	nous	eussions	distingué
que	vous	eussiez	distingué
qu'	ils/elles	eussent	distingué

Les verbes en *-guer* conservent le *u* dans toute la conjugaison, même si la terminaison commence par *-a* ou par *-o (nous naviguons).*

c'est là qu'on se trompe La graphie du participe présent diffère parfois de celle de l'adjectif verbal :

- vaquer : *(en) va**qu**ant* (participe présent) ; *un poste va**c**ant* (adjectif verbal)
- communiquer : *(en) communi**qu**ant ; les vases communi**c**ants*
- fatiguer : *(en) fati**gu**ant ; un travail fati**g**ant*
- naviguer : *(en) navi**gu**ant ; le personnel navi**g**ant.*

MANGER

ranger, voyager, partager, songer, juger, figer,

Indicatif

présent

je	mange
tu	manges
il/elle	mange
nous	**mangeons**
vous	mangez
ils/elles	mangent

passé composé

j'	ai	mangé
tu	as	mangé
il/elle	a	mangé
nous	avons	mangé
vous	avez	mangé
ils/elles	ont	mangé

imparfait

je	**mangeais**
tu	**mangeais**
il/elle	**mangeait**
nous	mangions
vous	mangiez
ils/elles	**mangeaient**

plus-que-parfait

j'	avais	mangé
tu	avais	mangé
il/elle	avait	mangé
nous	avions	mangé
vous	aviez	mangé
ils/elles	avaient	mangé

futur simple

je	mangerai
tu	mangeras
il/elle	mangera
nous	mangerons
vous	mangerez
ils/elles	mangeront

futur antérieur

j'	aurai	mangé
tu	auras	mangé
il/elle	aura	mangé
nous	aurons	mangé
vous	aurez	mangé
ils/elles	auront	mangé

passé simple

je	**mangeai**
tu	**mangeas**
il/elle	**mangea**
nous	**mangeâmes**
vous	**mangeâtes**
ils/elles	mangèrent

passé antérieur

j'	eus	mangé
tu	eus	mangé
il/elle	eut	mangé
nous	eûmes	mangé
vous	eûtes	mangé
ils/elles	eurent	mangé

Conditionnel

présent

je	mangerais
tu	mangerais
il/elle	mangerait
nous	mangerions
vous	mangeriez
ils/elles	mangeraient

passé

j'	aurais	mangé
tu	aurais	mangé
il/elle	aurait	mangé
nous	aurions	mangé
vous	auriez	mangé
ils/elles	auraient	mangé

1er groupe : verbes en -GER

arranger, changer, déménager, neiger, obliger...

Infinitif

présent	passé
manger	avoir mangé

Participe

présent	passé
mangeant	mangé/ée, mangés/ées ayant mangé

Impératif

présent	passé
mange	aie mangé
mangeons	ayons mangé
mangez	ayez mangé

Subjonctif

présent			passé			
que	je	mange	que	j'	aie	mangé
que	tu	manges	que	tu	aies	mangé
qu'	il/elle	mange	qu'	il/elle	ait	mangé
que	nous	mangions	que	nous	ayons	mangé
que	vous	mangiez	que	vous	ayez	mangé
qu'	ils/elles	mangent	qu'	ils/elles	aient	mangé

imparfait			plus-que-parfait			
que	je	**mangeasse**	que	j'	eusse	mangé
que	tu	**mangeasses**	que	tu	eusses	mangé
qu'	il/elle	**mangeât**	qu'	il/elle	eût	mangé
que	nous	**mangeassions**	que	nous	eussions	mangé
que	vous	**mangeassiez**	que	vous	eussiez	mangé
qu'	ils/elles	**mangeassent**	qu'	ils/elles	eussent	mangé

Les verbes en *-ger* font suivre le *g* d'un *e* devant les terminaisons en *-a* ou en *-o* pour conserver la prononciation de l'infinitif *(je mangeais, nous mangeons).*

c'est là qu'on se trompe La graphie du participe présent diffère parfois de celle de l'adjectif verbal :

- converger : *(en) conver**gea**nt ; des intérêts conver**ge**nts*
- diverger : *(en) diver**gea**nt ; des routes diver**ge**ntes*
- émerger : *(en) émer**gea**nt ; des ondes émer**ge**ntes*
- négliger : *(en) négli**gea**nt ; des ouvriers négli**ge**nts.*

PLACER

commencer, avancer, lancer, agacer, balancer,

Indicatif

présent

je	place
tu	places
il/elle	place
nous	**plaçons**
vous	placez
ils/elles	placent

passé composé

j'	ai	placé
tu	as	placé
il/elle	a	placé
nous	avons	placé
vous	avez	placé
ils/elles	ont	placé

imparfait

je	**plaçais**
tu	**plaçais**
il/elle	**plaçait**
nous	placions
vous	placiez
ils/elles	**plaçaient**

plus-que-parfait

j'	avais	placé
tu	avais	placé
il/elle	avait	placé
nous	avions	placé
vous	aviez	placé
ils/elles	avaient	placé

futur simple

je	placerai
tu	placeras
il/elle	placera
nous	placerons
vous	placerez
ils/elles	placeront

futur antérieur

j'	aurai	placé
tu	auras	placé
il/elle	aura	placé
nous	aurons	placé
vous	aurez	placé
ils/elles	auront	placé

passé simple

je	**plaçai**
tu	**plaças**
il/elle	**plaça**
nous	**plaçâmes**
vous	**plaçâtes**
ils/elles	placèrent

passé antérieur

j'	eus	placé
tu	eus	placé
il/elle	eut	placé
nous	eûmes	placé
vous	eûtes	placé
ils/elles	eurent	placé

Conditionnel

présent

je	placerais
tu	placerais
il/elle	placerait
nous	placerions
vous	placeriez
ils/elles	placeraient

passé

j'	aurais	placé
tu	aurais	placé
il/elle	aurait	placé
nous	aurions	placé
vous	auriez	placé
ils/elles	auraient	placé

1er groupe : verbes en -CER

18

annoncer, agencer, coincer, prononcer, tracer...

Infinitif

présent	**passé**
placer	avoir placé

Participe

présent	**passé**
plaçant	placé/ée, placés/ées
	ayant placé

Impératif

présent	**passé**
place	aie placé
plaçons	ayons placé
placez	ayez placé

Subjonctif

présent

que	je	place
que	tu	places
qu'	il/elle	place
que	nous	placions
que	vous	placiez
qu'	ils/elles	placent

passé

que	j'	aie	placé
que	tu	aies	placé
qu'	il/elle	ait	placé
que	nous	ayons	placé
que	vous	ayez	placé
qu'	ils/elles	aient	placé

imparfait

que	je	**plaçasse**
que	tu	**plaçasses**
qu'	il/elle	**plaçât**
que	nous	**plaçassions**
que	vous	**plaçassiez**
qu'	ils/elles	**plaçassent**

plus-que-parfait

que	j'	eusse	placé
que	tu	eusses	placé
qu'	il/elle	eût	placé
que	nous	eussions	placé
que	vous	eussiez	placé
qu'	ils/elles	eussent	placé

Les verbes en *-cer* prennent une cédille sous le *c* devant les terminaisons en *-a* et en *-o* pour conserver la prononciation de l'infinitif *(je plaçais, nous plaçons).*

Voir *rapiécer, acquiescer, dépecer* (qui suivent ce modèle mais présentent d'autres problèmes orthographiques).

ACQUIESCER

Indicatif

présent

j'	acquiesce
tu	acquiesces
il/elle	acquiesce
nous	**acquiesçons**
vous	acquiescez
ils/elles	acquiescent

imparfait

j'	**acquiesçais**
tu	**acquiesçais**
il/elle	**acquiesçait**
nous	acquiescions
vous	acquiesciez
ils/elles	**acquiesçaient**

futur simple

j'	acquiescerai
tu	acquiesceras
il/elle	acquiescera
nous	acquiescerons
vous	acquiescerez
ils/elles	acquiesceront

passé simple

j'	**acquiesçai**
tu	**acquiesças**
il/elle	**acquiesça**
nous	**acquiesçâmes**
vous	**acquiesçâtes**
ils/elles	acquiescèrent

passé composé

j'	ai	acquiescé
tu	as	acquiescé
il/elle	a	acquiescé
nous	avons	acquiescé
vous	avez	acquiescé
ils/elles	ont	acquiescé

plus-que-parfait

j'	avais	acquiescé
tu	avais	acquiescé
il/elle	avait	acquiescé
nous	avions	acquiescé
vous	aviez	acquiescé
ils/elles	avaient	acquiescé

futur antérieur

j'	aurai	acquiescé
tu	auras	acquiescé
il/elle	aura	acquiescé
nous	aurons	acquiescé
vous	aurez	acquiescé
ils/elles	auront	acquiescé

passé antérieur

j'	eus	acquiescé
tu	eus	acquiescé
il/elle	eut	acquiescé
nous	eûmes	acquiescé
vous	eûtes	acquiescé
ils/elles	eurent	acquiescé

Conditionnel

présent

j'	acquiescerais
tu	acquiescerais
il/elle	acquiescerait
nous	acquiescerions
vous	acquiesceriez
ils/elles	acquiesceraient

passé

j'	aurais	acquiescé
tu	aurais	acquiescé
il/elle	aurait	acquiescé
nous	aurions	acquiescé
vous	auriez	acquiescé
ils/elles	auraient	acquiescé

Infinitif

présent	passé
acquiescer	avoir acquiescé

Participe

présent	passé
acquiesçant	**acquiescé**
	ayant acquiescé

Impératif

présent	passé
acquiesce	aie acquiescé
acquiesçons	ayons acquiescé
acquiescez	ayez acquiescé

Subjonctif

présent

que	j'	acquiesce
que	tu	acquiesces
qu'	il/elle	acquiesce
que	nous	acquiescions
que	vous	acquiesciez
qu'	ils/elles	acquiescent

passé

que	j'	aie	acquiescé
que	tu	aies	acquiescé
qu'	il/elle	ait	acquiescé
que	nous	ayons	acquiescé
que	vous	ayez	acquiescé
qu'	ils/elles	aient	acquiescé

imparfait

que	j'	**acquiesçasse**
que	tu	**acquiesçasses**
qu'	il/elle	**acquiesçât**
que	nous	**acquiesçassions**
que	vous	**acquiesçassiez**
qu'	ils/elles	**acquiesçassent**

plus-que-parfait

que	j'	eusse	acquiescé
que	tu	eusses	acquiescé
qu'	il/elle	eût	acquiescé
que	nous	eussions	acquiescé
que	vous	eussiez	acquiescé
qu'	ils/elles	eussent	acquiescé

Les verbes en *-cer* prennent une cédille sous le *c* devant les terminaisons en *-a* et en *-o* pour conserver la prononciation de l'infinitif *(j'acquiesçais, nous acquiesçons).*

ATTENTION

- Veillez à ne pas oublier le *s* qui précède toujours le *c*.
- Le participe passé du verbe *acquiescer* est invariable.

20 CÉDER 1er groupe :

aérer, compléter, espérer, répéter, sécher, léser,

Indicatif

présent

je	cède
tu	cèdes
il/elle	cède
nous	cédons
vous	cédez
ils/elles	cèdent

imparfait

je	cédais
tu	cédais
il/elle	cédait
nous	cédions
vous	cédiez
ils/elles	cédaient

futur simple

je	**céderai**
tu	**céderas**
il/elle	**cédera**
nous	**céderons**
vous	**céderez**
ils/elles	**céderont**

passé simple

je	cédai
tu	cédas
il/elle	céda
nous	cédâmes
vous	cédâtes
ils/elles	cédèrent

passé composé

j'	ai	cédé
tu	as	cédé
il/elle	a	cédé
nous	avons	cédé
vous	avez	cédé
ils/elles	ont	cédé

plus-que-parfait

j'	avais	cédé
tu	avais	cédé
il/elle	avait	cédé
nous	avions	cédé
vous	aviez	cédé
ils/elles	avaient	cédé

futur antérieur

j'	aurai	cédé
tu	auras	cédé
il/elle	aura	cédé
nous	aurons	cédé
vous	aurez	cédé
ils/elles	auront	cédé

passé antérieur

j'	eus	cédé
tu	eus	cédé
il/elle	eut	cédé
nous	eûmes	cédé
vous	eûtes	cédé
ils/elles	eurent	cédé

Conditionnel

présent

je	**céderais**
tu	**céderais**
il/elle	**céderait**
nous	**céderions**
vous	**céderiez**
ils/elles	**céderaient**

passé

j'	aurais	cédé
tu	aurais	cédé
il/elle	aurait	cédé
nous	aurions	cédé
vous	auriez	cédé
ils/elles	auraient	cédé

verbes en -É + consonne + -ER

altérer, excéder, lécher, pénétrer, régner...

Infinitif

présent	passé
céder	avoir cédé

Participe

présent	passé
cédant	cédé/ée, cédés/ées
	ayant cédé

Impératif

présent	passé
cède	aie cédé
cédons	ayons cédé
cédez	ayez cédé

Subjonctif

présent

que	je	cède
que	tu	cèdes
qu'	il/elle	cède
que	nous	cédions
que	vous	cédiez
qu'	ils/elles	cèdent

passé

que	j'	aie	cédé
que	tu	aies	cédé
qu'	il/elle	ait	cédé
que	nous	ayons	cédé
que	vous	ayez	cédé
qu'	ils/elles	aient	cédé

imparfait

que	je	cédasse
que	tu	cédasses
qu'	il/elle	cédât
que	nous	cédassions
que	vous	cédassiez
qu'	ils/elles	cédassent

plus-que-parfait

que	j'	eusse	cédé
que	tu	eusses	cédé
qu'	il/elle	eût	cédé
que	nous	eussions	cédé
que	vous	eussiez	cédé
qu'	ils/elles	eussent	cédé

c'est là qu'on se trompe • Au présent, devant une syllabe muette (contenant un « *e* muet »), la forme verbale prend un accent grave, suivant la règle des accents en français. En effet, *e* prend un accent grave devant une syllabe muette *(coll**è**ge)* et un accent aigu devant une syllabe sonore *(**é**cole)*, d'où l'alternance : *Je c**è**de, nous c**é**dons.*

- Au futur et au conditionnel, l'accent aigu contredit cette règle ainsi que la prononciation [ɛ] : *Je c**é**derai, je c**é**derais…*

C'est permis ! La réforme orthographique de 1990 recommande d'écrire les verbes du type *céder* comme on les prononce, avec un *e* accent grave au futur et au conditionnel : *Je c**è**derai, je consid**è**rerais…*

21

PROTÉGER

agréger, arpéger, piéger, désagréger,

Indicatif

présent		passé composé		
je	protège	j'	ai	protégé
tu	protèges	tu	as	protégé
il/elle	protège	il/elle	a	protégé
nous	**protégeons**	nous	avons	protégé
vous	protégez	vous	avez	protégé
ils/elles	protègent	ils/elles	ont	protégé

imparfait		plus-que-parfait		
je	**protégeais**	j'	avais	protégé
tu	**protégeais**	tu	avais	protégé
il/elle	**protégeait**	il/elle	avait	protégé
nous	protégions	nous	avions	protégé
vous	protégiez	vous	aviez	protégé
ils/elles	**protégeaient**	ils/elles	avaient	protégé

futur simple		futur antérieur		
je	**protégerai**	j'	aurai	protégé
tu	**protégeras**	tu	auras	protégé
il/elle	**protégera**	il/elle	aura	protégé
nous	**protégerons**	nous	aurons	protégé
vous	**protégerez**	vous	aurez	protégé
ils/elles	**protégeront**	ils/elles	auront	protégé

passé simple		passé antérieur		
je	**protégeai**	j'	eus	protégé
tu	**protégeas**	tu	eus	protégé
il/elle	**protégea**	il/elle	eut	protégé
nous	**protégeâmes**	nous	eûmes	protégé
vous	**protégeâtes**	vous	eûtes	protégé
ils/elles	protégèrent	ils/elles	eurent	protégé

Conditionnel

présent		passé		
je	**protégerais**	j'	aurais	protégé
tu	**protégerais**	tu	aurais	protégé
il/elle	**protégerait**	il/elle	aurait	protégé
nous	**protégerions**	nous	aurions	protégé
vous	**protégeriez**	vous	auriez	protégé
ils/elles	**protégeraient**	ils/elles	auraient	protégé

1er groupe : verbes en -ÉGER

21

abréger, alléger, assiéger, siéger

Infinitif

présent	**passé**
protéger	avoir protégé

Participe

présent	**passé**
protégeant	protégé/ée, protégés/ées
	ayant protégé

Impératif

présent	**passé**
protège	aie protégé
protégeons	ayons protégé
protégez	ayez protégé

Subjonctif

présent

que	je	protège
que	tu	protèges
qu'	il/elle	protège
que	nous	protégions
que	vous	protégiez
qu'	ils/elles	protègent

passé

que	j'	aie	protégé
que	tu	aies	protégé
qu'	il/elle	ait	protégé
que	nous	ayons	protégé
que	vous	ayez	protégé
qu'	ils/elles	aient	protégé

imparfait

que	je	**protégeasse**
que	tu	**protégeasses**
qu'	il/elle	**protégeât**
que	nous	**protégeassions**
que	vous	**protégeassiez**
qu'	ils/elles	**protégeassent**

plus-que-parfait

que	j'	eusse	protégé
que	tu	eusses	protégé
qu'	il/elle	eût	protégé
que	nous	eussions	protégé
que	vous	eussiez	protégé
qu'	ils/elles	eussent	protégé

- **Les verbes en *-ger* (voir *manger*) font suivre le *g* d'un *e* devant les terminaisons en *-a* ou en *-o* pour conserver la prononciation de l'infinitif *(je protégeais, nous protégeons)*.**
- **Les verbes à accent aigu (voir *céder*) font alterner *é* et *è* dans leur conjugaison *(je protège, nous protégeons)*.**

Voir *manger* et *céder*.

RAPIÉCER

Indicatif

présent

je	**rapièce**
tu	**rapièces**
il/elle	**rapièce**
nous	**rapiéçons**
vous	rapiécez
ils/elles	**rapiècent**

imparfait

je	**rapiéçais**
tu	**rapiéçais**
il/elle	**rapiéçait**
nous	rapiécions
vous	rapiéciez
ils/elles	**rapiéçaient**

futur simple

je	rapiécerai
tu	rapiéceras
il/elle	rapiécera
nous	rapiécerons
vous	rapiécerez
ils/elles	rapiéceront

passé simple

je	**rapiéçai**
tu	**rapiéças**
il/elle	**rapiéça**
nous	**rapiéçâmes**
vous	**rapiéçâtes**
ils/elles	rapiécèrent

passé composé

j'	ai	rapiécé
tu	as	rapiécé
il/elle	a	rapiécé
nous	avons	rapiécé
vous	avez	rapiécé
ils/elles	ont	rapiécé

plus-que-parfait

j'	avais	rapiécé
tu	avais	rapiécé
il/elle	avait	rapiécé
nous	avions	rapiécé
vous	aviez	rapiécé
ils/elles	avaient	rapiécé

futur antérieur

j'	aurai	rapiécé
tu	auras	rapiécé
il/elle	aura	rapiécé
nous	aurons	rapiécé
vous	aurez	rapiécé
ils/elles	auront	rapiécé

passé antérieur

j'	eus	rapiécé
tu	eus	rapiécé
il/elle	eut	rapiécé
nous	eûmes	rapiécé
vous	eûtes	rapiécé
ils/elles	eurent	rapiécé

Conditionnel

présent

je	rapiécerais
tu	rapiécerais
il/elle	rapiécerait
nous	rapiécerions
vous	rapiéceriez
ils/elles	rapiéceraient

passé

j'	aurais	rapiécé
tu	aurais	rapiécé
il/elle	aurait	rapiécé
nous	aurions	rapiécé
vous	auriez	rapiécé
ils/elles	auraient	rapiécé

Infinitif

présent	passé
rapiécer	avoir rapiécé

Participe

présent	passé
rapiéçant	rapiécé/ée, rapiécés/ées
	ayant rapiécé

Impératif

présent	passé
rapièce	aie rapiécé
rapiéçons	ayons rapiécé
rapiécez	ayez rapiécé

Subjonctif

présent

que	je	**rapièce**
que	tu	**rapièces**
qu'	il/elle	**rapièce**
que	nous	rapiécions
que	vous	rapiéciez
qu'	ils/elles	**rapiècent**

passé

que	j'	aie	rapiécé
que	tu	aies	rapiécé
qu'	il/elle	ait	rapiécé
que	nous	ayons	rapiécé
que	vous	ayez	rapiécé
qu'	ils/elles	aient	rapiécé

imparfait

que	je	**rapiéçasse**
que	tu	**rapiéçasses**
qu'	il/elle	**rapiéçât**
que	nous	**rapiéçassions**
que	vous	**rapiéçassiez**
qu'	ils/elles	**rapiéçassent**

plus-que-parfait

que	j'	eusse	rapiécé
que	tu	eusses	rapiécé
qu'	il/elle	eût	rapiécé
que	nous	eussions	rapiécé
que	vous	eussiez	rapiécé
qu'	ils/elles	eussent	rapiécé

- **Les verbes en *-cer* (voir *placer*) prennent une cédille sous le *c* devant les terminaisons en *-a* et en *-o* pour conserver la prononciation de l'infinitif *(je rapiéçais, nous rapiéçons).***
- **Les verbes à accent aigu (voir *céder*) font alterner *é* et *è* dans leur conjugaison *(je rapièce, vous rapiécez).***

Voir *placer* et *céder*.

APPELER

rappeler

Indicatif

présent

j'	**appelle**
tu	**appelles**
il/elle	**appelle**
nous	appelons
vous	appelez
ils/elles	**appellent**

passé composé

j'	ai	appelé
tu	as	appelé
il/elle	a	appelé
nous	avons	appelé
vous	avez	appelé
ils/elles	ont	appelé

imparfait

j'	appelais
tu	appelais
il/elle	appelait
nous	appelions
vous	appeliez
ils/elles	appelaient

plus-que-parfait

j'	avais	appelé
tu	avais	appelé
il/elle	avait	appelé
nous	avions	appelé
vous	aviez	appelé
ils/elles	avaient	appelé

futur simple

j'	**appellerai**
tu	**appelleras**
il/elle	**appellera**
nous	**appellerons**
vous	**appellerez**
ils/elles	**appelleront**

futur antérieur

j'	aurai	appelé
tu	auras	appelé
il/elle	aura	appelé
nous	aurons	appelé
vous	aurez	appelé
ils/elles	auront	appelé

passé simple

j'	appelai
tu	appelas
il/elle	appela
nous	appelâmes
vous	appelâtes
ils/elles	appelèrent

passé antérieur

j'	eus	appelé
tu	eus	appelé
il/elle	eut	appelé
nous	eûmes	appelé
vous	eûtes	appelé
ils/elles	eurent	appelé

Conditionnel

présent

j'	**appellerais**
tu	**appellerais**
il/elle	**appellerait**
nous	**appellerions**
vous	**appelleriez**
ils/elles	**appelleraient**

passé

j'	aurais	appelé
tu	aurais	appelé
il/elle	aurait	appelé
nous	aurions	appelé
vous	auriez	appelé
ils/elles	auraient	appelé

1er groupe : verbes en -ELER

Infinitif

présent	**passé**
appeler	avoir appelé

Participe

présent	**passé**
appelant	appelé/ée, appelés/ées
	ayant appelé

Impératif

présent	**passé**
appelle	aie appelé
appelons	ayons appelé
appelez	ayez appelé

Subjonctif

présent

que	j'	**appelle**
que	tu	**appelles**
qu'	il/elle	**appelle**
que	nous	appelions
que	vous	appeliez
qu'	ils/elles	**appellent**

passé

que	j'	aie	appelé
que	tu	aies	appelé
qu'	il/elle	ait	appelé
que	nous	ayons	appelé
que	vous	ayez	appelé
qu'	ils/elles	aient	appelé

imparfait

que	j'	appelasse
que	tu	appelasses
qu'	il/elle	appelât
que	nous	appelassions
que	vous	appelassiez
qu'	ils/elles	appelassent

plus-que-parfait

que	j'	eusse	appelé
que	tu	eusses	appelé
qu'	il/elle	eût	appelé
que	nous	eussions	appelé
que	vous	eussiez	appelé
qu'	ils/elles	eussent	appelé

c'est là qu'on se trompe • Les verbes en *-eler* et en *-eter* comportent un « *e* sourd » [ə] *(appeler)* qui devient « *e* ouvert » [ɛ] dans la conjugaison devant une syllabe muette *(j'app**elle**)*.

- Pour noter le « *e* ouvert », soit on double la consonne *(renouveler, je renouv**elle**)*, soit on utilise l'accent grave *(geler, je g**èle**)*.

C'est permis ! La réforme orthographique de 1990 préconise l'emploi du *e* accent grave pour noter le son « *e* ouvert » [ɛ] dans tous les verbes en *-eler* et en *-eter*, sauf pour les verbes *appeler* et *jeter*, dont les formes sont bien stabilisées dans l'usage.

Voir *geler*.

INTERPELLER

Indicatif

présent

j'	interpelle
tu	interpelles
il/elle	interpelle
nous	**interpellons**
vous	**interpellez**
ils/elles	interpellent

passé composé

j'	ai	interpellé
tu	as	interpellé
il/elle	a	interpellé
nous	avons	interpellé
vous	avez	interpellé
ils/elles	ont	interpellé

imparfait

j'	**interpellais**
tu	**interpellais**
il/elle	**interpellait**
nous	**interpellions**
vous	**interpelliez**
ils/elles	**interpellaient**

plus-que-parfait

j'	avais	interpellé
tu	avais	interpellé
il/elle	avait	interpellé
nous	avions	interpellé
vous	aviez	interpellé
ils/elles	avaient	interpellé

futur simple

j'	interpellerai
tu	interpelleras
il/elle	interpellera
nous	interpellerons
vous	interpellerez
ils/elles	interpelleront

futur antérieur

j'	aurai	interpellé
tu	auras	interpellé
il/elle	aura	interpellé
nous	aurons	interpellé
vous	aurez	interpellé
ils/elles	auront	interpellé

passé simple

j'	**interpellai**
tu	**interpellas**
il/elle	**interpella**
nous	**interpellâmes**
vous	**interpellâtes**
ils/elles	**interpellèrent**

passé antérieur

j'	eus	interpellé
tu	eus	interpellé
il/elle	eut	interpellé
nous	eûmes	interpellé
vous	eûtes	interpellé
ils/elles	eurent	interpellé

Conditionnel

présent

j'	interpellerais
tu	interpellerais
il/elle	interpellerait
nous	interpellerions
vous	interpelleriez
ils/elles	interpelleraient

passé

j'	aurais	interpellé
tu	aurais	interpellé
il/elle	aurait	interpellé
nous	aurions	interpellé
vous	auriez	interpellé
ils/elles	auraient	interpellé

Infinitif

présent	**passé**
interpeller	avoir interpellé

Participe

présent	**passé**
interpellant	**interpellé**/ée, interpellés/ées
	ayant interpellé

Impératif

présent	**passé**
interpelle	aie interpellé
interpellons	ayons interpellé
interpellez	ayez interpellé

Subjonctif

présent

que	j'	interpelle
que	tu	interpelles
qu'	il/elle	interpelle
que	nous	**interpellions**
que	vous	**interpelliez**
qu'	ils/elles	interpellent

passé

que	j'	aie	interpellé
que	tu	aies	interpellé
qu'	il/elle	ait	interpellé
que	nous	ayons	interpellé
que	vous	ayez	interpellé
qu'	ils/elles	aient	interpellé

imparfait

que	j'	**interpellasse**
que	tu	**interpellasses**
qu'	il/elle	**interpellât**
que	nous	**interpellassions**
que	vous	**interpellassiez**
qu'	ils/elles	**interpellassent**

plus-que-parfait

que	j'	eusse	interpellé
que	tu	eusses	interpellé
qu'	il/elle	eût	interpellé
que	nous	eussions	interpellé
que	vous	eussiez	interpellé
qu'	ils/elles	eussent	interpellé

c'est là qu'on se trompe Le verbe *interpeller* ne se prononce pas comme il s'écrit. Les deux *l* du radical sont présents partout, mais le *e* se prononce comme dans les formes du verbe *appeler* : *Nous interpe**ll**ons* (« *e* sourd » [ə]) ; *ils interpe**lle**nt* (« *e* ouvert » [ɛ]).

C'est permis ! La réforme orthographique de 1990 préconise d'écrire *interpeler* avec un seul *l* et de le conjuguer sur le modèle de *appeler*.

Voir *appeler.*

GELER

celer, déceler, ciseler, écarteler, marteler,

Indicatif

présent

je	**gèle**
tu	**gèles**
il/elle	**gèle**
nous	gelons
vous	gelez
ils/elles	**gèlent**

imparfait

je	gelais
tu	gelais
il/elle	gelait
nous	gelions
vous	geliez
ils/elles	gelaient

futur simple

je	**gèlerai**
tu	**gèleras**
il/elle	**gèlera**
nous	**gèlerons**
vous	**gèlerez**
ils/elles	**gèleront**

passé simple

je	gelai
tu	gelas
il/elle	gela
nous	gelâmes
vous	gelâtes
ils/elles	gelèrent

passé composé

j'	ai	gelé
tu	as	gelé
il/elle	a	gelé
nous	avons	gelé
vous	avez	gelé
ils/elles	ont	gelé

plus-que-parfait

j'	avais	gelé
tu	avais	gelé
il/elle	avait	gelé
nous	avions	gelé
vous	aviez	gelé
ils/elles	avaient	gelé

futur antérieur

j'	aurai	gelé
tu	auras	gelé
il/elle	aura	gelé
nous	aurons	gelé
vous	aurez	gelé
ils/elles	auront	gelé

passé antérieur

j'	eus	gelé
tu	eus	gelé
il/elle	eut	gelé
nous	eûmes	gelé
vous	eûtes	gelé
ils/elles	eurent	gelé

Conditionnel

présent

je	**gèlerais**
tu	**gèlerais**
il/elle	**gèlerait**
nous	**gèlerions**
vous	**gèleriez**
ils/elles	**gèleraient**

passé

j'	aurais	gelé
tu	aurais	gelé
il/elle	aurait	gelé
nous	aurions	gelé
vous	auriez	gelé
ils/elles	auraient	gelé

1er groupe : verbes en -ELER

25

modeler, peler, congeler, harceler, démanteler

Infinitif

présent	**passé**
geler	avoir gelé

Participe

présent	**passé**
gelant	gelé/ée, gelés/ées
	ayant gelé

Impératif

présent	**passé**
gèle	aie gelé
gelons	ayons gelé
gelez	ayez gelé

Subjonctif

présent

que	je	**gèle**
que	tu	**gèles**
qu'	il/elle	**gèle**
que	nous	gelions
que	vous	geliez
qu'	ils/elles	**gèlent**

passé

que	j'	aie	gelé
que	tu	aies	gelé
qu'	il/elle	ait	gelé
que	nous	ayons	gelé
que	vous	ayez	gelé
qu'	ils/elles	aient	gelé

imparfait

que	je	gelasse
que	tu	gelasses
qu'	il/elle	gelât
que	nous	gelassions
que	vous	gelassiez
qu'	ils/elles	gelassent

plus-que-parfait

que	j'	eusse	gelé
que	tu	eusses	gelé
qu'	il/elle	eût	gelé
que	nous	eussions	gelé
que	vous	eussiez	gelé
qu'	ils/elles	eussent	gelé

c'est là qu'on se trompe • Les verbes en *-eler* et en *-eter* comportent un « *e* sourd » [ə] *(geler)* qui devient « *e* ouvert » [ɛ] dans la conjugaison devant une syllabe muette *(je g**è**le)*.

- Pour noter le « *e* ouvert », soit on double la consonne *(appeler, j'appe**ll**e)*, soit on utilise l'accent grave *(acheter, j'ach**è**te)*.
- Les verbes en *-emer (semer), -ener (mener), -eser (peser), -ever (lever)* suivent le modèle de *geler*.

C'est permis ! La réforme orthographique de 1990 préconise l'emploi du *e* accent grave pour noter le son « *e* ouvert » [ɛ] dans tous les verbes en *-eler* et en *-eter*, sauf pour les verbes *appeler* et *jeter*, dont les formes sont bien stabilisées dans l'usage.

Voir *appeler*.

Indicatif

présent		**passé composé**		
je	**dépèce**	j'	ai	dépecé
tu	**dépèces**	tu	as	dépecé
il/elle	**dépèce**	il/elle	a	dépecé
nous	**dépeçons**	nous	avons	dépecé
vous	dépecez	vous	avez	dépecé
ils/elles	**dépècent**	ils/elles	ont	dépecé

imparfait		**plus-que-parfait**		
je	**dépeçais**	j'	avais	dépecé
tu	**dépeçais**	tu	avais	dépecé
il/elle	**dépeçait**	il/elle	avait	dépecé
nous	dépecions	nous	avions	dépecé
vous	dépeciez	vous	aviez	dépecé
ils/elles	**dépeçaient**	ils/elles	avaient	dépecé

futur simple		**futur antérieur**		
je	**dépècerai**	j'	aurai	dépecé
tu	**dépèceras**	tu	auras	dépecé
il/elle	**dépècera**	il/elle	aura	dépecé
nous	**dépècerons**	nous	aurons	dépecé
vous	**dépècerez**	vous	aurez	dépecé
ils/elles	**dépèceront**	ils/elles	auront	dépecé

passé simple		**passé antérieur**		
je	**dépeçai**	j'	eus	dépecé
tu	**dépeças**	tu	eus	dépecé
il/elle	**dépeça**	il/elle	eut	dépecé
nous	**dépeçâmes**	nous	eûmes	dépecé
vous	**dépeçâtes**	vous	eûtes	dépecé
ils/elles	dépecèrent	ils/elles	eurent	dépecé

Conditionnel

présent		**passé**		
je	**dépècerais**	j'	aurais	dépecé
tu	**dépècerais**	tu	aurais	dépecé
il/elle	**dépècerait**	il/elle	aurait	dépecé
nous	**dépècerions**	nous	aurions	dépecé
vous	**dépèceriez**	vous	auriez	dépecé
ils/elles	**dépèceraient**	ils/elles	auraient	dépecé

Infinitif

présent	passé
dépecer	avoir dépecé

Participe

présent	passé
dépeçant	dépecé/ée, dépecés/ées ayant dépecé

Impératif

présent	passé
dépèce	aie dépecé
dépeçons	ayons dépecé
dépecez	ayez dépecé

Subjonctif

présent

que	je	**dépèce**
que	tu	**dépèces**
qu'	il/elle	**dépèce**
que	nous	dépecions
que	vous	dépeciez
qu'	ils/elles	**dépècent**

passé

que	j'	aie	dépecé
que	tu	aies	dépecé
qu'	il/elle	ait	dépecé
que	nous	ayons	dépecé
que	vous	ayez	dépecé
qu'	ils/elles	aient	dépecé

imparfait

que	je	**dépeçasse**
que	tu	**dépeçasses**
qu'	il/elle	**dépeçât**
que	nous	**dépeçassions**
que	vous	**dépeçassiez**
qu'	ils/elles	**dépeçassent**

plus-que-parfait

que	j'	eusse	dépecé
que	tu	eusses	dépecé
qu'	il/elle	eût	dépecé
que	nous	eussions	dépecé
que	vous	eussiez	dépecé
qu'	ils/elles	eussent	dépecé

Le verbe *dépecer* cumule les difficultés des verbes en *-eler* (où le « *e* sourd » [ə] **devient « *e* ouvert »** [ɛ] **dans certaines formes) et des verbes en *-cer* (qui prennent une cédille sous le *c* dans certains cas).**

Voir *geler* et *placer*.

JETER

rejeter, projeter, surjeter

Indicatif

présent

je	**jette**
tu	**jettes**
il/elle	**jette**
nous	jetons
vous	jetez
ils/elles	**jettent**

passé composé

j'	ai	jeté
tu	as	jeté
il/elle	a	jeté
nous	avons	jeté
vous	avez	jeté
ils/elles	ont	jeté

imparfait

je	jetais
tu	jetais
il/elle	jetait
nous	jetions
vous	jetiez
ils/elles	jetaient

plus-que-parfait

j'	avais	jeté
tu	avais	jeté
il/elle	avait	jeté
nous	avions	jeté
vous	aviez	jeté
ils/elles	avaient	jeté

futur simple

je	**jetterai**
tu	**jetteras**
il/elle	**jettera**
nous	**jetterons**
vous	**jetterez**
ils/elles	**jetteront**

futur antérieur

j'	aurai	jeté
tu	auras	jeté
il/elle	aura	jeté
nous	aurons	jeté
vous	aurez	jeté
ils/elles	auront	jeté

passé simple

je	jetai
tu	jetas
il/elle	jeta
nous	jetâmes
vous	jetâtes
ils/elles	jetèrent

passé antérieur

j'	eus	jeté
tu	eus	jeté
il/elle	eut	jeté
nous	eûmes	jeté
vous	eûtes	jeté
ils/elles	eurent	jeté

Conditionnel

présent

je	**jetterais**
tu	**jetterais**
il/elle	**jetterait**
nous	**jetterions**
vous	**jetteriez**
ils/elles	**jetteraient**

passé

j'	aurais	jeté
tu	aurais	jeté
il/elle	aurait	jeté
nous	aurions	jeté
vous	auriez	jeté
ils/elles	auraient	jeté

1er groupe : verbes en -ETER

27

Infinitif

présent	passé
jeter	avoir jeté

Participe

présent	passé
jetant	jeté/ée, jetés/ées
	ayant jeté

Impératif

présent	passé
jette	aie jeté
jetons	ayons jeté
jetez	ayez jeté

Subjonctif

présent

que	je	**jette**
que	tu	**jettes**
qu'	il/elle	**jette**
que	nous	jetions
que	vous	jetiez
qu'	ils/elles	**jettent**

passé

que	j'	aie	jeté
que	tu	aies	jeté
qu'	il/elle	ait	jeté
que	nous	ayons	jeté
que	vous	ayez	jeté
qu'	ils/elles	aient	jeté

imparfait

que	je	jetasse
que	tu	jetasses
qu'	il/elle	jetât
que	nous	jetassions
que	vous	jetassiez
qu'	ils/elles	jetassent

plus-que-parfait

que	j'	eusse	jeté
que	tu	eusses	jeté
qu'	il/elle	eût	jeté
que	nous	eussions	jeté
que	vous	eussiez	jeté
qu'	ils/elles	eussent	jeté

c'est là qu'on se trompe • Les verbes en *-eter* et en *-eler* qui ont un « *e* sourd » [ə] dans l'avant-dernière syllabe de l'infinitif *(j**e**ter)*, changent le « *e* sourd » en « *e* ouvert » [ɛ] dans la conjugaison devant une syllabe muette *(je **jett**e, je **jette**rai)*.

• Pour noter le « *e* ouvert » [ɛ], soit on double la consonne *(jeter, je je**tt**e)*, soit on utilise l'accent grave *(acheter, j'ach**è**te)*.

C'est permis ! La réforme orthographique de 1990 préconise l'emploi du *e* accent grave pour noter le son « *e* ouvert » [ɛ] dans tous les verbes en *-eter* et en *-eler*, sauf pour *jeter* et *appeler*, dont les formes sont bien stabilisées dans l'usage.

ACHETER

racheter, bégueter, corseter, crocheter,

Indicatif

présent

j'	**achète**
tu	**achètes**
il/elle	**achète**
nous	achetons
vous	achetez
ils/elles	**achètent**

passé composé

j'	ai	acheté
tu	as	acheté
il/elle	a	acheté
nous	avons	acheté
vous	avez	acheté
ils/elles	ont	acheté

imparfait

j'	achetais
tu	achetais
il/elle	achetait
nous	achetions
vous	achetiez
ils/elles	achetaient

plus-que-parfait

j'	avais	acheté
tu	avais	acheté
il/elle	avait	acheté
nous	avions	acheté
vous	aviez	acheté
ils/elles	avaient	acheté

futur simple

j'	**achèterai**
tu	**achèteras**
il/elle	**achètera**
nous	**achèterons**
vous	**achèterez**
ils/elles	**achèteront**

futur antérieur

j'	aurai	acheté
tu	auras	acheté
il/elle	aura	acheté
nous	aurons	acheté
vous	aurez	acheté
ils/elles	auront	acheté

passé simple

j'	achetai
tu	achetas
il/elle	acheta
nous	achetâmes
vous	achetâtes
ils/elles	achetèrent

passé antérieur

j'	eus	acheté
tu	eus	acheté
il/elle	eut	acheté
nous	eûmes	acheté
vous	eûtes	acheté
ils/elles	eurent	acheté

Conditionnel

présent

j'	**achèterais**
tu	**achèterais**
il/elle	**achèterait**
nous	**achèterions**
vous	**achèteriez**
ils/elles	**achèteraient**

passé

j'	aurais	acheté
tu	aurais	acheté
il/elle	aurait	acheté
nous	aurions	acheté
vous	auriez	acheté
ils/elles	auraient	acheté

1er groupe : verbes en -ETER

28

fileter, fureter, haleter

Infinitif

présent	**passé**
acheter	avoir acheté

Participe

présent	**passé**
achetant	acheté/ée, achetés/ées
	ayant acheté

Impératif

présent	**passé**
achète	aie acheté
achetons	ayons acheté
achetez	ayez acheté

Subjonctif

présent

que	j'	**achète**
que	tu	**achètes**
qu'	il/elle	**achète**
que	nous	achetions
que	vous	achetiez
qu'	ils/elles	**achètent**

passé

que	j'	aie	acheté
que	tu	aies	acheté
qu'	il/elle	ait	acheté
que	nous	ayons	acheté
que	vous	ayez	acheté
qu'	ils/elles	aient	acheté

imparfait

que	j'	achetasse
que	tu	achetasses
qu'	il/elle	achetât
que	nous	achetassions
que	vous	achetassiez
qu'	ils/elles	achetassent

plus-que-parfait

que	j'	eusse	acheté
que	tu	eusses	acheté
qu'	il/elle	eût	acheté
que	nous	eussions	acheté
que	vous	eussiez	acheté
qu'	ils/elles	eussent	acheté

c'est là qu'on se trompe • Les verbes en *-eter* et en *-eler* comportent un « *e* sourd » [ə] *(acheter)*, qui devient « *e* ouvert » [ɛ] dans la conjugaison devant une syllabe muette *(j'achète)*.

• Pour noter le « *e* ouvert » [ɛ], soit on double la consonne *(appeler, j'appelle)*, soit on utilise l'accent grave *(haleter, j'halète)*.

C'est permis ! La réforme orthographique de 1990 préconise l'emploi du *e* accent grave pour noter le son « *e* ouvert » [ɛ] dans tous les verbes en *-eter* et en *-eler*, sauf pour les verbes *jeter* et *appeler*, dont les formes sont bien stabilisées dans l'usage.

29 PAYER (1)

balayer, frayer, essayer, rayer, bégayer, bayer,

Indicatif

présent

je	**paie**
tu	**paies**
il/elle	**paie**
nous	payons
vous	payez
ils/elles	**paient**

passé composé

j'	ai	payé
tu	as	payé
il/elle	a	payé
nous	avons	payé
vous	avez	payé
ils/elles	ont	payé

imparfait

je	payais
tu	payais
il/elle	payait
nous	**payions**
vous	**payiez**
ils/elles	payaient

plus-que-parfait

j'	avais	payé
tu	avais	payé
il/elle	avait	payé
nous	avions	payé
vous	aviez	payé
ils/elles	avaient	payé

futur simple

je	**paierai**
tu	**paieras**
il/elle	**paiera**
nous	**paierons**
vous	**paierez**
ils/elles	**paieront**

futur antérieur

j'	aurai	payé
tu	auras	payé
il/elle	aura	payé
nous	aurons	payé
vous	aurez	payé
ils/elles	auront	payé

passé simple

je	payai
tu	payas
il/elle	paya
nous	payâmes
vous	payâtes
ils/elles	payèrent

passé antérieur

j'	eus	payé
tu	eus	payé
il/elle	eut	payé
nous	eûmes	payé
vous	eûtes	payé
ils/elles	eurent	payé

Conditionnel

présent

je	**paierais**
tu	**paierais**
il/elle	**paierait**
nous	**paierions**
vous	**paieriez**
ils/elles	**paieraient**

passé

j'	aurais	payé
tu	aurais	payé
il/elle	aurait	payé
nous	aurions	payé
vous	auriez	payé
ils/elles	auraient	payé

1er groupe : verbes en -AYER

29

égayer, débrayer, délayer, zézayer, monnayer...

Infinitif

présent	passé
payer	avoir payé

Participe

présent	passé
payant	payé/ée, payés/ées
	ayant payé

Impératif

présent	passé
paie	aie payé
payons	ayons payé
payez	ayez payé

Subjonctif

présent

que	je	**paie**
que	tu	**paies**
qu'	il/elle	**paie**
que	nous	**payions**
que	vous	**payiez**
qu'	ils/elles	**paient**

passé

que	j'	aie	payé
que	tu	aies	payé
qu'	il/elle	ait	payé
que	nous	ayons	payé
que	vous	ayez	payé
qu'	ils/elles	aient	payé

imparfait

que	je	payasse
que	tu	payasses
qu'	il/elle	payât
que	nous	payassions
que	vous	payassiez
qu'	ils/elles	payassent

plus-que-parfait

que	j'	eusse	payé
que	tu	eusses	payé
qu'	il/elle	eût	payé
que	nous	eussions	payé
que	vous	eussiez	payé
qu'	ils/elles	eussent	payé

Les verbes en *-ayer* peuvent conserver l'*y* du radical dans toute la conjugaison, ou remplacer l'*y* par un *i* devant un « *e* muet » uniquement *(je paye ou je paie)*.

ATTENTION

À l'indicatif imparfait et au subjonctif présent, *payer* prend un *i* après *y* aux 1re et 2e personnes du pluriel *(nous payions, que vous payiez)*.

Voir *payer* (2).

PAYER (2)

capeyer, faseyer, grasseyer, langueyer,

Indicatif

présent

je	paye
tu	payes
il/elle	paye
nous	payons
vous	payez
ils/elles	payent

passé composé

j'	ai	payé
tu	as	payé
il/elle	a	payé
nous	avons	payé
vous	avez	payé
ils/elles	ont	payé

imparfait

je	payais
tu	payais
il/elle	payait
nous	**payions**
vous	**payiez**
ils/elles	payaient

plus-que-parfait

j'	avais	payé
tu	avais	payé
il/elle	avait	payé
nous	avions	payé
vous	aviez	payé
ils/elles	avaient	payé

futur simple

je	payerai
tu	payeras
il/elle	payera
nous	payerons
vous	payerez
ils/elles	payeront

futur antérieur

j'	aurai	payé
tu	auras	payé
il/elle	aura	payé
nous	aurons	payé
vous	aurez	payé
ils/elles	auront	payé

passé simple

je	payai
tu	payas
il/elle	paya
nous	payâmes
vous	payâtes
ils/elles	payèrent

passé antérieur

j'	eus	payé
tu	eus	payé
il/elle	eut	payé
nous	eûmes	payé
vous	eûtes	payé
ils/elles	eurent	payé

Conditionnel

présent

je	payerais
tu	payerais
il/elle	payerait
nous	payerions
vous	payeriez
ils/elles	payeraient

passé

j'	aurais	payé
tu	aurais	payé
il/elle	aurait	payé
nous	aurions	payé
vous	auriez	payé
ils/elles	auraient	payé

1er groupe : verbes en -AYER et -EYER 30

égayer, débrayer, délayer, zézayer, monnayer...

Infinitif

présent	**passé**
payer	avoir payé

Participe

présent	**passé**
payant	payé/ée, payés/ées
	ayant payé

Impératif

présent	**passé**
paye	aie payé
payons	ayons payé
payez	ayez payé

Subjonctif

présent

que	je	paye
que	tu	payes
qu'	il/elle	paye
que	nous	**payions**
que	vous	**payiez**
qu'	ils/elles	payent

passé

que	j'	aie	payé
que	tu	aies	payé
qu'	il/elle	ait	payé
que	nous	ayons	payé
que	vous	ayez	payé
qu'	ils/elles	aient	payé

imparfait

que	je	payasse
que	tu	payasses
qu'	il/elle	payât
que	nous	payassions
que	vous	payassiez
qu'	ils/elles	payassent

plus-que-parfait

que	j'	eusse	payé
que	tu	eusses	payé
qu'	il/elle	eût	payé
que	nous	eussions	payé
que	vous	eussiez	payé
qu'	ils/elles	eussent	payé

Les verbes en *-ayer* peuvent conserver l'*y* du radical dans toute la conjugaison, les rares verbes en *-eyer* le conservent toujours.

ATTENTION

À l'indicatif imparfait et au subjonctif présent, *payer* prend un *i* après *y* aux 1re et 2e personnes du pluriel *(nous pay**i**ons, que vous pay**i**ez)*.

Voir *payer* (1).

EMPLOYER

apitoyer, atermoyer, aboyer, nettoyer, tutoyer,

Indicatif

présent		passé composé		
j'	**emploie**	j'	ai	employé
tu	**emploies**	tu	as	employé
il/elle	**emploie**	il/elle	a	employé
nous	employons	nous	avons	employé
vous	employez	vous	avez	employé
ils/elles	**emploient**	ils/elles	ont	employé

imparfait		plus-que-parfait		
j'	employais	j'	avais	employé
tu	employais	tu	avais	employé
il/elle	employait	il/elle	avait	employé
nous	**employions**	nous	avions	employé
vous	**employiez**	vous	aviez	employé
ils/elles	employaient	ils/elles	avaient	employé

futur simple		futur antérieur		
j'	**emploierai**	j'	aurai	employé
tu	**emploieras**	tu	auras	employé
il/elle	**emploiera**	il/elle	aura	employé
nous	**emploierons**	nous	aurons	employé
vous	**emploierez**	vous	aurez	employé
ils/elles	**emploieront**	ils/elles	auront	employé

passé simple		passé antérieur		
j'	employai	j'	eus	employé
tu	employas	tu	eus	employé
il/elle	employa	il/elle	eut	employé
nous	employâmes	nous	eûmes	employé
vous	employâtes	vous	eûtes	employé
ils/elles	employèrent	ils/elles	eurent	employé

Conditionnel

présent		passé		
j'	**emploierais**	j'	aurais	employé
tu	**emploierais**	tu	aurais	employé
il/elle	**emploierait**	il/elle	aurait	employé
nous	**emploierions**	nous	aurions	employé
vous	**emploieriez**	vous	auriez	employé
ils/elles	**emploieraient**	ils/elles	auraient	employé

1er groupe : verbes en -OYER

31

noyer, déployer, dévoyer, employer, foudroyer...

Infinitif

présent	passé
employer	avoir employé

Participe

présent	passé
employant	employé/ée, employés/ées
	ayant employé

Impératif

présent	passé
emploie	aie employé
employons	ayons employé
employez	ayez employé

Subjonctif

présent			passé			
que	j'	**emploie**	que	j'	aie	employé
que	tu	**emploies**	que	tu	aies	employé
qu'	il/elle	**emploie**	qu'	il/elle	ait	employé
que	nous	**employions**	que	nous	ayons	employé
que	vous	**employiez**	que	vous	ayez	employé
qu'	ils/elles	**emploient**	qu'	ils/elles	aient	employé

imparfait			plus-que-parfait			
que	j'	employasse	que	j'	eusse	employé
que	tu	employasses	que	tu	eusses	employé
qu'	il/elle	employât	qu'	il/elle	eût	employé
que	nous	employassions	que	nous	eussions	employé
que	vous	employassiez	que	vous	eussiez	employé
qu'	ils/elles	employassent	qu'	ils/elles	eussent	employé

- **Les verbes en *-oyer* changent l'*y* du radical en *i* devant un « *e* muet » *(employer, j'emploie).***
- ***Envoyer* et *renvoyer* sont irréguliers.**

ATTENTION

À l'indicatif imparfait et au subjonctif présent, *employer* prend un *i* après *y* aux 1re et 2e personnes du pluriel *(nous employ**i**ons, que vous employ**i**ez).*

Voir *envoyer.*

32 ESSUYER

appuyer, ennuyer, désennuyer, ressuyer

Indicatif

présent		**passé composé**		
j'	**essuie**	j'	ai	essuyé
tu	**essuies**	tu	as	essuyé
il/elle	**essuie**	il/elle	a	essuyé
nous	essuyons	nous	avons	essuyé
vous	essuyez	vous	avez	essuyé
ils/elles	**essuient**	ils/elles	ont	essuyé

imparfait		**plus-que-parfait**		
j'	essuyais	j'	avais	essuyé
tu	essuyais	tu	avais	essuyé
il/elle	essuyait	il/elle	avait	essuyé
nous	**essuyions**	nous	avions	essuyé
vous	**essuyiez**	vous	aviez	essuyé
ils/elles	essuyaient	ils/elles	avaient	essuyé

futur simple		**futur antérieur**		
j'	**essuierai**	j'	aurai	essuyé
tu	**essuieras**	tu	auras	essuyé
il/elle	**essuiera**	il/elle	aura	essuyé
nous	**essuierons**	nous	aurons	essuyé
vous	**essuierez**	vous	aurez	essuyé
ils/elles	**essuieront**	ils/elles	auront	essuyé

passé simple		**passé antérieur**		
j'	essuyai	j'	eus	essuyé
tu	essuyas	tu	eus	essuyé
il/elle	essuya	il/elle	eut	essuyé
nous	essuyâmes	nous	eûmes	essuyé
vous	essuyâtes	vous	eûtes	essuyé
ils/elles	essuyèrent	ils/elles	eurent	essuyé

Conditionnel

présent		**passé**		
j'	**essuierais**	j'	aurais	essuyé
tu	**essuierais**	tu	aurais	essuyé
il/elle	**essuierait**	il/elle	aurait	essuyé
nous	**essuierions**	nous	aurions	essuyé
vous	**essuieriez**	vous	auriez	essuyé
ils/elles	**essuieraient**	ils/elles	auraient	essuyé

1er groupe : verbes en -UYER

Infinitif

présent	**passé**
essuyer	avoir essuyé

Participe

présent	**passé**
essuyant	essuyé/ée, essuyés/ées
	ayant essuyé

Impératif

présent	**passé**
essuie	aie essuyé
essuyons	ayons essuyé
essuyez	ayez essuyé

Subjonctif

présent			**passé**			
que	j'	**essuie**	que	j'	aie	essuyé
que	tu	**essuies**	que	tu	aies	essuyé
qu'	il/elle	**essuie**	qu'	il/elle	ait	essuyé
que	nous	**essuyions**	que	nous	ayons	essuyé
que	vous	**essuyiez**	que	vous	ayez	essuyé
qu'	ils/elles	**essuient**	qu'	ils/elles	aient	essuyé
imparfait			**plus-que-parfait**			
que	j'	essuyasse	que	j'	eusse	essuyé
que	tu	essuyasses	que	tu	eusses	essuyé
qu'	il/elle	essuyât	qu'	il/elle	eût	essuyé
que	nous	essuyassions	que	nous	eussions	essuyé
que	vous	essuyassiez	que	vous	eussiez	essuyé
qu'	ils/elles	essuyassent	qu'	ils/elles	eussent	essuyé

Les verbes en *-uyer* changent l'*y* du radical en *i* devant un « *e* muet » *(essuyer, j'essuie)*.

ATTENTION

À l'indicatif imparfait et au subjonctif présent, *essuyer* prend un *i* après *y* aux 1re et 2e personnes du pluriel *(nous essuy**i**ons, que vous essuy**i**ez)*.

ENVOYER

renvoyer

Indicatif

présent			**passé composé**		
j'	envoie		j'	ai	envoyé
tu	envoies		tu	as	envoyé
il/elle	envoie		il/elle	a	envoyé
nous	envoyons		nous	avons	envoyé
vous	envoyez		vous	avez	envoyé
ils/elles	envoient		ils/elles	ont	envoyé

imparfait			**plus-que-parfait**		
j'	envoyais		j'	avais	envoyé
tu	envoyais		tu	avais	envoyé
il/elle	envoyait		il/elle	avait	envoyé
nous	**envoyions**		nous	avions	envoyé
vous	**envoyiez**		vous	aviez	envoyé
ils/elles	envoyaient		ils/elles	avaient	envoyé

futur simple			**futur antérieur**		
j'	**enverrai**		j'	aurai	envoyé
tu	**enverras**		tu	auras	envoyé
il/elle	**enverra**		il/elle	aura	envoyé
nous	**enverrons**		nous	aurons	envoyé
vous	**enverrez**		vous	aurez	envoyé
ils/elles	**enverront**		ils/elles	auront	envoyé

passé simple			**passé antérieur**		
j'	envoyai		j'	eus	envoyé
tu	envoyas		tu	eus	envoyé
il/elle	envoya		il/elle	eut	envoyé
nous	envoyâmes		nous	eûmes	envoyé
vous	envoyâtes		vous	eûtes	envoyé
ils/elles	envoyèrent		ils/elles	eurent	envoyé

Conditionnel

présent			**passé**		
j'	**enverrais**		j'	aurais	envoyé
tu	**enverrais**		tu	aurais	envoyé
il/elle	**enverrait**		il/elle	aurait	envoyé
nous	**enverrions**		nous	aurions	envoyé
vous	**enverriez**		vous	auriez	envoyé
ils/elles	**enverraient**		ils/elles	auraient	envoyé

Infinitif

présent	**passé**
envoyer	avoir envoyé

Participe

présent	**passé**
envoyant	envoyé/ée, envoyés/ées ayant envoyé

Impératif

présent	**passé**
envoie	aie envoyé
envoyons	ayons envoyé
envoyez	ayez envoyé

Subjonctif

présent

que	j'	envoie
que	tu	envoies
qu'	il/elle	envoie
que	nous	**envoyions**
que	vous	**envoyiez**
qu'	ils/elles	envoient

passé

que	j'	aie	envoyé
que	tu	aies	envoyé
qu'	il/elle	ait	envoyé
que	nous	ayons	envoyé
que	vous	ayez	envoyé
qu'	ils/elles	aient	envoyé

imparfait

que	j'	envoyasse
que	tu	envoyasses
qu'	il/elle	envoyât
que	nous	envoyassions
que	vous	envoyassiez
qu'	ils/elles	envoyassent

plus-que-parfait

que	j'	eusse	envoyé
que	tu	eusses	envoyé
qu'	il/elle	eût	envoyé
que	nous	eussions	envoyé
que	vous	eussiez	envoyé
qu'	ils/elles	eussent	envoyé

- **Les verbes en *-oyer* changent l'*y* du radical en *i* devant un « *e* muet » *(envoyer, j'envoie).***

ATTENTION

- À l'indicatif imparfait et au subjonctif présent, *envoyer* prend un *i* après *y* aux 1re et 2e personnes du pluriel *(nous envoy**i**ons, que vous envoy**i**ez).*
- *Envoyer* et *renvoyer* sont irréguliers, ils font leur futur et leur conditionnel sur le modèle du verbe *voir (je verrai, j'en**verrai**).*

c'est là qu'on se trompe *Convoyer* et *dévoyer*, bien que dérivés de *envoyer*, sont réguliers et suivent le modèle de *employer.*

Voir *employer.*

ARGUER

Indicatif

présent

j'	argue
tu	argues
il/elle	argue
nous	arguons
vous	arguez
ils/elles	arguent

passé composé

j'	ai	argué
tu	as	argué
il/elle	a	argué
nous	avons	argué
vous	avez	argué
ils/elles	ont	argué

imparfait

j'	arguais
tu	arguais
il/elle	arguait
nous	arguions
vous	arguiez
ils/elles	arguaient

plus-que-parfait

j'	avais	argué
tu	avais	argué
il/elle	avait	argué
nous	avions	argué
vous	aviez	argué
ils/elles	avaient	argué

futur simple

j'	arguerai
tu	argueras
il/elle	arguera
nous	arguerons
vous	arguerez
ils/elles	argueront

futur antérieur

j'	aurai	argué
tu	auras	argué
il/elle	aura	argué
nous	aurons	argué
vous	aurez	argué
ils/elles	auront	argué

passé simple

j'	arguai
tu	arguas
il/elle	argua
nous	arguâmes
vous	arguâtes
ils/elles	arguèrent

passé antérieur

j'	eus	argué
tu	eus	argué
il/elle	eut	argué
nous	eûmes	argué
vous	eûtes	argué
ils/elles	eurent	argué

Conditionnel

présent

j'	arguerais
tu	arguerais
il/elle	arguerait
nous	arguerions
vous	argueriez
ils/elles	argueraient

passé

j'	aurais	argué
tu	aurais	argué
il/elle	aurait	argué
nous	aurions	argué
vous	auriez	argué
ils/elles	auraient	argué

Infinitif

présent	passé
arguer	avoir argué

Participe

présent	passé
arguant	argué/ée, argués/ées ayant argué

Impératif

présent	passé
argue	aie argué
arguons	ayons argué
arguez	ayez argué

Subjonctif

présent

que	j'	argue
que	tu	argues
qu'	il/elle	argue
que	nous	arguions
que	vous	arguiez
qu'	ils/elles	arguent

passé

que	j'	aie	argué
que	tu	aies	argué
qu'	il/elle	ait	argué
que	nous	ayons	argué
que	vous	ayez	argué
qu'	ils/elles	aient	argué

imparfait

que	j'	arguasse
que	tu	arguasses
qu'	il/elle	arguât
que	nous	arguassions
que	vous	arguassiez
qu'	ils/elles	arguassent

plus-que-parfait

que	j'	eusse	argué
que	tu	eusses	argué
qu'	il/elle	eût	argué
que	nous	eussions	argué
que	vous	eussiez	argué
qu'	ils/elles	eussent	argué

C'est permis! Sur les recommandations de l'Académie, la réforme orthographique de 1990 préconise de placer le tréma sur la voyelle *u*, qui doit être prononcée dans toute la conjugaison. *Ar**gu**er* ou *ar**gü**er* doivent se dire comme *huer*, en prononçant *-guer* ou *-güer* en deux syllabes [argye].

Vous avez dit bizarre? Les formes de la conjugaison peuvent prendre un tréma sur le « *e* muet » ou le *i* qui suivent le *u (j'argu**ë**, tu argu**ë**s, il/ils argu**ë**[nt]) ; nous argu**ï**ons, vous argu**ï**ez)*. Mais tous les dictionnaires ne s'accordent pas sur la place ni sur la présence de ce tréma.

35

vrombir, bannir, garnir, garantir, enrichir,

Indicatif

présent

je	finis
tu	finis
il/elle	finit
nous	**finissons**
vous	**finissez**
ils/elles	**finissent**

passé composé

j'	ai	fini
tu	as	fini
il/elle	a	fini
nous	avons	fini
vous	avez	fini
ils/elles	ont	fini

imparfait

je	**finissais**
tu	**finissais**
il/elle	**finissait**
nous	**finissions**
vous	**finissiez**
ils/elles	**finissaient**

plus-que-parfait

j'	avais	fini
tu	avais	fini
il/elle	avait	fini
nous	avions	fini
vous	aviez	fini
ils/elles	avaient	fini

futur simple

je	finirai
tu	finiras
il/elle	finira
nous	finirons
vous	finirez
ils/elles	finiront

futur antérieur

j'	aurai	fini
tu	auras	fini
il/elle	aura	fini
nous	aurons	fini
vous	aurez	fini
ils/elles	auront	fini

passé simple

je	finis
tu	finis
il/elle	finit
nous	finîmes
vous	finîtes
ils/elles	finirent

passé antérieur

j'	eus	fini
tu	eus	fini
il/elle	eut	fini
nous	eûmes	fini
vous	eûtes	fini
ils/elles	eurent	fini

Conditionnel

présent

je	finirais
tu	finirais
il/elle	finirait
nous	finirions
vous	finiriez
ils/elles	finiraient

passé

j'	aurais	fini
tu	aurais	fini
il/elle	aurait	fini
nous	aurions	fini
vous	auriez	fini
ils/elles	auraient	fini

2e groupe

avertir, emplir, aplatir, enfouir, jaunir, fleurir...

35

Infinitif

présent	**passé**
finir	avoir fini

Participe

présent	**passé**
finissant	fini/ie, finis/ies
	ayant fini

Impératif

présent	**passé**
finis	aie fini
finissons	ayons fini
finissez	ayez fini

Subjonctif

présent

que	je	finisse
que	tu	finisses
qu'	il/elle	finisse
que	nous	finissions
que	vous	finissiez
qu'	ils/elles	finissent

imparfait

que	je	finisse
que	tu	finisses
qu'	il/elle	finît
que	nous	finissions
que	vous	finissiez
qu'	ils/elles	finissent

passé

que	j'	aie	fini
que	tu	aies	fini
qu'	il/elle	ait	fini
que	nous	ayons	fini
que	vous	ayez	fini
qu'	ils/elles	aient	fini

plus-que-parfait

que	j'	eusse	fini
que	tu	eusses	fini
qu'	il/elle	eût	fini
que	nous	eussions	fini
que	vous	eussiez	fini
qu'	ils/elles	eussent	fini

- **Tous les verbes du deuxième groupe suivent le modèle de *finir*, sauf *haïr* et *s'entre-haïr*, seuls verbes irréguliers du deuxième groupe.**
- **Les verbes du deuxième groupe ont un infinitif en *-ir* et présentent une base élargie par deux *s* aux personnes du pluriel du présent *(ils finissent)*, à l'imparfait *(je finissais)*, et au participe présent *(finissant)*.**

Vous avez dit bizarre ? • Le verbe *fleurir* a deux formes de participe présent : *fl**eu**rissant* et *fl**o**rissant.*

- Le participe passé de *bénir* est *bén**i**, bén**ie***. Une ancienne forme *(bén**it**, béni**te**)* est utilisée dans des expressions religieuses figées : *Eau bénite.*

36

HAÏR

s'entre-haïr

Indicatif

présent

je	**hais**
tu	**hais**
il/elle	**hait**
nous	haïssons
vous	haïssez
ils/elles	haïssent

passé composé

j'	ai	haï
tu	as	haï
il/elle	a	haï
nous	avons	haï
vous	avez	haï
ils/elles	ont	haï

imparfait

je	haïssais
tu	haïssais
il/elle	haïssait
nous	haïssions
vous	haïssiez
ils/elles	haïssaient

plus-que-parfait

j'	avais	haï
tu	avais	haï
il/elle	avait	haï
nous	avions	haï
vous	aviez	haï
ils/elles	avaient	haï

futur simple

je	haïrai
tu	haïras
il/elle	haïra
nous	haïrons
vous	haïrez
ils/elles	haïront

futur antérieur

j'	aurai	haï
tu	auras	haï
il/elle	aura	haï
nous	aurons	haï
vous	aurez	haï
ils/elles	auront	haï

passé simple

je	haïs
tu	haïs
il/elle	haït
nous	**haïmes**
vous	**haïtes**
ils/elles	haïrent

passé antérieur

j'	eus	haï
tu	eus	haï
il/elle	eut	haï
nous	eûmes	haï
vous	eûtes	haï
ils/elles	eurent	haï

Conditionnel

présent

je	haïrais
tu	haïrais
il/elle	haïrait
nous	haïrions
vous	haïriez
ils/elles	haïraient

passé

j'	aurais	haï
tu	aurais	haï
il/elle	aurait	haï
nous	aurions	haï
vous	auriez	haï
ils/elles	auraient	haï

Infinitif

présent	passé
haïr	avoir haï

Participe

présent	passé
haïssant	haï/ie, haïs/ies ayant haï

Impératif

présent	passé
hais	aie haï
haïssons	ayons haï
haïssez	ayez haï

Subjonctif

présent			passé			
que	je	haïsse	que	j'	aie	haï
que	tu	haïsses	que	tu	aies	haï
qu'	il/elle	haïsse	qu'	il/elle	ait	haï
que	nous	haïssions	que	nous	ayons	haï
que	vous	haïssiez	que	vous	ayez	haï
qu'	ils/elles	haïssent	qu'	ils/elles	aient	haï

imparfait			plus-que-parfait			
que	je	haïsse	que	j'	eusse	haï
que	tu	haïsses	que	tu	eusses	haï
qu'	il/elle	**haït**	qu'	il/elle	eût	haï
que	nous	haïssions	que	nous	eussions	haï
que	vous	haïssiez	que	vous	eussiez	haï
qu'	ils/elles	haïssent	qu'	ils/elles	eussent	haï

Tous les verbes du deuxième groupe suivent le modèle de *finir*, sauf *haïr* et *s'entre-haïr*, seuls verbes irréguliers du deuxième groupe.

ATTENTION

Haïr garde son tréma sur le *i* partout, sauf aux trois personnes du singulier de l'indicatif présent et à la 2e personne du singulier de l'impératif présent.

37 DORMIR

endormir, rendormir, servir, desservir, resservir...

Indicatif

présent

je	**dors**
tu	**dors**
il/elle	**dort**
nous	dormons
vous	dormez
ils/elles	dorment

passé composé

j'	ai	dormi
tu	as	dormi
il/elle	a	dormi
nous	avons	dormi
vous	avez	dormi
ils/elles	ont	dormi

imparfait

je	dormais
tu	dormais
il/elle	dormait
nous	dormions
vous	dormiez
ils/elles	dormaient

plus-que-parfait

j'	avais	dormi
tu	avais	dormi
il/elle	avait	dormi
nous	avions	dormi
vous	aviez	dormi
ils/elles	avaient	dormi

futur simple

je	dormirai
tu	dormiras
il/elle	dormira
nous	dormirons
vous	dormirez
ils/elles	dormiront

futur antérieur

j'	aurai	dormi
tu	auras	dormi
il/elle	aura	dormi
nous	aurons	dormi
vous	aurez	dormi
ils/elles	auront	dormi

passé simple

je	dormis
tu	dormis
il/elle	dormit
nous	dormîmes
vous	dormîtes
ils/elles	dormirent

passé antérieur

j'	eus	dormi
tu	eus	dormi
il/elle	eut	dormi
nous	eûmes	dormi
vous	eûtes	dormi
ils/elles	eurent	dormi

Conditionnel

présent

je	dormirais
tu	dormirais
il/elle	dormirait
nous	dormirions
vous	dormiriez
ils/elles	dormiraient

passé

j'	aurais	dormi
tu	aurais	dormi
il/elle	aurait	dormi
nous	aurions	dormi
vous	auriez	dormi
ils/elles	auraient	dormi

3e groupe : verbes en -IR

37

Infinitif

présent	passé
dormir	avoir dormi

Participe

présent	passé
dormant	**dormi**
	ayant dormi

Impératif

présent	passé
dors	aie dormi
dormons	ayons dormi
dormez	ayez dormi

Subjonctif

présent

que	je	dorme
que	tu	dormes
qu'	il/elle	dorme
que	nous	dormions
que	vous	dormiez
qu'	ils/elles	dorment

passé

que	j'	aie	dormi
que	tu	aies	dormi
qu'	il/elle	ait	dormi
que	nous	ayons	dormi
que	vous	ayez	dormi
qu'	ils/elles	aient	dormi

imparfait

que	je	dormisse
que	tu	dormisses
qu'	il/elle	dormît
que	nous	dormissions
que	vous	dormissiez
qu'	ils/elles	dormissent

plus-que-parfait

que	j'	eusse	dormi
que	tu	eusses	dormi
qu'	il/elle	eût	dormi
que	nous	eussions	dormi
que	vous	eussiez	dormi
qu'	ils/elles	eussent	dormi

Certains verbes du 3e groupe en *-ir* perdent au singulier du présent de l'indicatif et de l'impératif la consonne finale du radical. Ils se conjuguent sur le modèle de *dormir* : *servir, resservir, desservir…*

ATTENTION

Le participe passé de *dormir* est invariable mais celui de ses composés *(endormir, rendormir)* est variable.

Asservir est un verbe du deuxième groupe, il se conjugue donc sur le modèle de *finir (j'asservi**ssais**, asservi**ssant**)*.

Voir *partir*.

PARTIR

mentir, sortir, ressortir, sentir, ressentir,

Indicatif

présent

je	**pars**
tu	**pars**
il/elle	**part**
nous	partons
vous	partez
ils/elles	partent

passé composé

je	suis	parti/ie
tu	es	parti/ie
il/elle	est	parti/ie
nous	sommes	partis/ies
vous	êtes	partis/ies
ils/elles	sont	partis/ies

imparfait

je	partais
tu	partais
il/elle	partait
nous	partions
vous	partiez
ils/elles	partaient

plus-que-parfait

j'	étais	parti/ie
tu	étais	parti/ie
il/elle	était	parti/ie
nous	étions	partis/ies
vous	étiez	partis/ies
ils/elles	étaient	partis/ies

futur simple

je	partirai
tu	partiras
il/elle	partira
nous	partirons
vous	partirez
ils/elles	partiront

futur antérieur

je	serai	parti/ie
tu	seras	parti/ie
il/elle	sera	parti/ie
nous	serons	partis/ies
vous	serez	partis/ies
ils/elles	seront	partis/ies

passé simple

je	partis
tu	partis
il/elle	partit
nous	partîmes
vous	partîtes
ils/elles	partirent

passé antérieur

je	fus	parti/ie
tu	fus	parti/ie
il/elle	fut	parti/ie
nous	fûmes	partis/ies
vous	fûtes	partis/ies
ils/elles	furent	partis/ies

Conditionnel

présent

je	partirais
tu	partirais
il/elle	partirait
nous	partirions
vous	partiriez
ils/elles	partiraient

passé

je	serais	parti/ie
tu	serais	parti/ie
il/elle	serait	parti/ie
nous	serions	partis/ies
vous	seriez	partis/ies
ils/elles	seraient	partis/ies

3e groupe : verbes en -(T)IR

38

pressentir, repentir...

Infinitif

présent	**passé**
partir	être parti/ie, partis/ies

Participe

présent	**passé**
partant	être parti/ie, partis/ies
	étant parti/ie/is/ies

Impératif

présent	**passé**
pars	sois parti/ie
partons	soyons partis/ies
partez	soyez partis/ies

Subjonctif

présent

que	je	parte
que	tu	partes
qu'	il/elle	parte
que	nous	partions
que	vous	partiez
qu'	ils/elles	partent

passé

que	je	sois	parti/ie
que	tu	sois	parti/ie
qu'	il/elle	soit	parti/ie
que	nous	soyons	partis/ies
que	vous	soyez	partis/ies
qu'	ils/elles	soient	partis/ies

imparfait

que	je	partisse
que	tu	partisses
qu'	il/elle	partît
que	nous	partissions
que	vous	partissiez
qu'	ils/elles	partissent

plus-que-parfait

que	je	fusse	parti/ie
que	tu	fusses	parti/ie
qu'	il/elle	fût	parti/ie
que	nous	fussions	partis/ies
que	vous	fussiez	partis/ies
qu'	ils/elles	fussent	partis/ies

- **Le verbe *partir* forme ses temps composés avec l'auxiliaire *être*.**
- **Les verbes en *-tir* qui se conjuguent sur le modèle de *partir* perdent le *t* du radical au singulier du présent de l'indicatif et de l'impératif, sauf *vêtir* et ses dérivés, qui gardent le *t* aux trois premières personnes du présent (dans *il part*, le *t* est celui de la désinence, non celui du radical).**

c'est là qu'on se trompe *Répartir, impartir, assortir, ressortir (à)* [= être du ressort de] sont des verbes du deuxième groupe. Ils se conjuguent donc sur le modèle de *finir* :

- *je répart**issais**, répart**issant***
- *j'impart**issais**, impart**issant***
- *j'assort**issais**, assort**issant***
- *il ressort**issait** (à), ressort**issant** (à).*

39 BOUILLIR

débouillir

Indicatif

présent

je	**bous**
tu	**bous**
il/elle	**bout**
nous	bouillons
vous	bouillez
ils/elles	**bouillent**

passé composé

j'	ai	bouilli
tu	as	bouilli
il/elle	a	bouilli
nous	avons	bouilli
vous	avez	bouilli
ils/elles	ont	bouilli

imparfait

je	bouillais
tu	bouillais
il/elle	bouillait
nous	bouillions
vous	bouilliez
ils/elles	bouillaient

plus-que-parfait

j'	avais	bouilli
tu	avais	bouilli
il/elle	avait	bouilli
nous	avions	bouilli
vous	aviez	bouilli
ils/elles	avaient	bouilli

futur simple

je	**bouillirai**
tu	**bouilliras**
il/elle	**bouillira**
nous	**bouillirons**
vous	**bouillirez**
ils/elles	**bouilliront**

passé antérieur

j'	eus	bouilli
tu	eus	bouilli
il/elle	eut	bouilli
nous	eûmes	bouilli
vous	eûtes	bouilli
ils/elles	eurent	bouilli

passé simple

je	bouillis
tu	bouillis
il/elle	bouillit
nous	bouillîmes
vous	bouillîtes
ils/elles	bouillirent

futur antérieur

j'	aurai	bouilli
tu	auras	bouilli
il/elle	aura	bouilli
nous	aurons	bouilli
vous	aurez	bouilli
ils/elles	auront	bouilli

Conditionnel

présent

je	**bouillirais**
tu	**bouillirais**
il/elle	**bouillirait**
nous	**bouillirions**
vous	**bouilliriez**
ils/elles	**bouilliraient**

passé

j'	aurais	bouilli
tu	aurais	bouilli
il/elle	aurait	bouilli
nous	aurions	bouilli
vous	auriez	bouilli
ils/elles	auraient	bouilli

3e groupe : verbes en -IR

39

Infinitif

présent	passé
bouillir	avoir bouilli

Participe

présent	passé
bouillant	bouilli/ie, bouillis/ies
	ayant bouilli

Impératif

présent	passé
bous	aie bouilli
bouillons	ayons bouilli
bouillez	ayez bouilli

Subjonctif

présent

que	je	bouille
que	tu	bouilles
qu'	il/elle	bouille
que	nous	bouillions
que	vous	bouilliez
qu'	ils/elles	bouillent

passé

que	j'	aie	bouilli
que	tu	aies	bouilli
qu'	il/elle	ait	bouilli
que	nous	ayons	bouilli
que	vous	ayez	bouilli
qu'	ils/elles	aient	bouilli

imparfait

que	je	bouillisse
que	tu	bouillisses
qu'	il/elle	bouillît
que	nous	bouillissions
que	vous	bouillissiez
qu'	ils/elles	bouillissent

plus-que-parfait

que	j'	eusse	bouilli
que	tu	eusses	bouilli
qu'	il/elle	eût	bouilli
que	nous	eussions	bouilli
que	vous	eussiez	bouilli
qu'	ils/elles	eussent	bouilli

c'est là qu'on se trompe À cause des formes courtes du singulier du présent de l'indicatif *(je bou**s**, tu bou**s**, il bou**t**)* et de l'impératif *(bou**s**)*, on se trompe souvent sur les formes du futur et du conditionnel, que l'on conjugue comme si l'on partait d'un infinitif **bouer*. Il faut écrire : *Ils bouil**lent*** (présent), *je bouil**lirai*** (futur), *je bouil**lirais*** (conditionnel).

FUIR

s'enfuir

Indicatif

présent

je	fuis
tu	fuis
il/elle	fuit
nous	**fuyons**
vous	**fuyez**
ils/elles	fuient

passé composé

j'	ai	fui
tu	as	fui
il/elle	a	fui
nous	avons	fui
vous	avez	fui
ils/elles	ont	fui

imparfait

je	**fuyais**
tu	**fuyais**
il/elle	**fuyait**
nous	**fuyions**
vous	**fuyiez**
ils/elles	**fuyaient**

plus-que-parfait

j'	avais	fui
tu	avais	fui
il/elle	avait	fui
nous	avions	fui
vous	aviez	fui
ils/elles	avaient	fui

futur simple

je	fuirai
tu	fuiras
il/elle	fuira
nous	fuirons
vous	fuirez
ils/elles	fuiront

passé antérieur

j'	eus	fui
tu	eus	fui
il/elle	eut	fui
nous	eûmes	fui
vous	eûtes	fui
ils/elles	eurent	fui

passé simple

je	fuis
tu	fuis
il/elle	fuit
nous	fuîmes
vous	fuîtes
ils/elles	fuirent

futur antérieur

j'	aurai	fui
tu	auras	fui
il/elle	aura	fui
nous	aurons	fui
vous	aurez	fui
ils/elles	auront	fui

Conditionnel

présent

je	fuirais
tu	fuirais
il/elle	fuirait
nous	fuirions
vous	fuiriez
ils/elles	fuiraient

passé

j'	aurais	fui
tu	aurais	fui
il/elle	aurait	fui
nous	aurions	fui
vous	auriez	fui
ils/elles	auraient	fui

3e groupe : verbes en -IR

Infinitif

présent	passé
fuir	avoir fui

Participe

présent	passé
fuyant	fui/ie, fuis/ies
	ayant fui

Impératif

présent	passé
fuis	aie fui
fuyons	ayons fui
fuyez	ayez fui

Subjonctif

présent			passé			
que	je	fuie	que	j'	aie	fui
que	tu	fuies	que	tu	aies	fui
qu'	il/elle	fuie	qu'	il/elle	ait	fui
que	nous	**fuyions**	que	nous	ayons	fui
que	vous	**fuyiez**	que	vous	ayez	fui
qu'	ils/elles	fuient	qu'	ils/elles	aient	fui

imparfait			plus-que-parfait			
que	je	fuisse	que	j'	eusse	fui
que	tu	fuisses	que	tu	eusses	fui
qu'	il/elle	fuît	qu'	il/elle	eût	fui
que	nous	fuissions	que	nous	eussions	fui
que	vous	fuissiez	que	vous	eussiez	fui
qu'	ils/elles	fuissent	qu'	ils/elles	eussent	fui

Fuir* change le *i* en *y* pour construire les formes dont la terminaison comporte une voyelle autre qu'un « *e* muet » *(fuyons).

ATTENTION

À l'indicatif imparfait et au subjonctif présent, *fuir* prend un *i* après *y* aux 1re et 2e personnes du pluriel *(nous fuy**i**ons, que vous fuy**i**ez).*

c'est là qu'on se trompe Il ne faut pas rajouter de *e* dans la désinence du futur, sous l'influence des verbes du premier groupe *(je fuirai).*

VÊTIR

Indicatif

présent		**passé composé**		
je	**vêts**	j'	ai	vêtu
tu	**vêts**	tu	as	vêtu
il/elle	**vêt**	il/elle	a	vêtu
nous	vêtons	nous	avons	vêtu
vous	vêtez	vous	avez	vêtu
ils/elles	vêtent	ils/elles	ont	vêtu

imparfait		**plus-que-parfait**		
je	vêtais	j'	avais	vêtu
tu	vêtais	tu	avais	vêtu
il/elle	vêtait	il/elle	avait	vêtu
nous	vêtions	nous	avions	vêtu
vous	vêtiez	vous	aviez	vêtu
ils/elles	vêtaient	ils/elles	avaient	vêtu

futur simple		**passé antérieur**		
je	vêtirai	j'	eus	vêtu
tu	vêtiras	tu	eus	vêtu
il/elle	vêtira	il/elle	eut	vêtu
nous	vêtirons	nous	eûmes	vêtu
vous	vêtirez	vous	eûtes	vêtu
ils/elles	vêtiront	ils/elles	eurent	vêtu

passé simple		**futur antérieur**		
je	vêtis	j'	aurai	vêtu
tu	vêtis	tu	auras	vêtu
il/elle	vêtit	il/elle	aura	vêtu
nous	**vêtîmes**	nous	aurons	vêtu
vous	**vêtîtes**	vous	aurez	vêtu
ils/elles	vêtirent	ils/elles	auront	vêtu

Conditionnel

présent		**passé**		
je	vêtirais	j'	aurais	vêtu
tu	vêtirais	tu	aurais	vêtu
il/elle	vêtirait	il/elle	aurait	vêtu
nous	vêtirions	nous	aurions	vêtu
vous	vêtiriez	vous	auriez	vêtu
ils/elles	vêtiraient	ils/elles	auraient	vêtu

3e groupe : verbes en -IR

41

Infinitif

présent	passé
vêtir	avoir vêtu

Participe

présent	passé
vêtant	vêtu/ue, vêtus/ues ayant vêtu

Impératif

présent	passé
vêts	aie vêtu
vêtons	ayons vêtu
vêtez	ayez vêtu

Subjonctif

présent

que	je	vête
que	tu	vêtes
qu'	il/elle	vête
que	nous	vêtions
que	vous	vêtiez
qu'	ils/elles	vêtent

passé

que	j'	aie	vêtu
que	tu	aies	vêtu
qu'	il/elle	ait	vêtu
que	nous	ayons	vêtu
que	vous	ayez	vêtu
qu'	ils/elles	aient	vêtu

imparfait

que	je	vêtisse
que	tu	vêtisses
qu'	il/elle	**vêtît**
que	nous	vêtissions
que	vous	vêtissiez
qu'	ils/elles	vêtissent

plus-que-parfait

que	j'	eusse	vêtu
que	tu	eusses	vêtu
qu'	il/elle	eût	vêtu
que	nous	eussions	vêtu
que	vous	eussiez	vêtu
qu'	ils/elles	eussent	vêtu

Contrairement aux autres verbes du 3e groupe en *-tir* qui perdent au singulier du présent de l'indicatif et de l'impératif la consonne finale du radical (voir *partir*), *vêtir, revêtir* et *dévêtir* maintiennent le *t* aux trois premières personnes du présent de l'indicatif et à la 2e personne du singulier de l'impératif.

Vous avez dit bizarre ? Il y a des hésitations dans la conjugaison de *vêtir* et de ses dérivés, quelquefois conjugués fautivement sur le modèle de *finir : Ils se *vêtissent* pour *ils se vêtent*, par exemple.

COURIR

accourir, concourir, discourir, encourir,

Indicatif

présent

je	cours
tu	cours
il/elle	court
nous	courons
vous	courez
ils/elles	courent

passé composé

j'	ai	couru
tu	as	couru
il/elle	a	couru
nous	avons	couru
vous	avez	couru
ils/elles	ont	couru

imparfait

je	courais
tu	courais
il/elle	courait
nous	courions
vous	couriez
ils/elles	couraient

plus-que-parfait

j'	avais	couru
tu	avais	couru
il/elle	avait	couru
nous	avions	couru
vous	aviez	couru
ils/elles	avaient	couru

futur simple

je	**courrai**
tu	**courras**
il/elle	**courra**
nous	**courrons**
vous	**courrez**
ils/elles	**courront**

passé antérieur

j'	eus	couru
tu	eus	couru
il/elle	eut	couru
nous	eûmes	couru
vous	eûtes	couru
ils/elles	eurent	couru

passé simple

je	courus
tu	courus
il/elle	courut
nous	courûmes
vous	courûtes
ils/elles	coururent

futur antérieur

j'	aurai	couru
tu	auras	couru
il/elle	aura	couru
nous	aurons	couru
vous	aurez	couru
ils/elles	auront	couru

Conditionnel

présent

je	**courrais**
tu	**courrais**
il/elle	**courrait**
nous	**courrions**
vous	**courriez**
ils/elles	**courraient**

passé

j'	aurais	couru
tu	aurais	couru
il/elle	aurait	couru
nous	aurions	couru
vous	auriez	couru
ils/elles	auraient	couru

3e groupe : verbes en -IR 42

parcourir, recourir, secourir

Infinitif

présent	passé
courir	avoir couru

Participe

présent	passé
courant	couru/ue, courus/ues
	ayant couru

Impératif

présent	passé
cours	aie couru
courons	ayons couru
courez	ayez couru

Subjonctif

présent

que	je	coure
que	tu	coures
qu'	il/elle	coure
que	nous	courions
que	vous	couriez
qu'	ils/elles	courent

passé

que	j'	aie	couru
que	tu	aies	couru
qu'	il/elle	ait	couru
que	nous	ayons	couru
que	vous	ayez	couru
qu'	ils/elles	aient	couru

imparfait

que	je	courusse
que	tu	courusses
qu'	il/elle	courût
que	nous	courussions
que	vous	courussiez
qu'	ils/elles	courussent

plus-que-parfait

que	j'	eusse	couru
que	tu	eusses	couru
qu'	il/elle	eût	couru
que	nous	eussions	couru
que	vous	eussiez	couru
qu'	ils/elles	eussent	couru

c'est là qu'on se trompe Le futur simple et le conditionnel présent comportent deux *r* successifs, celui du radical et celui de la désinence, généralement prononcés : *Je cou**r**-**r**ai.*

vous avez dit bizarre ? L'ancien infinitif *courre* subsiste dans la locution *chasse à courre.*

MOURIR

Indicatif

présent

je	**meurs**
tu	**meurs**
il/elle	**meurt**
nous	mourons
vous	mourez
ils/elles	**meurent**

passé composé

je	suis	mort/te
tu	es	mort/te
il/elle	est	mort/te
nous	sommes	morts/tes
vous	êtes	morts/tes
ils/elles	sont	morts/tes

imparfait

je	mourais
tu	mourais
il/elle	mourait
nous	mourions
vous	mouriez
ils/elles	mouraient

plus-que-parfait

j'	étais	mort/te
tu	étais	mort/te
il/elle	était	mort/te
nous	étions	morts/tes
vous	étiez	morts/tes
ils/elles	étaient	morts/tes

futur simple

je	**mourrai**
tu	**mourras**
il/elle	**mourra**
nous	**mourrons**
vous	**mourrez**
ils/elles	**mourront**

futur antérieur

je	serai	mort/te
tu	seras	mort/te
il/elle	sera	mort/te
nous	serons	morts/tes
vous	serez	morts/tes
ils/elles	seront	morts/tes

passé simple

je	mourus
tu	mourus
il/elle	mourut
nous	mourûmes
vous	mourûtes
ils/elles	moururent

passé antérieur

je	fus	mort/te
tu	fus	mort/te
il/elle	fut	mort/te
nous	fûmes	morts/tes
vous	fûtes	morts/tes
ils/elles	furent	morts/tes

Conditionnel

présent

je	**mourrais**
tu	**mourrais**
il/elle	**mourrait**
nous	**mourrions**
vous	**mourriez**
ils/elles	**mourraient**

passé

je	serais	mort/te
tu	serais	mort/te
il/elle	serait	mort/te
nous	serions	morts/tes
vous	seriez	morts/tes
ils/elles	seraient	morts/tes

3e groupe : verbes en -IR

43

Infinitif

présent	**passé**
mourir	être mort/te, morts/tes

Participe

présent	**passé**
mourant	**mort**/te, morts/tes étant mort/te / ts/tes

Impératif

présent	**passé**
meurs	sois mort/te
mourons	soyons morts/tes
mourez	soyez morts/tes

Subjonctif

présent			**passé**			
que	je	**meure**	que	je	sois	mort/te
que	tu	**meures**	que	tu	sois	mort/te
qu'	il/elle	**meure**	qu'	il/elle	soit	mort/te
que	nous	mourions	que	nous	soyons	morts/tes
que	vous	mouriez	que	vous	soyez	morts/tes
qu'	ils/elles	**meurent**	qu'	ils/elles	soient	morts/tes

imparfait			**plus-que-parfait**			
que	je	mourusse	que	je	fusse	mort/te
que	tu	mourusses	que	tu	fusses	mort/te
qu'	il/elle	mourût	qu'	il/elle	fût	mort/te
que	nous	mourussions	que	nous	fussions	morts/tes
que	vous	mourussiez	que	vous	fussiez	morts/tes
qu'	ils/elles	mourussent	qu'	ils/elles	fussent	morts/tes

- **Le verbe *mourir* forme ses temps composés avec l'auxiliaire *être*.**
- ***Mourir* suit le modèle de *courir*, sauf au présent de l'indicatif et du subjonctif (où il est formé sur la base *meur-*) et au participe passé (où il est formé sur la base *mor-*)**

c'est là qu'on se trompe Le futur simple et le conditionnel présent comportent deux *r* successifs, celui du radical et celui de la désinence, généralement prononcés : *Je mou**r**-**r**ai.*

44 ACQUÉRIR

conquérir, reconquérir, s'enquérir, requérir

Indicatif

présent		passé composé		
j'	**acquiers**	j'	ai	acquis
tu	**acquiers**	tu	as	acquis
il/elle	**acquiert**	il/elle	a	acquis
nous	acquérons	nous	avons	acquis
vous	acquérez	vous	avez	acquis
ils/elles	**acquièrent**	ils/elles	ont	acquis

imparfait		plus-que-parfait		
j'	acquérais	j'	avais	acquis
tu	acquérais	tu	avais	acquis
il/elle	acquérait	il/elle	avait	acquis
nous	acquérions	nous	avions	acquis
vous	acquériez	vous	aviez	acquis
ils/elles	acquéraient	ils/elles	avaient	acquis

futur simple		futur antérieur		
j'	**acquerrai**	j'	aurai	acquis
tu	**acquerras**	tu	auras	acquis
il/elle	**acquerra**	il/elle	aura	acquis
nous	**acquerrons**	nous	aurons	acquis
vous	**acquerrez**	vous	aurez	acquis
ils/elles	**acquerront**	ils/elles	auront	acquis

passé simple		passé antérieur		
j'	acquis	j'	eus	acquis
tu	acquis	tu	eus	acquis
il/elle	acquit	il/elle	eut	acquis
nous	acquîmes	nous	eûmes	acquis
vous	acquîtes	vous	eûtes	acquis
ils/elles	acquirent	ils/elles	eurent	acquis

Conditionnel

présent		passé		
j'	**acquerrais**	j'	aurais	acquis
tu	**acquerrais**	tu	aurais	acquis
il/elle	**acquerrait**	il/elle	aurait	acquis
nous	**acquerrions**	nous	aurions	acquis
vous	**acquerriez**	vous	auriez	acquis
ils/elles	**acquerraient**	ils/elles	auraient	acquis

3e groupe : verbes en -IR

44

Infinitif

présent	passé
acquérir	avoir acquis

Participe

présent	passé
acquérant	acquis/ise, acquis/ises ayant acquis

Impératif

présent	passé
acquiers	aie acquis
acquérons	ayons acquis
acquérez	ayez acquis

Subjonctif

présent			passé			
que	j'	**acquière**	que	j'	aie	acquis
que	tu	**acquières**	que	tu	aies	acquis
qu'	il/elle	**acquière**	qu'	il/elle	ait	acquis
que	nous	acquérions	que	nous	ayons	acquis
que	vous	acquériez	que	vous	ayez	acquis
qu'	ils/elles	**acquièrent**	qu'	ils/elles	aient	acquis

imparfait			plus-que-parfait			
que	j'	acquisse	que	j'	eusse	acquis
que	tu	acquisses	que	tu	eusses	acquis
qu'	il/elle	acquît	qu'	il/elle	eût	acquis
que	nous	acquissions	que	nous	eussions	acquis
que	vous	acquissiez	que	vous	eussiez	acquis
qu'	ils/elles	acquissent	qu'	ils/elles	eussent	acquis

Le *é* du radical prend un accent grave devant une syllabe muette *(que j'acquière)* et perd son accent quand il est suivi d'une consonne dans la même syllabe *(j'acquiers).*

ATTENTION

Il ne faut pas confondre *un acquis*, participe passé substantivé de *acquérir (acquis, acquise)*, et *un acquit, par acquit, pour acquit*, formés sur *acquitter*.

c'est là qu'on se trompe Le futur simple et le conditionnel présent comportent deux *r* successifs, celui du radical et celui de la désinence, généralement prononcés : *J'acque**r**-**r**ai.*

OUVRIR

couvrir, offrir, souffrir, entrouvrir, découvrir,

Indicatif

présent			**passé composé**		
j'	**ouvre**		j'	ai	ouvert
tu	**ouvres**		tu	as	ouvert
il/elle	**ouvre**		il/elle	a	ouvert
nous	**ouvrons**		nous	avons	ouvert
vous	**ouvrez**		vous	avez	ouvert
ils/elles	**ouvrent**		ils/elles	ont	ouvert

imparfait			**plus-que-parfait**		
j'	ouvrais		j'	avais	ouvert
tu	ouvrais		tu	avais	ouvert
il/elle	ouvrait		il/elle	avait	ouvert
nous	ouvrions		nous	avions	ouvert
vous	ouvriez		vous	aviez	ouvert
ils/elles	ouvraient		ils/elles	avaient	ouvert

futur simple			**futur antérieur**		
j'	ouvrirai		j'	aurai	ouvert
tu	ouvriras		tu	auras	ouvert
il/elle	ouvrira		il/elle	aura	ouvert
nous	ouvrirons		nous	aurons	ouvert
vous	ouvrirez		vous	aurez	ouvert
ils/elles	ouvriront		ils/elles	auront	ouvert

passé simple			**passé antérieur**		
j'	ouvris		j'	eus	ouvert
tu	ouvris		tu	eus	ouvert
il/elle	ouvrit		il/elle	eut	ouvert
nous	ouvrîmes		nous	eûmes	ouvert
vous	ouvrîtes		vous	eûtes	ouvert
ils/elles	ouvrirent		ils/elles	eurent	ouvert

Conditionnel

présent			**passé**		
j'	ouvrirais		j'	aurais	ouvert
tu	ouvrirais		tu	aurais	ouvert
il/elle	ouvrirait		il/elle	aurait	ouvert
nous	ouvririons		nous	aurions	ouvert
vous	ouvririez		vous	auriez	ouvert
ils/elles	ouvriraient		ils/elles	auraient	ouvert

3e groupe : verbes en -IR

45

recouvrir, rouvrir

Infinitif

présent	**passé**
ouvrir	avoir ouvert

Participe

présent	**passé**
ouvrant	ouvert/te, ouverts/tes ayant ouvert

Impératif

présent	**passé**
ouvre	aie ouvert
ouvrons	ayons ouvert
ouvrez	ayez ouvert

Subjonctif

présent

que	j'	**ouvre**
que	tu	**ouvres**
qu'	il/elle	**ouvre**
que	nous	**ouvrions**
que	vous	**ouvriez**
qu'	ils/elles	**ouvrent**

passé

que	j'	aie	ouvert
que	tu	aies	ouvert
qu'	il/elle	ait	ouvert
que	nous	ayons	ouvert
que	vous	ayez	ouvert
qu'	ils/elles	aient	ouvert

imparfait

que	j'	ouvrisse
que	tu	ouvrisses
qu'	il/elle	ouvrît
que	nous	ouvrissions
que	vous	ouvrissiez
qu'	ils/elles	ouvrissent

plus-que-parfait

que	j'	eusse	ouvert
que	tu	eusses	ouvert
qu'	il/elle	eût	ouvert
que	nous	eussions	ouvert
que	vous	eussiez	ouvert
qu'	ils/elles	eussent	ouvert

Les terminaisons des présents de l'indicatif, du subjonctif et de l'impératif s'éloignent de celles des verbes du 3e groupe et sont identiques à celles des verbes réguliers du 1er groupe (verbes en *-er*).

ATTENTION

Le participe passé en *-ert* distingue *ouvrir (ouv**ert**)* de *cueillir (cueill**i**)*.

46 CUEILLIR

accueillir, recueillir

Indicatif

présent			**passé composé**		
je	**cueille**		j'	ai	cueilli
tu	**cueilles**		tu	as	cueilli
il/elle	**cueille**		il/elle	a	cueilli
nous	**cueillons**		nous	avons	cueilli
vous	**cueillez**		vous	avez	cueilli
ils/elles	**cueillent**		ils/elles	ont	cueilli

imparfait			**plus-que-parfait**		
je	cueillais		j'	avais	cueilli
tu	cueillais		tu	avais	cueilli
il/elle	cueillait		il/elle	avait	cueilli
nous	cueillions		nous	avions	cueilli
vous	cueilliez		vous	aviez	cueilli
ils/elles	cueillaient		ils/elles	avaient	cueilli

futur simple			**futur antérieur**		
je	**cueillerai**		j'	aurai	cueilli
tu	**cueilleras**		tu	auras	cueilli
il/elle	**cueillera**		il/elle	aura	cueilli
nous	**cueillerons**		nous	aurons	cueilli
vous	**cueillerez**		vous	aurez	cueilli
ils/elles	**cueilleront**		ils/elles	auront	cueilli

passé simple			**passé antérieur**		
je	cueillis		j'	eus	cueilli
tu	cueillis		tu	eus	cueilli
il/elle	cueillit		il/elle	eut	cueilli
nous	cueillîmes		nous	eûmes	cueilli
vous	cueillîtes		vous	eûtes	cueilli
ils/elles	cueillirent		ils/elles	eurent	cueilli

Conditionnel

présent			**passé**		
je	**cueillerais**		j'	aurais	cueilli
tu	**cueillerais**		tu	aurais	cueilli
il/elle	**cueillerait**		il/elle	aurait	cueilli
nous	**cueillerions**		nous	aurions	cueilli
vous	**cueilleriez**		vous	auriez	cueilli
ils/elles	**cueilleraient**		ils/elles	auraient	cueilli

3e groupe : verbes en -IR

46

Infinitif

présent	passé
cueillir	avoir cueilli

Participe

présent	passé
cueillant	cueilli/ie, cueillis/ies
	ayant cueilli

Impératif

présent	passé
cueille	aie cueilli
cueillons	ayons cueilli
cueillez	ayez cueilli

Subjonctif

présent

que	je	**cueille**
que	tu	**cueilles**
qu'	il/elle	**cueille**
que	nous	**cueillions**
que	vous	**cueilliez**
qu'	ils/elles	**cueillent**

passé

que	j'	aie	cueilli
que	tu	aies	cueilli
qu'	il/elle	ait	cueilli
que	nous	ayons	cueilli
que	vous	ayez	cueilli
qu'	ils/elles	aient	cueilli

imparfait

que	je	cueillisse
que	tu	cueillisses
qu'	il/elle	cueillît
que	nous	cueillissions
que	vous	cueillissiez
qu'	ils/elles	cueillissent

plus-que-parfait

que	j'	eusse	cueilli
que	tu	eusses	cueilli
qu'	il/elle	eût	cueilli
que	nous	eussions	cueilli
que	vous	eussiez	cueilli
qu'	ils/elles	eussent	cueilli

- **Le passé simple et le subjonctif imparfait sont les deux seuls temps simples de *cueillir* qui ont les terminaisons des verbes du 3e groupe.**
- **Les terminaisons des autres temps simples s'éloignent de celles des verbes du 3e groupe et sont identiques à celles des verbes réguliers du 1er groupe (verbes en -*er*).**

ATTENTION

Le participe passé en *-i* distingue *cueillir (cueill**i**)* de *ouvrir (ouv**ert**)*.

c'est là qu'on se trompe L'orthographe du radical est : ***cueil**l-*

DÉFAILLIR

assaillir, tressaillir

Indicatif

présent

je	**défaille**
tu	**défailles**
il/elle	**défaille**
nous	**défaillons**
vous	**défaillez**
ils/elles	**défaillent**

passé composé

j'	ai	défailli
tu	as	défailli
il/elle	a	défailli
nous	avons	défailli
vous	avez	défailli
ils/elles	ont	défailli

imparfait

je	défaillais
tu	défaillais
il/elle	défaillait
nous	défaillions
vous	défailliez
ils/elles	défaillaient

plus-que-parfait

j'	avais	défailli
tu	avais	défailli
il/elle	avait	défailli
nous	avions	défailli
vous	aviez	défailli
ils/elles	avaient	défailli

futur simple

je	**défaillirai**
tu	**défailliras**
il/elle	**défaillira**
nous	**défaillirons**
vous	**défaillirez**
ils/elles	**défailliront**

futur antérieur

j'	aurai	défailli
tu	auras	défailli
il/elle	aura	défailli
nous	aurons	défailli
vous	aurez	défailli
ils/elles	auront	défailli

passé simple

je	défaillis
tu	défaillis
il/elle	défaillit
nous	défaillîmes
vous	défaillîtes
ils/elles	défaillirent

passé antérieur

j'	eus	défailli
tu	eus	défailli
il/elle	eut	défailli
nous	eûmes	défailli
vous	eûtes	défailli
ils/elles	eurent	défailli

Conditionnel

présent

je	**défaillirais**
tu	**défaillirais**
il/elle	**défaillirait**
nous	**défaillirions**
vous	**défailliriez**
ils/elles	**défailliraient**

passé

j'	aurais	défailli
tu	aurais	défailli
il/elle	aurait	défailli
nous	aurions	défailli
vous	auriez	défailli
ils/elles	auraient	défailli

Infinitif

présent	passé
défaillir	avoir défailli

Participe

présent	passé
défaillant	défailli
	ayant défailli

Impératif

présent	passé
défaille	aie défailli
défaillons	ayons défailli
défaillez	ayez défailli

Subjonctif

présent

que	je	**défaille**
que	tu	**défailles**
qu'	il/elle	**défaille**
que	nous	**défaillions**
que	vous	**défailliez**
qu'	ils/elles	**défaillent**

passé

que	j'	aie	défailli
que	tu	aies	défailli
qu'	il/elle	ait	défailli
que	nous	ayons	défailli
que	vous	ayez	défailli
qu'	ils/elles	aient	défailli

imparfait

que	je	défaillisse
que	tu	défaillisses
qu'	il/elle	défaillît
que	nous	défaillissions
que	vous	défaillissiez
qu'	ils/elles	défaillissent

plus-que-parfait

que	j'	eusse	défailli
que	tu	eusses	défailli
qu'	il/elle	eût	défailli
que	nous	eussions	défailli
que	vous	eussiez	défailli
qu'	ils/elles	eussent	défailli

Les terminaisons des présents de l'indicatif, du subjonctif et de l'impératif s'éloignent de celles des verbes du 3e groupe et sont identiques à celles des verbes réguliers du 1er groupe (verbes en *-er*).

ATTENTION

Le participe passé de *défaillir* est invariable.

c'est là qu'on se trompe Le verbe *faillir* est usité surtout à l'infinitif et aux temps composés (*j'ai failli* + infinitif). Il suit le modèle de *finir* au présent de l'indicatif (*vous failli**ssez***), du subjonctif (*que je failli**sse***) et de l'impératif (*failli**ssons***).

OUÏR

Indicatif

présent		passé composé		
j'	ouïs/ois	j'	ai	ouï
tu	ouïs/ois	tu	as	ouï
il/elle	ouït/oit	il/elle	a	ouï
nous	ouïssons/oyons	nous	avons	ouï
vous	ouïssez/oyez	vous	avez	ouï
ils/elles	ouïssent/oient	ils/elles	ont	ouï

imparfait		plus-que-parfait		
j'	ouïssais/oyais	j'	avais	ouï
tu	ouïssais/oyais	tu	avais	ouï
il/elle	ouïssait/oyait	il/elle	avait	ouï
nous	ouïssions/oyions	nous	avions	ouï
vous	ouïssiez/oyiez	vous	aviez	ouï
ils/elles	ouïssaient/oyaient	ils/elles	avaient	ouï

futur simple		futur antérieur		
j'	ouïrai/orrai	j'	aurai	ouï
tu	ouïras/orras	tu	auras	ouï
il/elle	ouïra/orra	il/elle	aura	ouï
nous	ouïrons/orrons	nous	aurons	ouï
vous	ouïrez/orrez	vous	aurez	ouï
ils/elles	ouïront/orront	ils/elles	auront	ouï

passé simple		passé antérieur		
j'	ouïs	j'	eus	ouï
tu	ouïs	tu	eus	ouï
il/elle	ouït	il/elle	eut	ouï
nous	ouïmes	nous	eûmes	ouï
vous	ouïtes	vous	eûtes	ouï
ils/elles	ouïrent	ils/elles	eurent	ouï

Conditionnel

présent		passé		
j'	ouïrais/orrais	j'	aurais	ouï
tu	ouïrais/orrais	tu	aurais	ouï
il/elle	ouïrait/orrait	il/elle	aurait	ouï
nous	ouïrions/orrions	nous	aurions	ouï
vous	ouïriez/orriez	vous	auriez	ouï
ils/elles	ouïraient/orraient	ils/elles	auraient	ouï

3e groupe : verbes en -IR

48

Infinitif

présent	passé
ouïr	avoir ouï

Participe

présent	passé
oyant	ouï/ïe, ouïs/ïes
	ayant ouï

Impératif

présent	passé
ouïs/ois	aie ouï
ouïssons/oyons	ayons ouï
ouïssez/oyez	ayez ouï

Subjonctif

présent

que	j'	ouïsse/oie
que	tu	ouïsses/oies
qu'	il/elle	ouïsse/oie
que	nous	ouïssions/oyions
que	vous	ouïssiez/oyiez
qu'	ils/elles	ouïssent/oient

passé

que	j'	aie	ouï
que	tu	aies	ouï
qu'	il/elle	ait	ouï
que	nous	ayons	ouï
que	vous	ayez	ouï
qu'	ils/elles	aient	ouï

imparfait

que	j'	ouïsse
que	tu	ouïsses
qu'	il/elle	ouït
que	nous	ouïssions
que	vous	ouïssiez
qu'	ils/elles	ouïssent

plus-que-parfait

que	j'	eusse	ouï
que	tu	eusses	ouï
qu'	il/elle	eût	ouï
que	nous	eussions	ouï
que	vous	eussiez	ouï
qu'	ils/elles	eussent	ouï

- ***Ouïr* est un verbe archaïque (il a cédé devant *entendre*). Il est employé aujourd'hui seulement à l'infinitif présent, au participe passé *(ouï)*, aux temps composés *(j'ai ouï dire quelque chose)*, et à la 2e personne du pluriel de l'impératif *(oyez, braves gens).***
- **Il se combine souvent avec le verbe *dire* à l'infinitif : *J'ai ouï dire que tu viendrais.***

Vous avez dit bizarre ? La deuxième forme de conjugaison *(j'ois)* est encore plus archaïque que la première *(j'ouïs)*.

GÉSIR

3e groupe : verbes en -IR

Indicatif

présent		**imparfait**	
je	gis	je	gisais
tu	gis	tu	gisais
il/elle	**gît**	il/elle	gisait
nous	gisons	nous	gisions
vous	gisez	vous	gisiez
ils/elles	gisent	ils/elles	gisaient

Infinitif

présent	**passé**
gésir	*inusité*

Participe

présent	**passé**
gisant	*inusité*

- **Le verbe *gésir* est défectif, c'est-à-dire qu'il a une conjugaison incomplète : il ne se conjugue ni à tous les modes, ni à tous les temps. C'est un verbe archaïque qui ne se rencontre plus qu'au présent et à l'imparfait de l'indicatif ou à l'infinitif et au participe présent.**
- **Le verbe *gésir* est employé notamment dans les épitaphes : *Ci-gît mon grand-père* (ici est enterré mon grand-père), plus rarement au pluriel : *Ci-gisent mon grand-père et ma grand-mère.***

ATTENTION

Plusieurs formes ont été essayées pour le futur et le conditionnel *(il gira, elle giserait)*, mais aucune ne s'est imposée.

C'est permis ! L'accent circonflexe sur le *i* n'apportant aucune indication et le verbe n'ayant pas d'homographe, la réforme orthographique de 1990 propose d'écrire : *Il **git**, ci-**git*** (sans accent sur le *i*).

Vous avez dit bizarre ? Le nom masculin, *un gisant* (sculpture funéraire représentant le défunt couché), est formé par dérivation impropre sur le participe passé du verbe.

SAILLIR

3e groupe : verbes en -IR

50

Indicatif

présent

il/elle	saille
ils/elles	saillent

passé composé

il/elle	a	sailli
ils/elles	ont	sailli

imparfait

il/elle	saillait
ils/elles	saillaient

plus-que-parfait

il/elle	avait	sailli
ils/elles	avaient	sailli

futur simple

il/elle	**saillera**
ils/elles	**sailleront**

futur antérieur

il/elle	aura	sailli
ils/elles	auront	sailli

passé simple

il/elle	saillit
ils/elles	saillirent

passé antérieur

il/elle	eut	sailli
ils/elles	eurent	sailli

Conditionnel

présent

il/elle	**saillerait**
ils/elles	**sailleraient**

passé

il/elle	aurait	sailli
ils/elles	auraient	sailli

Infinitif

présent	passé
saillir	avoir sailli

Participe

présent	passé
saillant	**sailli**, ayant sailli

Impératif

présent	passé
inusité	*inusité*

Subjonctif

présent

qu'	il/elle	saille
qu'	ils/elles	saillent

passé

qu'	il/elle	ait	sailli
qu'	ils/elles	aient	sailli

imparfait

qu'	il/elle	saillît
qu'	ils/elles	saillissent

plus-que-parfait

qu'	il/elle	eût	sailli
qu'	ils/elles	eussent	sailli

***Saillir* est un verbe défectif dont le futur et le conditionnel se construisent sur le modèle des verbes du 1er groupe. Le participe passé de *saillir* est invariable.**

RECEVOIR

apercevoir, concevoir, décevoir,

Indicatif

présent		passé composé		
je	**reçois**	j'	ai	reçu
tu	**reçois**	tu	as	reçu
il/elle	**reçoit**	il/elle	a	reçu
nous	recevons	nous	avons	reçu
vous	recevez	vous	avez	reçu
ils/elles	**reçoivent**	ils/elles	ont	reçu

imparfait		plus-que-parfait		
je	recevais	j'	avais	reçu
tu	recevais	tu	avais	reçu
il/elle	recevait	il/elle	avait	reçu
nous	recevions	nous	avions	reçu
vous	receviez	vous	aviez	reçu
ils/elles	recevaient	ils/elles	avaient	reçu

futur simple		futur antérieur		
je	recevrai	j'	aurai	reçu
tu	recevras	tu	auras	reçu
il/elle	recevra	il/elle	aura	reçu
nous	recevrons	nous	aurons	reçu
vous	recevrez	vous	aurez	reçu
ils/elles	recevront	ils/elles	auront	reçu

passé simple		passé antérieur		
je	**reçus**	j'	eus	reçu
tu	**reçus**	tu	eus	reçu
il/elle	**reçut**	il/elle	eut	reçu
nous	**reçûmes**	nous	eûmes	reçu
vous	**reçûtes**	vous	eûtes	reçu
ils/elles	**reçurent**	ils/elles	eurent	reçu

Conditionnel

présent		passé		
je	recevrais	j'	aurais	reçu
tu	recevrais	tu	aurais	reçu
il/elle	recevrait	il/elle	aurait	reçu
nous	recevrions	nous	aurions	reçu
vous	recevriez	vous	auriez	reçu
ils/elles	recevraient	ils/elles	auraient	reçu

3e groupe : verbes en -OIR

entr'apercevoir, percevoir

51

Infinitif

présent	passé
recevoir	avoir reçu

Participe

présent	passé
recevant	**reçu/ue, reçus/ues**
	ayant reçu

Impératif

présent	passé
reçois	aie reçu
recevons	ayons reçu
recevez	ayez reçu

Subjonctif

présent

que	je	**reçoive**
que	tu	**reçoives**
qu'	il/elle	**reçoive**
que	nous	recevions
que	vous	receviez
qu'	ils/elles	**reçoivent**

passé

que	j'	aie	reçu
que	tu	aies	reçu
qu'	il/elle	ait	reçu
que	nous	ayons	reçu
que	vous	ayez	reçu
qu'	ils/elles	aient	reçu

imparfait

que	je	**reçusse**
que	tu	**reçusses**
qu'	il/elle	**reçût**
que	nous	**reçussions**
que	vous	**reçussiez**
qu'	ils/elles	**reçussent**

plus-que-parfait

que	j'	eusse	reçu
que	tu	eusses	reçu
qu'	il/elle	eût	reçu
que	nous	eussions	reçu
que	vous	eussiez	reçu
qu'	ils/elles	eussent	reçu

Le *c* du radical prend une cédille devant *o* et *u* pour conserver la prononciation de l'infinitif *(je reçois, il reçut).*

VOIR

entrevoir, revoir

Indicatif

présent		passé composé		
je	vois	j'	ai	vu
tu	vois	tu	as	vu
il/elle	voit	il/elle	a	vu
nous	voyons	nous	avons	vu
vous	voyez	vous	avez	vu
ils/elles	voient	ils/elles	ont	vu

imparfait		plus-que-parfait		
je	voyais	j'	avais	vu
tu	voyais	tu	avais	vu
il/elle	voyait	il/elle	avait	vu
nous	**voyions**	nous	avions	vu
vous	**voyiez**	vous	aviez	vu
ils/elles	voyaient	ils/elles	avaient	vu

futur simple		futur antérieur		
je	**verrai**	j'	aurai	vu
tu	**verras**	tu	auras	vu
il/elle	**verra**	il/elle	aura	vu
nous	**verrons**	nous	aurons	vu
vous	**verrez**	vous	aurez	vu
ils/elles	**verront**	ils/elles	auront	vu

passé simple		passé antérieur		
je	vis	j'	eus	vu
tu	vis	tu	eus	vu
il/elle	vit	il/elle	eut	vu
nous	vîmes	nous	eûmes	vu
vous	vîtes	vous	eûtes	vu
ils/elles	virent	ils/elles	eurent	vu

Conditionnel

présent		passé		
je	**verrais**	j'	aurais	vu
tu	**verrais**	tu	aurais	vu
il/elle	**verrait**	il/elle	aurait	vu
nous	**verrions**	nous	aurions	vu
vous	**verriez**	vous	auriez	vu
ils/elles	**verraient**	ils/elles	auraient	vu

3e groupe : verbes en -OIR

Infinitif

présent	**passé**
voir	avoir vu

Participe

présent	**passé**
voyant	vu/ue, vus/ues
	ayant vu

Impératif

présent	**passé**
vois	aie vu
voyons	ayons vu
voyez	ayez vu

Subjonctif

présent

que	je	voie
que	tu	voies
qu'	il/elle	voie
que	nous	**voyions**
que	vous	**voyiez**
qu'	ils/elles	voient

passé

que	j'	aie	vu
que	tu	aies	vu
qu'	il/elle	ait	vu
que	nous	ayons	vu
que	vous	ayez	vu
qu'	ils/elles	aient	vu

imparfait

que	je	visse
que	tu	visses
qu'	il/elle	vît
que	nous	vissions
que	vous	vissiez
qu'	ils/elles	vissent

plus-que-parfait

que	j'	eusse	vu
que	tu	eusses	vu
qu'	il/elle	eût	vu
que	nous	eussions	vu
que	vous	eussiez	vu
qu'	ils/elles	eussent	vu

ATTENTION

- À l'indicatif imparfait et au subjonctif présent, *voir* prend un *i* après *y* aux 1re et 2e personnes du pluriel *(nous voy**i**ons, que vous voy**i**ez)*.
- *Voir* prend deux *r* au futur et au conditionnel *(je ve**rr**ai, je ve**rr**ais)*.

PRÉVOIR

Indicatif

présent

je	prévois
tu	prévois
il/elle	prévoit
nous	prévoyons
vous	prévoyez
ils/elles	prévoient

passé composé

j'	ai	prévu
tu	as	prévu
il/elle	a	prévu
nous	avons	prévu
vous	avez	prévu
ils/elles	ont	prévu

imparfait

je	prévoyais
tu	prévoyais
il/elle	prévoyait
nous	**prévoyions**
vous	**prévoyiez**
ils/elles	prévoyaient

plus-que-parfait

j'	avais	prévu
tu	avais	prévu
il/elle	avait	prévu
nous	avions	prévu
vous	aviez	prévu
ils/elles	avaient	prévu

futur simple

je	**prévoirai**
tu	**prévoiras**
il/elle	**prévoira**
nous	**prévoirons**
vous	**prévoirez**
ils/elles	**prévoiront**

futur antérieur

j'	aurai	prévu
tu	auras	prévu
il/elle	aura	prévu
nous	aurons	prévu
vous	aurez	prévu
ils/elles	auront	prévu

passé simple

je	prévis
tu	prévis
il/elle	prévit
nous	prévîmes
vous	prévîtes
ils/elles	prévirent

passé antérieur

j'	eus	prévu
tu	eus	prévu
il/elle	eut	prévu
nous	eûmes	prévu
vous	eûtes	prévu
ils/elles	eurent	prévu

Conditionnel

présent

je	**prévoirais**
tu	**prévoirais**
il/elle	**prévoirait**
nous	**prévoirions**
vous	**prévoiriez**
ils/elles	**prévoiraient**

passé

j'	aurais	prévu
tu	aurais	prévu
il/elle	aurait	prévu
nous	aurions	prévu
vous	auriez	prévu
ils/elles	auraient	prévu

Infinitif

présent	passé
prévoir	avoir prévu

Participe

présent	passé
prévoyant	prévu/ue, prévus/ues
	ayant prévu

Impératif

présent	passé
prévois	aie prévu
prévoyons	ayons prévu
prévoyez	ayez prévu

Subjonctif

présent

que	je	prévoie
que	tu	prévoies
qu'	il/elle	prévoie
que	nous	**prévoyions**
que	vous	**prévoyiez**
qu'	ils/elles	prévoient

passé

que	j'	aie	prévu
que	tu	aies	prévu
qu'	il/elle	ait	prévu
que	nous	ayons	prévu
que	vous	ayez	prévu
qu'	ils/elles	aient	prévu

imparfait

que	je	prévisse
que	tu	prévisses
qu'	il/elle	prévît
que	nous	prévissions
que	vous	prévissiez
qu'	ils/elles	prévissent

plus-que-parfait

que	j'	eusse	prévu
que	tu	eusses	prévu
qu'	il/elle	eût	prévu
que	nous	eussions	prévu
que	vous	eussiez	prévu
qu'	ils/elles	eussent	prévu

***Prévoir* se conjugue comme *voir,* sauf au futur et au conditionnel, formés de manière régulière sur la base *prévoi-* + désinences.**

ATTENTION

À l'indicatif imparfait et au subjonctif présent, *prévoir* prend un *i* après *y* aux 1re et 2e personnes du pluriel *(nous prévoy**i**ons, que vous prévoy**i**ez).*

c'est là qu'on se trompe Il ne faut pas ajouter un *e* dans la désinence du futur et du conditionnel, sous l'influence des verbes du premier groupe *(je prévoirai, je prévoirais).*

POURVOIR

dépourvoir

Indicatif

présent

je	pourvois
tu	pourvois
il/elle	pourvoit
nous	pourvoyons
vous	pourvoyez
ils/elles	pourvoient

passé composé

j'	ai	pourvu
tu	as	pourvu
il/elle	a	pourvu
nous	avons	pourvu
vous	avez	pourvu
ils/elles	ont	pourvu

imparfait

je	pourvoyais
tu	pourvoyais
il/elle	pourvoyait
nous	**pourvoyions**
vous	**pourvoyiez**
ils/elles	pourvoyaient

plus-que-parfait

j'	avais	pourvu
tu	avais	pourvu
il/elle	avait	pourvu
nous	avions	pourvu
vous	aviez	pourvu
ils/elles	avaient	pourvu

futur simple

je	**pourvoirai**
tu	**pourvoiras**
il/elle	**pourvoira**
nous	**pourvoirons**
vous	**pourvoirez**
ils/elles	**pourvoiront**

futur antérieur

j'	aurai	pourvu
tu	auras	pourvu
il/elle	aura	pourvu
nous	aurons	pourvu
vous	aurez	pourvu
ils/elles	auront	pourvu

passé simple

je	**pourvus**
tu	**pourvus**
il/elle	**pourvut**
nous	**pourvûmes**
vous	**pourvûtes**
ils/elles	**pourvurent**

passé antérieur

j'	eus	pourvu
tu	eus	pourvu
il/elle	eut	pourvu
nous	eûmes	pourvu
vous	eûtes	pourvu
ils/elles	eurent	pourvu

Conditionnel

présent

je	**pourvoirais**
tu	**pourvoirais**
il/elle	**pourvoirait**
nous	**pourvoirions**
vous	**pourvoiriez**
ils/elles	**pourvoiraient**

passé

j'	aurais	pourvu
tu	aurais	pourvu
il/elle	aurait	pourvu
nous	aurions	pourvu
vous	auriez	pourvu
ils/elles	auraient	pourvu

3e groupe : verbes en -OIR

54

Infinitif

présent	passé
pourvoir	avoir pourvu

Participe

présent	passé
pourvoyant	pourvu/ue, pourvus/ues
	ayant pourvu

Impératif

présent	passé
pourvois	aie pourvu
pourvoyons	ayons pourvu
pourvoyez	ayez pourvu

Subjonctif

présent			passé			
que	je	pourvoie	que	j'	aie	pourvu
que	tu	pourvoies	que	tu	aies	pourvu
qu'	il/elle	pourvoie	qu'	il/elle	ait	pourvu
que	nous	**pourvoyions**	que	nous	ayons	pourvu
que	vous	**pourvoyiez**	que	vous	ayez	pourvu
qu'	ils/elles	pourvoient	qu'	ils/elles	aient	pourvu

imparfait			plus-que-parfait			
que	je	**pourvusse**	que	j'	eusse	pourvu
que	tu	**pourvusses**	que	tu	eusses	pourvu
qu'	il/elle	**pourvût**	qu'	il/elle	eût	pourvu
que	nous	**pourvussions**	que	nous	eussions	pourvu
que	vous	**pourvussiez**	que	vous	eussiez	pourvu
qu'	ils/elles	**pourvussent**	qu'	ils/elles	eussent	pourvu

Le verbe *pourvoir*, comme *prévoir*, s'éloigne du modèle *voir* au futur et au conditionnel. Il s'éloigne du modèle *prévoir* et *voir* au passé simple et au subjonctif imparfait *(je pourvus, que je pourvusse)*.

ATTENTION

À l'indicatif imparfait et au subjonctif présent, *pourvoir* prend un *i* après *y* aux 1re et 2e personnes du pluriel *(nous pourvoy**i**ons, que vous pourvoy**i**ez)*.

c'est là qu'on se trompe Il ne faut pas rajouter un *e* dans la désinence du futur et du conditionnel, sous l'influence des verbes du premier groupe *(je pourvoirai, je pourvoirais)*.

Vous avez dit bizarre ? L'usage ne connaît que le participe passé de *dépourvoir : dépourvu*.

ÉMOUVOIR

mouvoir, promouvoir

Indicatif

présent

j'	**émeus**
tu	**émeus**
il/elle	**émeut**
nous	**émouvons**
vous	**émouvez**
ils/elles	**émeuvent**

passé composé

j'	ai	ému
tu	as	ému
il/elle	a	ému
nous	avons	ému
vous	avez	ému
ils/elles	ont	ému

imparfait

j'	émouvais
tu	émouvais
il/elle	émouvait
nous	émouvions
vous	émouviez
ils/elles	émouvaient

plus-que-parfait

j'	avais	ému
tu	avais	ému
il/elle	avait	ému
nous	avions	ému
vous	aviez	ému
ils/elles	avaient	ému

futur simple

j'	émouvrai
tu	émouvras
il/elle	émouvra
nous	émouvrons
vous	émouvrez
ils/elles	émouvront

futur antérieur

j'	aurai	ému
tu	auras	ému
il/elle	aura	ému
nous	aurons	ému
vous	aurez	ému
ils/elles	auront	ému

passé simple

j'	**émus**
tu	**émus**
il/elle	**émut**
nous	**émûmes**
vous	**émûtes**
ils/elles	**émurent**

passé antérieur

j'	eus	ému
tu	eus	ému
il/elle	eut	ému
nous	eûmes	ému
vous	eûtes	ému
ils/elles	eurent	ému

Conditionnel

présent

j'	émouvrais
tu	émouvrais
il/elle	émouvrait
nous	émouvrions
vous	émouvriez
ils/elles	émouvraient

passé

j'	aurais	ému
tu	aurais	ému
il/elle	aurait	ému
nous	aurions	ému
vous	auriez	ému
ils/elles	auraient	ému

3e groupe : verbes en -OIR

55

Infinitif

présent	passé
émouvoir	avoir ému

Participe

présent	passé
émouvant	**ému**/ue, émus/ues
	ayant ému

Impératif

présent	passé
émeus	aie ému
émouvons	ayons ému
émouvez	ayez ému

Subjonctif

présent			passé			
que	j'	**émeuve**	que	j'	aie	ému
que	tu	**émeuves**	que	tu	aies	ému
qu'	il/elle	**émeuve**	qu'	il/elle	ait	ému
que	nous	**émouvions**	que	nous	ayons	ému
que	vous	**émouviez**	que	vous	ayez	ému
qu'	ils/elles	**émeuvent**	qu'	ils/elles	aient	ému

imparfait			plus-que-parfait			
que	j'	**émusse**	que	j'	eusse	ému
que	tu	**émusses**	que	tu	eusses	ému
qu'	il/elle	**émût**	qu'	il/elle	eût	ému
que	nous	**émussions**	que	nous	eussions	ému
que	vous	**émussiez**	que	vous	eussiez	ému
qu'	ils/elles	**émussent**	qu'	ils/elles	eussent	ému

c'est là qu'on se trompe L'alternance entre deux bases longues *émouv-* et *émeu-* rend les formes difficiles à mémoriser. C'est pourquoi on fait beaucoup d'erreurs sur la formation de l'imparfait et du futur.

C'est permis ! Traditionnellement, le participe passé de *mouvoir* prend un accent circonflexe sur le *u* à la forme masculin singulier *(mû, mue)*. La réforme orthographique de 1990 recommande de supprimer l'accent circonflexe parce qu'il n'est pas discriminant.

VALOIR

équivaloir, revaloir

Indicatif

présent

je	**vaux**
tu	**vaux**
il/elle	vaut
nous	valons
vous	valez
ils/elles	valent

passé composé

j'	ai	valu
tu	as	valu
il/elle	a	valu
nous	avons	valu
vous	avez	valu
ils/elles	ont	valu

imparfait

je	valais
tu	valais
il/elle	valait
nous	valions
vous	valiez
ils/elles	valaient

plus-que-parfait

j'	avais	valu
tu	avais	valu
il/elle	avait	valu
nous	avions	valu
vous	aviez	valu
ils/elles	avaient	valu

futur simple

je	vaudrai
tu	vaudras
il/elle	vaudra
nous	vaudrons
vous	vaudrez
ils/elles	vaudront

futur antérieur

j'	aurai	valu
tu	auras	valu
il/elle	aura	valu
nous	aurons	valu
vous	aurez	valu
ils/elles	auront	valu

passé simple

je	valus
tu	valus
il/elle	valut
nous	valûmes
vous	valûtes
ils/elles	valurent

passé antérieur

j'	eus	valu
tu	eus	valu
il/elle	eut	valu
nous	eûmes	valu
vous	eûtes	valu
ils/elles	eurent	valu

Conditionnel

présent

je	vaudrais
tu	vaudrais
il/elle	vaudrait
nous	vaudrions
vous	vaudriez
ils/elles	vaudraient

passé

j'	aurais	valu
tu	aurais	valu
il/elle	aurait	valu
nous	aurions	valu
vous	auriez	valu
ils/elles	auraient	valu

3e groupe : verbes en -OIR

Infinitif

présent	passé
valoir	avoir valu

Participe

présent	passé
valant	valu/ue, valus/ues
	ayant valu

Impératif

présent	passé
vaux	aie valu
valons	ayons valu
valez	ayez valu

Subjonctif

présent

que	je	**vaille**
que	tu	**vailles**
qu'	il/elle	**vaille**
que	nous	valions
que	vous	valiez
qu'	ils/elles	**vaillent**

passé

que	j'	aie	valu
que	tu	aies	valu
qu'	il/elle	ait	valu
que	nous	ayons	valu
que	vous	ayez	valu
qu'	ils/elles	aient	valu

imparfait

que	je	valusse
que	tu	valusses
qu'	il/elle	valût
que	nous	valussions
que	vous	valussiez
qu'	ils/elles	valussent

plus-que-parfait

que	j'	eusse	valu
que	tu	eusses	valu
qu'	il/elle	eût	valu
que	nous	eussions	valu
que	vous	eussiez	valu
qu'	ils/elles	eussent	valu

ATTENTION

- La terminaison est *-x* aux deux premières personnes de l'indicatif présent et au singulier de l'impératif présent.
- Lorsque *valoir* est employé intransitivement avec le sens de *être estimé à tel prix*, le participe passé est invariable : *Ce cheval ne vaut plus la somme qu'il a val**u** autrefois.* Par contre, le participe passé s'accorde lorsque le verbe est employé transitivement avec le sens de *faire obtenir : La gloire que ce rôle lui a val**ue**.*

Vous avez dit bizarre ? *Revaloir* est surtout usité à l'indicatif futur dans la locution familière *je te revaudrai ça*. C'est un verbe transitif et pourtant il n'a pas de passif.

PRÉVALOIR

Indicatif

présent

je	**prévaux**
tu	**prévaux**
il/elle	prévaut
nous	prévalons
vous	prévalez
ils/elles	prévalent

passé composé

j'	ai	prévalu
tu	as	prévalu
il/elle	a	prévalu
nous	avons	prévalu
vous	avez	prévalu
ils/elles	ont	prévalu

imparfait

je	prévalais
tu	prévalais
il/elle	prévalait
nous	prévalions
vous	prévaliez
ils/elles	prévalaient

plus-que-parfait

j'	avais	prévalu
tu	avais	prévalu
il/elle	avait	prévalu
nous	avions	prévalu
vous	aviez	prévalu
ils/elles	avaient	prévalu

futur simple

je	prévaudrai
tu	prévaudras
il/elle	prévaudra
nous	prévaudrons
vous	prévaudrez
ils/elles	prévaudront

futur antérieur

j'	aurai	prévalu
tu	auras	prévalu
il/elle	aura	prévalu
nous	aurons	prévalu
vous	aurez	prévalu
ils/elles	auront	prévalu

passé simple

je	prévalus
tu	prévalus
il/elle	prévalut
nous	prévalûmes
vous	prévalûtes
ils/elles	prévalurent

passé antérieur

j'	eus	prévalu
tu	eus	prévalu
il/elle	eut	prévalu
nous	eûmes	prévalu
vous	eûtes	prévalu
ils/elles	eurent	prévalu

Conditionnel

présent

je	prévaudrais
tu	prévaudrais
il/elle	prévaudrait
nous	prévaudrions
vous	prévaudriez
ils/elles	prévaudraient

passé

j'	aurais	prévalu
tu	aurais	prévalu
il/elle	aurait	prévalu
nous	aurions	prévalu
vous	auriez	prévalu
ils/elles	auraient	prévalu

Infinitif

présent	**passé**
prévaloir	avoir prévalu

Participe

présent	**passé**
prévalant	prévalu/ue, prévalus/ues ayant prévalu

Impératif

présent	**passé**
prévaux	aie prévalu
prévalons	ayons prévalu
prévalez	ayez prévalu

Subjonctif

présent			**passé**			
que	je	**prévale**	que	j'	aie	prévalu
que	tu	**prévales**	que	tu	aies	prévalu
qu'	il/elle	**prévale**	qu'	il/elle	ait	prévalu
que	nous	**prévalions**	que	nous	ayons	prévalu
que	vous	**prévaliez**	que	vous	ayez	prévalu
qu'	ils/elles	**prévalent**	qu'	ils/elles	aient	prévalu

imparfait			**plus-que-parfait**			
que	je	prévalusse	que	j'	eusse	prévalu
que	tu	prévalusses	que	tu	eusses	prévalu
qu'	il/elle	prévalût	qu'	il/elle	eût	prévalu
que	nous	prévalussions	que	nous	eussions	prévalu
que	vous	prévalussiez	que	vous	eussiez	prévalu
qu'	ils/elles	prévalussent	qu'	ils/elles	eussent	prévalu

Prévaloir* s'éloigne du modèle *valoir* au subjonctif présent *(que je prévale).

ATTENTION

À la forme pronominale, le participe passé s'accorde aux temps composés avec le sujet, conformément à la règle : *Elle s'est préval**ue** de ses avantages, ils se sont préval**us** de leurs droits.*

S'ASSEOIR (1)

asseoir, rasseoir

Indicatif

présent			passé composé			
je	m'	assieds	je	me	suis	assis/se
tu	t'	assieds	tu	t'	es	assis/se
il/elle	s'	assied	il/elle	s'	est	assis/se
nous	nous	asseyons	nous	nous	sommes	assis/ses
vous	vous	asseyez	vous	vous	êtes	assis/ses
ils/elles	s'	asseyent	ils/elles	se	sont	assis/ses

imparfait			plus-que-parfait			
je	m'	asseyais	je	m'	étais	assis/se
tu	t'	asseyais	tu	t'	étais	assis/se
il/elle	s'	asseyait	il/elle	s'	était	assis/se
nous	nous	**asseyions**	nous	nous	étions	assis/ses
vous	vous	**asseyiez**	vous	vous	étiez	assis/ses
ils/elles	s'	asseyaient	ils/elles	s'	étaient	assis/ses

futur simple			futur antérieur			
je	m'	assiérai	je	me	serai	assis/se
tu	t'	assiéras	tu	te	seras	assis/se
il/elle	s'	assiéra	il/elle	se	sera	assis/se
nous	nous	assiérons	nous	nous	serons	assis/ses
vous	vous	assiérez	vous	vous	serez	assis/ses
ils/elles	s'	assiéront	ils/elles	se	seront	assis/ses

passé simple			passé antérieur			
je	m'	assis	je	me	fus	assis/se
tu	t'	assis	tu	te	fus	assis/se
il/elle	s'	assit	il/elle	se	fut	assis/se
nous	nous	assîmes	nous	nous	fûmes	assis/ses
vous	vous	assîtes	vous	vous	fûtes	assis/ses
ils/elles	s'	assirent	ils/elles	se	furent	assis/ses

Conditionnel

présent			passé			
je	m'	assiérais	je	me	serais	assis/se
tu	t'	assiérais	tu	te	serais	assis/se
il/elle	s'	assiérait	il/elle	se	serait	assis/se
nous	nous	assiérions	nous	nous	serions	assis/ses
vous	vous	assiériez	vous	vous	seriez	assis/ses
ils/elles	s'	assiéraient	ils/elles	se	seraient	assis/ses

3e groupe : verbes en -OIR

Infinitif

présent	passé
s'asseoir	s'être assis/ise, assis/ises

Participe

présent	passé
s'asseyant	assis/ise, assis/ises s'étant assis/ise/is/ises

Impératif

présent	passé
assieds-toi asseyons-nous asseyez-vous	*inusité*

Subjonctif

présent

que	je	m'	asseye
que	tu	t'	asseyes
qu'	il/elle	s'	asseye
que	nous	nous	**asseyions**
que	vous	vous	**asseyiez**
qu'	ils/elles	s'	asseyent

passé

que	je	me	sois	assis/se
que	tu	te	sois	assis/se
qu'	il/elle	se	soit	assis/se
que	nous	nous	soyons	assis/ses
que	vous	vous	soyez	assis/ses
qu'	ils/elles	se	soient	assis/ses

imparfait

que	je	m'	assisse
que	tu	t'	assisses
qu'	il/elle	s'	assît
que	nous	nous	assissions
que	vous	vous	assissiez
qu'	ils/elles	s'	assissent

plus-que-parfait

que	je	me	fusse	assis/se
que	tu	te	fusses	assis/se
qu'	il/elle	se	fût	assis/se
que	nous	nous	fussions	assis/ses
que	vous	vous	fussiez	assis/ses
qu'	ils/elles	se	fussent	assis/ses

Le verbe *s'asseoir* a deux conjugaisons : *Je m'assieds* ou *je m'assois.* Il forme ses temps composés avec l'auxiliaire *être.*

ATTENTION

À l'indicatif imparfait et au subjonctif présent, *s'asseoir* prend un *i* après *y* aux 1re et 2e personnes du pluriel *(nous nous asseyions, que vous vous asseyiez).*

c'est là qu'on se trompe Les fautes sur le participe passé du verbe *rasseoir* sont fréquentes. Il faut écrire *une brioche rassise*. Cet emploi est à l'origine d'un nouveau verbe de formation populaire : *rassir* (1949), à partir duquel a été créé un participe passé fautif *(une brioche *rassie).*

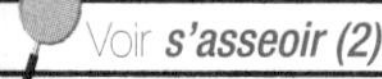

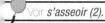

Voir *s'asseoir (2).*

S'ASSEOIR (2)

asseoir, rasseoir

Indicatif

présent

je	m'	assois
tu	t'	assois
il/elle	s'	assoit
nous	nous	assoyons
vous	vous	assoyez
ils/elles	s'	assoient

passé composé

je	me	suis	assis/se
tu	t'	es	assis/se
il/elle	s'	est	assis/se
nous	nous	sommes	assis/ses
vous	vous	êtes	assis/ses
ils/elles	se	sont	assis/ses

imparfait

je	m'	assoyais
tu	t'	assoyais
il/elle	s'	assoyait
nous	nous	**assoyions**
vous	vous	**assoyiez**
ils/elles	s'	assoyaient

plus-que-parfait

je	m'	étais	assis/se
tu	t'	étais	assis/se
il/elle	s'	était	assis/se
nous	nous	étions	assis/ses
vous	vous	étiez	assis/ses
ils/elles	s'	étaient	assis/ses

futur simple

je	m'	assoirai
tu	t'	assoiras
il/elle	s'	assoira
nous	nous	assoirons
vous	vous	assoirez
ils/elles	s'	assoiront

futur antérieur

je	me	serai	assis/se
tu	te	seras	assis/se
il/elle	se	sera	assis/se
nous	nous	serons	assis/ses
vous	vous	serez	assis/ses
ils/elles	se	seront	assis/ses

passé simple

je	m'	assis
tu	t'	assis
il/elle	s'	assit
nous	nous	assîmes
vous	vous	assîtes
ils/elles	s'	assirent

passé antérieur

je	me	fus	assis/se
tu	te	fus	assis/se
il/elle	se	fut	assis/se
nous	nous	fûmes	assis/ses
vous	vous	fûtes	assis/ses
ils/elles	se	furent	assis/ses

Conditionnel

présent

je	m'	assoirais
tu	t'	assoirais
il/elle	s'	assoirait
nous	nous	assoirions
vous	vous	assoiriez
ils/elles	s'	assoiraient

passé

je	me	serais	assis/se
tu	te	serais	assis/se
il/elle	se	serait	assis/se
nous	nous	serions	assis/ses
vous	vous	seriez	assis/ses
ils/elles	se	seraient	assis/ses

Infinitif

présent	**passé**
s'asseoir	s'être assis/ise, assis/ises

Participe

présent	**passé**
s'assoyant	assis/ise, assis/ises s'étant assis/ise/is/ises

Impératif

présent	**passé**
assois-toi assoyons-nous assoyez-vous	*inusité*

Subjonctif

présent

que	je	m'	assoie
que	tu	t'	assoies
qu'	il/elle	s'	assoie
que	nous	nous	**assoyions**
que	vous	vous	**assoyiez**
qu'	ils/elles	s'	assoient

passé

que	je	me	sois	assis/se
que	tu	te	sois	assis/se
qu'	il/elle	se	soit	assis/se
que	nous	nous	soyons	assis/ses
que	vous	vous	soyez	assis/ses
qu'	ils/elles	se	soient	assis/ses

imparfait

que	je	m'	assisse
que	tu	t'	assisses
qu'	il/elle	s'	assît
que	nous	nous	assissions
que	vous	vous	assissiez
qu'	ils/elles	s'	assissent

plus-que-parfait

que	je	me	fusse	assis/se
que	tu	te	fusses	assis/se
qu'	il/elle	se	fût	assis/se
que	nous	nous	fussions	assis/ses
que	vous	vous	fussiez	assis/ses
qu'	ils/elles	se	fussent	assis/ses

- **Le verbe *s'asseoir* a deux conjugaisons : *Je m'assois* ou *je m'assieds*. Il forme ses temps composés avec l'auxiliaire *être*.**
- **La conjugaison du verbe *s'asseoir (2)* est régulière par rapport à l'infinitif, mais ces formes sont moins courantes et réputées moins élégantes.**

ATTENTION

- À l'indicatif imparfait et au subjonctif présent, *s'asseoir* prend un *i* après *y* aux 1re et 2e personnes du pluriel.
- Le « *e* muet » du radical *(s'asseoir)* disparaît totalement dans la conjugaison *(je m'ass**o**is, je m'ass**o**irai…)*. La réforme orthographique de 1990 préconise d'écrire l'infinitif *s'assoir*, sans *e*.

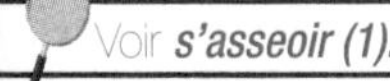

Voir ***s'asseoir (1).***

Indicatif

présent

je	sursois
tu	sursois
il/elle	sursoit
nous	sursoyons
vous	sursoyez
ils/elles	sursoient

passé composé

j'	ai	sursis
tu	as	sursis
il/elle	a	sursis
nous	avons	sursis
vous	avez	sursis
ils/elles	ont	sursis

imparfait

je	sursoyais
tu	sursoyais
il/elle	sursoyait
nous	**sursoyions**
vous	**sursoyiez**
ils/elles	sursoyaient

plus-que-parfait

j'	avais	sursis
tu	avais	sursis
il/elle	avait	sursis
nous	avions	sursis
vous	aviez	sursis
ils/elles	avaient	sursis

futur simple

je	**surseoirai**
tu	**surseoiras**
il/elle	**surseoira**
nous	**surseoirons**
vous	**surseoirez**
ils/elles	**surseoiront**

futur antérieur

j'	aurai	sursis
tu	auras	sursis
il/elle	aura	sursis
nous	aurons	sursis
vous	aurez	sursis
ils/elles	auront	sursis

passé simple

je	sursis
tu	sursis
il/elle	sursit
nous	sursîmes
vous	sursîtes
ils/elles	sursirent

passé antérieur

j'	eus	sursis
tu	eus	sursis
il/elle	eut	sursis
nous	eûmes	sursis
vous	eûtes	sursis
ils/elles	eurent	sursis

Conditionnel

présent

je	**surseoirais**
tu	**surseoirais**
il/elle	**surseoirait**
nous	**surseoirions**
vous	**surseoiriez**
ils/elles	**surseoiraient**

passé

j'	aurais	sursis
tu	aurais	sursis
il/elle	aurait	sursis
nous	aurions	sursis
vous	auriez	sursis
ils/elles	auraient	sursis

3e groupe : verbes en -OIR

60

Infinitif

présent	passé
surseoir	avoir sursis

Participe

présent	passé
sursoyant	sursis
	ayant sursis

Impératif

présent	passé
sursois	aie sursis
sursoyons	ayons sursis
sursoyez	ayez sursis

Subjonctif

présent			passé			
que	je	sursoie	que	j'	aie	sursis
que	tu	sursoies	que	tu	aies	sursis
qu'	il/elle	sursoie	qu'	il/elle	ait	sursis
que	nous	**sursoyions**	que	nous	ayons	sursis
que	vous	**sursoyiez**	que	vous	ayez	sursis
qu'	ils/elles	sursoient	qu'	ils/elles	aient	sursis

imparfait			plus-que-parfait			
que	je	sursisse	que	j'	eusse	sursis
que	tu	sursisses	que	tu	eusses	sursis
qu'	il/elle	sursît	qu'	il/elle	eût	sursis
que	nous	sursissions	que	nous	eussions	sursis
que	vous	sursissiez	que	vous	eussiez	sursis
qu'	ils/elles	sursissent	qu'	ils/elles	eussent	sursis

***Surseoir* ne se conjugue pas comme *asseoir*, le « *e* muet » du radical ne disparaît pas de manière régulière. Le « *e* muet » qui apparaît à l'infinitif devant la désinence *-oir* disparaît au présent *(je sursois)* et à l'imparfait *(je sursoyais)*, mais reparaît au futur et au conditionnel *(je surseoirai, je surseoirais)*, où il ne faut pas le confondre avec le futur en *-erai* du premier groupe.**

ATTENTION

- À l'indicatif imparfait et au subjonctif présent, *surseoir* prend un *i* après *y* aux 1re et 2e personnes du pluriel *(nous sursoy**i**ons, que vous sursoy**i**ez)*.
- Le participe passé du verbe *surseoir* est invariable.

Le nom *sursis* est dérivé du participe passé.

61 SEOIR 3e groupe : verbes en -OIR

messeoir

Indicatif

présent

il/elle sied
ils/elles siéent

imparfait

il/elle seyait
ils/elles seyaient

futur simple

il/elle siéra
ils/elles siéront

Conditionnel

présent

il/elle siérait
ils/elles siéraient

Subjonctif

présent

qu'il/elle siée
qu'ils/elles siéent

Infinitif

présent	passé
seoir	*inusité*

Participe

présent	passé
seyant	*inusité*
séant	

- **Le verbe *seoir* qui signifie *convenir* est archaïque et défectif. Il survit cependant à la 3e personne des temps simples, et dans certains dérivés d'usage courant.**
- ***Seoir* se conjugue comme *s'asseoir (1)*, son dérivé. Il peut entrer dans une construction impersonnelle : *Il vous sied mal de jouer au voyou.***
- ***Messeoir*, dérivé de *seoir*, entre dans une construction impersonnelle : *Il messied de…* (il ne convient pas de…).**

Vous avez dit bizarre ? *Seoir* a deux formes de participe présent : *s**é**ant* et *s**ey**ant*. Son participe présent *séant* entre dans une construction impersonnelle : *Il est séant de…* L'autre forme de participe présent *seyant* s'emploie couramment comme adjectif : *Une coiffure seyante.*

PLEUVOIR 3e groupe : verbes en -OIR 62

repleuvoir

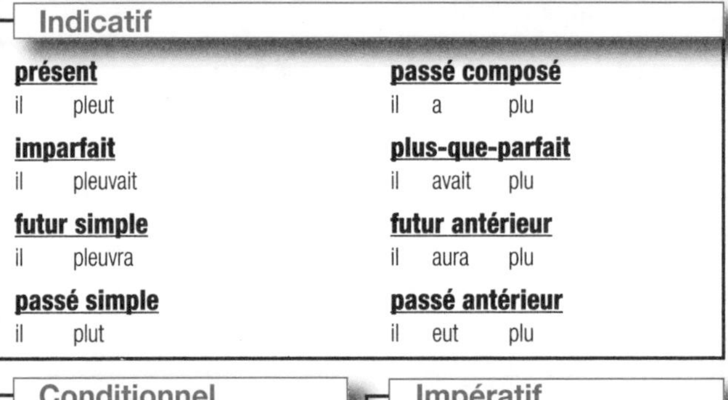

Indicatif

présent	**passé composé**
il pleut	il a plu
imparfait	**plus-que-parfait**
il pleuvait	il avait plu
futur simple	**futur antérieur**
il pleuvra	il aura plu
passé simple	**passé antérieur**
il plut	il eut plu

Conditionnel

présent	**passé**
il pleuvrait	il aurait plu

Impératif

présent	**passé**
inusité	*inusité*

Subjonctif

présent	**passé**
qu'il pleuve	qu'il ait plu
imparfait	**plus-que-parfait**
qu'il plût	qu'il eût plu

Infinitif

présent	**passé**
pleuvoir	avoir plu

Participe

présent	**passé**
pleuvant	**plu**
	ayant plu

***Pleuvoir* est un verbe essentiellement impersonnel. Il fait partie des verbes météorologiques *(il vente, il neige, il grêle…)*, pour lesquels le pronom *il*, simple marque de la 3e personne, n'a pas de référent précis.**

ATTENTION

- Le participe passé du verbe *pleuvoir* est invariable.
- Plusieurs formes du verbe *pleuvoir* sont homographes des formes correspondantes du verbe *plaire* (*il plut, il a plu,* par exemple).

Vous avez dit bizarre ? Au sens figuré, le verbe peut se conjuguer également à la troisième personne du pluriel : *Les bonnes nouvelles pleuvent.*

CHOIR

Indicatif

présent			**passé composé**		
je	chois		je	suis	chu/ue
tu	chois		tu	es	chu/ue
il/elle	choit		il/elle	est	chu/ue
inusité			nous	sommes	chus/ues
inusité			vous	êtes	chus/ues
ils/elles	choient		ils/elles	sont	chus/ues

imparfait			**plus-que-parfait**		
inusité			j'	étais	chu/ue
			tu	étais	chu/ue
			il/elle	était	chu/ue
			nous	étions	chus/ues
			vous	étiez	chus/ues
			ils/elles	étaient	chus/ues

futur simple			**futur antérieur**		
je	choirai/cherrai		je	serai	chu/ue
tu	choiras/cherras		tu	seras	chu/ue
il/elle	choira/cherra		il/elle	sera	chu/ue
nous	choirons/cherrons		nous	serons	chus/ues
vous	choirez/cherrez		vous	serez	chus/ues
ils/elles	choiront/cherront		ils/elles	seront	chus/ues

passé simple			**passé antérieur**		
je	chus		je	fus	chu/ue
tu	chus		tu	fus	chu/ue
il/elle	chut		il/elle	fut	chu/ue
nous	chûmes		nous	fûmes	chus/ues
vous	chûtes		vous	fûtes	chus/ues
ils/elles	churent		ils/elles	furent	chus/ues

Conditionnel

présent			**passé**		
je	choirais/cherrais		je	serais	chu/ue
tu	choirais/cherrais		tu	serais	chu/ue
il/elle	choirait/cherrait		il/elle	serait	chu/ue
nous	choirions/cherrions		nous	serions	chus/ues
vous	choiriez/cherriez		vous	seriez	chus/ues
ils/elles	choiraient/cherraient		ils/elles	seraient	chus/ues

3e groupe : verbes en -OIR

63

Infinitif

présent	passé
choir	être chu/ue, chus/ues

Participe

présent	passé
inusité	chu/ue, chus/ues étant chu/ue/us/ues

Impératif

présent	passé
inusité	*inusité*

Subjonctif

présent

inusité

passé

que	je	sois	chu/ue
que	tu	sois	chu/ue
qu'	il/elle	soit	chu/ue
que	nous	soyons	chus/ues
que	vous	soyez	chus/ues
qu'	ils/elles	soient	chus/ues

imparfait

inusité
inusité
qu'il/elle chût
inusité
inusité
inusité

plus-que-parfait

que	je	fusse	chu/ue
que	tu	fusses	chu/ue
qu'	il/elle	fût	chu/ue
que	nous	fussions	chus/ues
que	vous	fussiez	chus/ues
qu'	ils/elles	fussent	chus/ues

Le verbe *choir* qui signifie *tomber* est défectif : il ne se conjugue ni à tous les modes, ni à tous les temps, ni à toutes les personnes. C'est un verbe archaïque qui ne se rencontre plus qu'à l'infinitif et à la 3e personne du présent de l'indicatif (avec une intention plaisante), ainsi que dans la périphrase verbale *laisser choir.*

ATTENTION

Il faut signaler que les formes du futur et du conditionnel construites sur la base *cher-* (*je **cher**rai, je **cher**rais*) sont archaïques, elles n'apparaissent que dans les contes : « *Tire la chevillette et la bobinette cherra* » (C. Perrault, *le Petit Chaperon rouge*).

c'est là qu'on se trompe *Choir* forme ses temps composés avec l'auxiliaire *être* (*je suis chu, ils étaient chus*). La conjugaison avec *avoir* est considérée comme fautive.

ÉCHOIR

Indicatif

présent

il/elle	échoit/échet
ils/elles	échoient/échéent

imparfait

il/elle	échoyait/échéait
ils/elles	échoyaient/échéaient

futur simple

il/elle	échoira/écherra
ils/elles	échoiront/écherront

passé simple

il/elle	échut
ils/elles	échurent

passé composé

il/elle	est	échu/ue
ils/elles	sont	échus/ues

plus-que-parfait

il/elle	était	échu/ue
ils/elles	étaient	échus/ues

futur antérieur

il/elle	sera	échu/ue
ils/elles	seront	échus/ues

passé antérieur

il/elle	fut	échu/ue
ils/elles	furent	échus/ues

Conditionnel

présent

il/elle	échoirait/écherrait
ils/elles	échoiraient/écherraient

passé

il/elle	serait	échu/ue
ils/elles	seraient	échus/ues

Infinitif

présent	passé
échoir	être échu/ue, échus/ues

Participe

présent	passé
échéant	échu/ue, échus/ues étant échu/ue/us/ues

Impératif

présent	passé
inusité	*inusité*

Subjonctif

présent

qu'il/elle	échoie/échée
qu'ils/elles	échoient/échéent

imparfait

qu'il/elle	échût
qu'ils/elles	échussent

passé

qu'il/elle	soit	échu/ue
qu'ils/elles	soient	échus/ues

plus-que-parfait

qu'il/elle	fût	échu/ue
qu'ils/elles	fussent	échus/ues

- **Le verbe *échoir* qui signifie *être dévolu à* est défectif, c'est-à-dire qu'il a une conjugaison incomplète : il ne se conjugue ni à tous les modes, ni à tous les temps, ni à toutes les personnes (il ne s'emploie qu'à la 3e personne).**
- ***Échoir* connaît une construction impersonnelle : *Il lui est échu un héritage qu'il n'attendait pas.***

c'est là qu'on se trompe *Échoir* forme ses temps composés avec l'auxiliaire *être*. La conjugaison avec *avoir* a longtemps été considérée comme fautive.

vous avez dit bizarre ? • Les formes *il écherra, il écherrait* concurrencent *il échoira, il échoirait*. On rencontre parfois à l'imparfait *il échéait* et, plus rarement, au présent, *il échet*.

• Le participe présent *échéant*, devenu adjectif, est employé en droit, dans l'expression *le cas échéant* (s'il y a lieu).

65 DÉCHOIR

Indicatif

présent		passé composé				
je	déchois	j'	ai	déchu/	suis	déchu/ue
tu	déchois	tu	as	déchu/	es	déchu/ue
il/elle	déchoit	il/elle	a	déchu/	est	déchu/ue
nous	déchoyons	nous	avons	déchu/	sommes	déchus/ues
vous	déchoyez	vous	avez	déchu/	êtes	déchus/ues
ils/elles	déchoient	ils/elles	ont	déchu/	sont	déchus/ues

imparfait		plus-que-parfait				
inusité		j'	avais	déchu/	étais	déchu/ue
		tu	avais	déchu/	étais	déchu/ue
		il/elle	avait	déchu/	était	déchu/ue
		nous	avions	déchu/	étions	déchus/ues
		vous	aviez	déchu/	étiez	déchus/ues
		ils/elles	avaient	déchu/	étaient	déchus/ues

futur simple		futur antérieur				
je	déchoirai	j'	aurai	déchu/	serai	déchu/ue
tu	déchoiras	tu	auras	déchu/	seras	déchu/ue
il/elle	déchoira	il/elle	aura	déchu/	sera	déchu/ue
nous	déchoirons	nous	aurons	déchu/	serons	déchus/ues
vous	déchoirez	vous	aurez	déchu/	serez	déchus/ues
ils/elles	déchoiront	ils/elles	auront	déchu/	seront	déchus/ues

passé simple		passé antérieur				
je	déchus	j'	eus	déchu/	fus	déchu/ue
tu	déchus	tu	eus	déchu/	fus	déchu/ue
il/elle	déchut	il/elle	eut	déchu/	fut	déchu/ue
nous	déchûmes	nous	eûmes	déchu/	fûmes	déchus/ues
vous	déchûtes	vous	eûtes	déchu/	fûtes	déchus/ues
ils/elles	déchurent	ils/elles	eurent	déchu/	furent	déchus/ues

Conditionnel

présent		passé				
je	déchoirais	j'	aurais	déchu/	serais	déchu/ue
tu	déchoirais	tu	aurais	déchu/	serais	déchu/ue
il/elle	déchoirait	il/elle	aurait	déchu/	serait	déchu/ue
nous	déchoirions	nous	aurions	déchu/	serions	déchus/ues
vous	déchoiriez	vous	auriez	déchu/	seriez	déchus/ues
ils/elles	déchoiraient	ils/elles	auraient	déchu/	seraient	déchus/ues

Infinitif

présent	**passé**
déchoir	avoir déchu/ être déchu/ue, déchus/ues

Participe

présent	**passé**
inusité	déchu/ue, déchus/ues ayant déchu/ étant déchu/ue/us/ues

Impératif

présent	**passé**
inusité	*inusité*

Subjonctif

présent			**passé**				
que	je	déchoie	que j'	aie	déchu/	sois	déchu/ue
que	tu	déchoies	que tu	aies	déchu/	sois	déchu/ue
qu'	il/elle	déchoie	qu' il/elle	ait	déchu/	soit	déchu/ue
que	nous	**déchoyions**	que nous	ayons	déchu/	soyons	déchus/ues
que	vous	**déchoyiez**	que vous	ayez	déchu/	soyez	déchus/ues
qu'	ils/elles	déchoient	qu' ils/elles	aient	déchu/	soient	déchus/ues
imparfait			**plus-que-parfait**				
que	je	déchusse	que j'	eusse	déchu/	fusse	déchu/ue
que	tu	déchusses	que tu	eusses	déchu/	fusses	déchu/ue
qu'	il/elle	déchût	qu' il/elle	eût	déchu/	fût	déchu/ue
que	nous	déchussions	que nous	eussions	déchu/	fussions	déchus/ues
que	vous	déchussiez	que vous	eussiez	déchu/	fussiez	déchus/ues
qu'	ils/elles	déchussent	qu' ils/elles	eussent	déchu/	fussent	déchus/ues

Le verbe *déchoir* est défectif. Il ne s'emploie pas au participe présent, ni à l'imparfait, ni à l'impératif.

ATTENTION

- Au subjonctif présent, *déchoir* prend un *i* après *y* aux 1re et 2e personnes du pluriel *(que nous déchoy**i**ons, que vous déchoy**i**ez)*.

- *Déchoir* forme ses temps composés avec l'auxiliaire *être* ou *avoir* selon la nuance de sens. Il se conjugue avec l'auxiliaire *avoir* quand il exprime une action : *Il a déchu rapidement* (il a décliné). Il se conjugue avec l'auxiliaire *être* quand il exprime un état : *Il est déchu de son rang* (il est tombé à un rang inférieur).

RENDRE

défendre, fendre, descendre, pendre, tendre,

Indicatif

présent

je	**rends**
tu	**rends**
il/elle	**rend**
nous	rendons
vous	rendez
ils/elles	rendent

passé composé

j'	ai	rendu
tu	as	rendu
il/elle	a	rendu
nous	avons	rendu
vous	avez	rendu
ils/elles	ont	rendu

imparfait

je	rendais
tu	rendais
il/elle	rendait
nous	rendions
vous	rendiez
ils/elles	rendaient

plus-que-parfait

j'	avais	rendu
tu	avais	rendu
il/elle	avait	rendu
nous	avions	rendu
vous	aviez	rendu
ils/elles	avaient	rendu

futur simple

je	rendrai
tu	rendras
il/elle	rendra
nous	rendrons
vous	rendrez
ils/elles	rendront

futur antérieur

j'	aurai	rendu
tu	auras	rendu
il/elle	aura	rendu
nous	aurons	rendu
vous	aurez	rendu
ils/elles	auront	rendu

passé simple

je	rendis
tu	rendis
il/elle	rendit
nous	rendîmes
vous	rendîtes
ils/elles	rendirent

passé antérieur

j'	eus	rendu
tu	eus	rendu
il/elle	eut	rendu
nous	eûmes	rendu
vous	eûtes	rendu
ils/elles	eurent	rendu

Conditionnel

présent

je	rendrais
tu	rendrais
il/elle	rendrait
nous	rendrions
vous	rendriez
ils/elles	rendraient

passé

j'	aurais	rendu
tu	aurais	rendu
il/elle	aurait	rendu
nous	aurions	rendu
vous	auriez	rendu
ils/elles	auraient	rendu

3e groupe : verbes en -DRE

66

fondre, pondre, répondre, tondre, perdre, mordre...

Infinitif

présent	**passé**
rendre	avoir rendu

Participe

présent	**passé**
rendant	rendu/ue, rendus/ues
	ayant rendu

Impératif

présent	**passé**
rends	aie rendu
rendons	ayons rendu
rendez	ayez rendu

Subjonctif

présent

que	je	rende
que	tu	rendes
qu'	il/elle	rende
que	nous	rendions
que	vous	rendiez
qu'	ils/elles	rendent

passé

que	j'	aie	rendu
que	tu	aies	rendu
qu'	il/elle	ait	rendu
que	nous	ayons	rendu
que	vous	ayez	rendu
qu'	ils/elles	aient	rendu

imparfait

que	je	rendisse
que	tu	rendisses
qu'	il/elle	rendît
que	nous	rendissions
que	vous	rendissiez
qu'	ils/elles	rendissent

plus-que-parfait

que	j'	eusse	rendu
que	tu	eusses	rendu
qu'	il/elle	eût	rendu
que	nous	eussions	rendu
que	vous	eussiez	rendu
qu'	ils/elles	eussent	rendu

Les verbes en *-dre (-andre, -endre, -erdre, -ondre, -ordre),* à l'exception des verbes en *-indre* et en *-soudre*, conservent la consonne finale *(d)* de leur radical. La 3e personne du singulier de l'indicatif présent n'a pas de désinence : *Il rend.*

Petite astuce Les verbes qui se conjuguent sur le modèle de *rendre* font apparaître la consonne finale *(d)* du radical à la 1re personne du pluriel. Quand on entend *d* au pluriel, on sait qu'il faut écrire *d* au singulier :

- rendre : *nous rendons, je rends*
- répondre : *nous répondons, je réponds*
- tordre : *nous tordons, je tords.*

RÉPANDRE

épandre

Indicatif

présent		passé composé		
je	**répands**	j'	ai	répandu
tu	**répands**	tu	as	répandu
il/elle	**répand**	il/elle	a	répandu
nous	répandons	nous	avons	répandu
vous	répandez	vous	avez	répandu
ils/elles	répandent	ils/elles	ont	répandu

imparfait		plus-que-parfait		
je	répandais	j'	avais	répandu
tu	répandais	tu	avais	répandu
il/elle	répandait	il/elle	avait	répandu
nous	répandions	nous	avions	répandu
vous	répandiez	vous	aviez	répandu
ils/elles	répandaient	ils/elles	avaient	répandu

futur simple		futur antérieur		
je	répandrai	j'	aurai	répandu
tu	répandras	tu	auras	répandu
il/elle	répandra	il/elle	aura	répandu
nous	répandrons	nous	aurons	répandu
vous	répandrez	vous	aurez	répandu
ils/elles	répandront	ils/elles	auront	répandu

passé simple		passé antérieur		
je	répandis	j'	eus	répandu
tu	répandis	tu	eus	répandu
il/elle	répandit	il/elle	eut	répandu
nous	répandîmes	nous	eûmes	répandu
vous	répandîtes	vous	eûtes	répandu
ils/elles	répandirent	ils/elles	eurent	répandu

Conditionnel

présent		passé		
je	répandrais	j'	aurais	répandu
tu	répandrais	tu	aurais	répandu
il/elle	répandrait	il/elle	aurait	répandu
nous	répandrions	nous	aurions	répandu
vous	répandriez	vous	auriez	répandu
ils/elles	répandraient	ils/elles	auraient	répandu

3e groupe : verbes en -(AN)DRE 67

Infinitif

présent	**passé**
répandre	avoir répandu

Participe

présent	**passé**
répandant	répandu/ue, répandus/ues ayant répandu

Impératif

présent	**passé**
répands	aie répandu
répandons	ayons répandu
répandez	ayez répandu

Subjonctif

présent

que	je	répande
que	tu	répandes
qu'	il/elle	répande
que	nous	répandions
que	vous	répandiez
qu'	ils/elles	répandent

passé

que	j'	aie	répandu
que	tu	aies	répandu
qu'	il/elle	ait	répandu
que	nous	ayons	répandu
que	vous	ayez	répandu
qu'	ils/elles	aient	répandu

imparfait

que	je	répandisse
que	tu	répandisses
qu'	il/elle	répandît
que	nous	répandissions
que	vous	répandissiez
qu'	ils/elles	répandissent

plus-que-parfait

que	j'	eusse	répandu
que	tu	eusses	répandu
qu'	il/elle	eût	répandu
que	nous	eussions	répandu
que	vous	eussiez	répandu
qu'	ils/elles	eussent	répandu

Les verbes en *-andre (répandre* et *épandre)* conservent la consonne finale *(d)* de leur radical.
La 3e personne du singulier de l'indicatif présent n'a pas de désinence :
Il répand.

ATTENTION

Les verbes en [ɑ̃dr] s'écrivent tous avec *e*, sauf *répandre* et *épandre*.

Petite astuce *Répandre* et *épandre* font apparaître la consonne finale *(d)* du radical à la 1re personne du pluriel. Quand on entend *d* au pluriel, on sait qu'il faut écrire *d* au singulier : *Nous répandons, je répands.*

PRENDRE

apprendre, comprendre, se méprendre,

Indicatif

présent

je	**prends**
tu	**prends**
il/elle	**prend**
nous	prenons
vous	prenez
ils/elles	**prennent**

passé composé

j'	ai	pris
tu	as	pris
il/elle	a	pris
nous	avons	pris
vous	avez	pris
ils/elles	ont	pris

imparfait

je	prenais
tu	prenais
il/elle	prenait
nous	prenions
vous	preniez
ils/elles	prenaient

plus-que-parfait

j'	avais	pris
tu	avais	pris
il/elle	avait	pris
nous	avions	pris
vous	aviez	pris
ils/elles	avaient	pris

futur simple

je	prendrai
tu	prendras
il/elle	prendra
nous	prendrons
vous	prendrez
ils/elles	prendront

futur antérieur

j'	aurai	pris
tu	auras	pris
il/elle	aura	pris
nous	aurons	pris
vous	aurez	pris
ils/elles	auront	pris

passé simple

je	pris
tu	pris
il/elle	prit
nous	prîmes
vous	prîtes
ils/elles	prirent

passé antérieur

j'	eus	pris
tu	eus	pris
il/elle	eut	pris
nous	eûmes	pris
vous	eûtes	pris
ils/elles	eurent	pris

Conditionnel

présent

je	prendrais
tu	prendrais
il/elle	prendrait
nous	prendrions
vous	prendriez
ils/elles	prendraient

passé

j'	aurais	pris
tu	aurais	pris
il/elle	aurait	pris
nous	aurions	pris
vous	auriez	pris
ils/elles	auraient	pris

3e groupe : verbes en -(EN)DRE

surprendre, reprendre...

68

Infinitif

présent	**passé**
prendre	avoir pris

Participe

présent	**passé**
prenant	pris/ise, pris/ises
	ayant pris

Impératif

présent	**passé**
prends	aie pris
prenons	ayons pris
prenez	ayez pris

Subjonctif

présent

que	je	**prenne**
que	tu	**prennes**
qu'	il/elle	**prenne**
que	nous	prenions
que	vous	preniez
qu'	ils/elles	**prennent**

passé

que	j'	aie	pris
que	tu	aies	pris
qu'	il/elle	ait	pris
que	nous	ayons	pris
que	vous	ayez	pris
qu'	ils/elles	aient	pris

imparfait

que	je	prisse
que	tu	prisses
qu'	il/elle	prît
que	nous	prissions
que	vous	prissiez
qu'	ils/elles	prissent

plus-que-parfait

que	j'	eusse	pris
que	tu	eusses	pris
qu'	il/elle	eût	pris
que	nous	eussions	pris
que	vous	eussiez	pris
qu'	ils/elles	eussent	pris

***Prendre* et ses dérivés conservent la consonne finale *(d)* du radical aux trois premières personnes du présent de l'indicatif, mais la perdent aux trois personnes du pluriel *(je prends, nous prenons)*.**

c'est là qu'on se trompe Le verbe *prendre* et ses dérivés comportent un « *e* sourd » [ə] *(nous pr**e**nons)* chaque fois que la consonne *d* disparaît. Le « *e* sourd » devient « *e* ouvert » [ɛ] dans la conjugaison devant une syllabe muette *(ils pr**enn**ent)*. Pour noter le « *e* ouvert », on double la consonne *n*.

CRAINDRE

contraindre, plaindre

Indicatif

présent		**passé composé**		
je	**crains**	j'	ai	craint
tu	**crains**	tu	as	craint
il/elle	**craint**	il/elle	a	craint
nous	craignons	nous	avons	craint
vous	craignez	vous	avez	craint
ils/elles	craignent	ils/elles	ont	craint

imparfait		**plus-que-parfait**		
je	craignais	j'	avais	craint
tu	craignais	tu	avais	craint
il/elle	craignait	il/elle	avait	craint
nous	craignions	nous	avions	craint
vous	craigniez	vous	aviez	craint
ils/elles	craignaient	ils/elles	avaient	craint

futur simple		**futur antérieur**		
je	craindrai	j'	aurai	craint
tu	craindras	tu	auras	craint
il/elle	craindra	il/elle	aura	craint
nous	craindrons	nous	aurons	craint
vous	craindrez	vous	aurez	craint
ils/elles	craindront	ils/elles	auront	craint

passé simple		**passé antérieur**		
je	craignis	j'	eus	craint
tu	craignis	tu	eus	craint
il/elle	craignit	il/elle	eut	craint
nous	craignîmes	nous	eûmes	craint
vous	craignîtes	vous	eûtes	craint
ils/elles	craignirent	ils/elles	eurent	craint

Conditionnel

présent		**passé**		
je	craindrais	j'	aurais	craint
tu	craindrais	tu	aurais	craint
il/elle	craindrait	il/elle	aurait	craint
nous	craindrions	nous	aurions	craint
vous	craindriez	vous	auriez	craint
ils/elles	craindraient	ils/elles	auraient	craint

3e groupe : verbes en -(AIN)DRE

Infinitif

présent	**passé**
craindre	avoir craint

Participe

présent	**passé**
craignant	**craint**/te, craints/tes
	ayant craint

Impératif

présent	**passé**
crains	aie craint
craignons	ayons craint
craignez	ayez craint

Subjonctif

présent			**passé**			
que	je	craigne	que	j'	aie	craint
que	tu	craignes	que	tu	aies	craint
qu'	il/elle	craigne	qu'	il/elle	ait	craint
que	nous	craignions	que	nous	ayons	craint
que	vous	craigniez	que	vous	ayez	craint
qu'	ils/elles	craignent	qu'	ils/elles	aient	craint
imparfait			**plus-que-parfait**			
que	je	craignisse	que	j'	eusse	craint
que	tu	craignisses	que	tu	eusses	craint
qu'	il/elle	craignît	qu'	il/elle	eût	craint
que	nous	craignissions	que	nous	eussions	craint
que	vous	craignissiez	que	vous	eussiez	craint
qu'	ils/elles	craignissent	qu'	ils/elles	eussent	craint

Les verbes en *-aindre* perdent la consonne finale *(d)* de leur radical au présent de l'indicatif. Ils forment les trois personnes du pluriel en *-gn-*. Le *d* du radical ne se retrouve qu'au futur et au conditionnel.

Petite astuce Les verbes en *-dre* qui ont une forme en *-gnons* à la première personne du pluriel ne conservent jamais le *d* au présent :

- craindre : *nous craignons, je crains*
- peindre : *nous peignons, je peins*
- joindre : *nous joignons, je joins.*

Par contre, les verbes qui font entendre le *d* à la première personne du pluriel le conservent au singulier : *Nous rendons, je rends.*

70

PEINDRE

teindre, astreindre, enfreindre, restreindre,

Indicatif

présent		passé composé		
je	**peins**	j'	ai	peint
tu	**peins**	tu	as	peint
il/elle	**peint**	il/elle	a	peint
nous	peignons	nous	avons	peint
vous	peignez	vous	avez	peint
ils/elles	peignent	ils/elles	ont	peint

imparfait		plus-que-parfait		
je	peignais	j'	avais	peint
tu	peignais	tu	avais	peint
il/elle	peignait	il/elle	avait	peint
nous	peignions	nous	avions	peint
vous	peigniez	vous	aviez	peint
ils/elles	peignaient	ils/elles	avaient	peint

futur simple		futur antérieur		
je	peindrai	j'	aurai	peint
tu	peindras	tu	auras	peint
il/elle	peindra	il/elle	aura	peint
nous	peindrons	nous	aurons	peint
vous	peindrez	vous	aurez	peint
ils/elles	peindront	ils/elles	auront	peint

passé simple		passé antérieur		
je	peignis	j'	eus	peint
tu	peignis	tu	eus	peint
il/elle	peignit	il/elle	eut	peint
nous	peignîmes	nous	eûmes	peint
vous	peignîtes	vous	eûtes	peint
ils/elles	peignirent	ils/elles	eurent	peint

Conditionnel

présent		passé		
je	peindrais	j'	aurais	peint
tu	peindrais	tu	aurais	peint
il/elle	peindrait	il/elle	aurait	peint
nous	peindrions	nous	aurions	peint
vous	peindriez	vous	auriez	peint
ils/elles	peindraient	ils/elles	auraient	peint

3e groupe : verbes en -(EIN)DRE 70

atteindre, ceindre, éteindre, feindre, geindre...

Infinitif

présent	**passé**
peindre	avoir peint

Participe

présent	**passé**
peignant	**peint**/te, peints/tes
	ayant peint

Impératif

présent	**passé**
peins	aie peint
peignons	ayons peint
peignez	ayez peint

Subjonctif

présent

que	je	peigne
que	tu	peignes
qu'	il/elle	peigne
que	nous	peignions
que	vous	peigniez
qu'	ils/elles	peignent

passé

que	j'	aie	peint
que	tu	aies	peint
qu'	il/elle	ait	peint
que	nous	ayons	peint
que	vous	ayez	peint
qu'	ils/elles	aient	peint

imparfait

que	je	peignisse
que	tu	peignisses
qu'	il/elle	peignît
que	nous	peignissions
que	vous	peignissiez
qu'	ils/elles	peignissent

plus-que-parfait

que	j'	eusse	peint
que	tu	eusses	peint
qu'	il/elle	eût	peint
que	nous	eussions	peint
que	vous	eussiez	peint
qu'	ils/elles	eussent	peint

Les verbes en *-eindre* perdent la consonne finale *(d)* de leur radical au présent de l'indicatif. Ils forment les trois personnes du pluriel en *-gn-*. Le *d* du radical ne se retrouve qu'au futur et au conditionnel.

Petite astuce Les verbes en *-dre* qui ont une forme en *-gnons* à la première personne du pluriel ne conservent jamais le *d* au présent :

- peindre : *nous peignons, je peins*
- craindre : *nous craignons, je crains*
- joindre : *nous joignons, je joins.*

Par contre, les verbes qui font entendre le *d* à la première personne du pluriel le conservent au singulier : *Nous rendons, je rends.*

71 JOINDRE

oindre, poindre, adjoindre, enjoindre, rejoindre,

Indicatif

présent		passé composé		
je	**joins**	j'	ai	joint
tu	**joins**	tu	as	joint
il/elle	**joint**	il/elle	a	joint
nous	joignons	nous	avons	joint
vous	joignez	vous	avez	joint
ils/elles	joignent	ils/elles	ont	joint

imparfait		plus-que-parfait		
je	joignais	j'	avais	joint
tu	joignais	tu	avais	joint
il/elle	joignait	il/elle	avait	joint
nous	joignions	nous	avions	joint
vous	joigniez	vous	aviez	joint
ils/elles	joignaient	ils/elles	avaient	joint

futur simple		futur antérieur		
je	joindrai	j'	aurai	joint
tu	joindras	tu	auras	joint
il/elle	joindra	il/elle	aura	joint
nous	joindrons	nous	aurons	joint
vous	joindrez	vous	aurez	joint
ils/elles	joindront	ils/elles	auront	joint

passé simple		passé antérieur		
je	joignis	j'	eus	joint
tu	joignis	tu	eus	joint
il/elle	joignit	il/elle	eut	joint
nous	joignîmes	nous	eûmes	joint
vous	joignîtes	vous	eûtes	joint
ils/elles	joignirent	ils/elles	eurent	joint

Conditionnel

présent		passé		
je	joindrais	j'	aurais	joint
tu	joindrais	tu	aurais	joint
il/elle	joindrait	il/elle	aurait	joint
nous	joindrions	nous	aurions	joint
vous	joindriez	vous	auriez	joint
ils/elles	joindraient	ils/elles	auraient	joint

3e groupe : verbes en -(OIN)DRE

conjoindre, disjoindre...

Infinitif

présent	passé
joindre	avoir joint

Participe

présent	passé
joignant	**joint**/te, joints/tes
	ayant joint

Impératif

présent	passé
joins	aie joint
joignons	ayons joint
joignez	ayez joint

Subjonctif

présent

que	je	joigne
que	tu	joignes
qu'	il/elle	joigne
que	nous	joignions
que	vous	joigniez
qu'	ils/elles	joignent

passé

que	j'	aie	joint
que	tu	aies	joint
qu'	il/elle	ait	joint
que	nous	ayons	joint
que	vous	ayez	joint
qu'	ils/elles	aient	joint

imparfait

que	je	joignisse
que	tu	joignisses
qu'	il/elle	joignît
que	nous	joignissions
que	vous	joignissiez
qu'	ils/elles	joignissent

plus-que-parfait

que	j'	eusse	joint
que	tu	eusses	joint
qu'	il/elle	eût	joint
que	nous	eussions	joint
que	vous	eussiez	joint
qu'	ils/elles	eussent	joint

Les verbes en *-oindre* perdent la consonne finale *(d)* de leur radical au présent de l'indicatif. Ils forment les trois personnes du pluriel en *-gn-*. Le *d* du radical ne se retrouve qu'au futur et au conditionnel.

Petite astuce Les verbes en *-dre* qui ont une forme en *-gnons* à la première personne du pluriel ne conservent jamais le *d* au présent :

- joindre : *nous joignons, je joins*
- peindre : *nous peignons, je peins*
- craindre : *nous craignons, je crains.*

Par contre, les verbes qui font entendre le *d* à la première personne du pluriel le conservent au singulier : *Nous rendons, je rends.*

72 ROMPRE

corrompre, interrompre

Indicatif

présent		passé composé		
je	**romps**	j'	ai	rompu
tu	**romps**	tu	as	rompu
il/elle	**rompt**	il/elle	a	rompu
nous	rompons	nous	avons	rompu
vous	rompez	vous	avez	rompu
ils/elles	rompent	ils/elles	ont	rompu

imparfait		plus-que-parfait		
je	rompais	j'	avais	rompu
tu	rompais	tu	avais	rompu
il/elle	rompait	il/elle	avait	rompu
nous	rompions	nous	avions	rompu
vous	rompiez	vous	aviez	rompu
ils/elles	rompaient	ils/elles	avaient	rompu

futur simple		futur antérieur		
je	romprai	j'	aurai	rompu
tu	rompras	tu	auras	rompu
il/elle	rompra	il/elle	aura	rompu
nous	romprons	nous	aurons	rompu
vous	romprez	vous	aurez	rompu
ils/elles	rompront	ils/elles	auront	rompu

passé simple		passé antérieur		
je	rompis	j'	eus	rompu
tu	rompis	tu	eus	rompu
il/elle	rompit	il/elle	eut	rompu
nous	rompîmes	nous	eûmes	rompu
vous	rompîtes	vous	eûtes	rompu
ils/elles	rompirent	ils/elles	eurent	rompu

Conditionnel

présent		passé		
je	romprais	j'	aurais	rompu
tu	romprais	tu	aurais	rompu
il/elle	romprait	il/elle	aurait	rompu
nous	romprions	nous	aurions	rompu
vous	rompriez	vous	auriez	rompu
ils/elles	rompraient	ils/elles	auraient	rompu

3e groupe : verbes en -(P)RE

72

Infinitif

présent	passé
rompre	avoir rompu

Participe

présent	passé
rompant	rompu/ue, rompus/ues
	ayant rompu

Impératif

présent	passé
romps	aie rompu
rompons	ayons rompu
rompez	ayez rompu

Subjonctif

présent			passé			
que	je	rompe	que	j'	aie	rompu
que	tu	rompes	que	tu	aies	rompu
qu'	il/elle	rompe	qu'	il/elle	ait	rompu
que	nous	rompions	que	nous	ayons	rompu
que	vous	rompiez	que	vous	ayez	rompu
qu'	ils/elles	rompent	qu'	ils/elles	aient	rompu
imparfait			**plus-que-parfait**			
que	je	rompisse	que	j'	eusse	rompu
que	tu	rompisses	que	tu	eusses	rompu
qu'	il/elle	rompît	qu'	il/elle	eût	rompu
que	nous	rompissions	que	nous	eussions	rompu
que	vous	rompissiez	que	vous	eussiez	rompu
qu'	ils/elles	rompissent	qu'	ils/elles	eussent	rompu

Les verbes en *-pre (rompre, interrompre, corrompre)* conservent dans toutes leurs formes la consonne finale *(p)* de leur radical.

ATTENTION

Contrairement aux verbes en *-dre*, qui n'ont pas de désinence à la 3e personne du singulier de l'indicatif présent *(il rend)*, le verbe *rompre* cumule le *p* du radical et le *t* de la désinence : *Il rompt.*

Petite astuce Les verbes en *-pre* font apparaître la consonne finale *(p)* du radical à la 1re personne du pluriel. Quand on entend *p* au pluriel, on sait qu'il faut écrire *p* au singulier : *Nous rompons, je romps.*

VAINCRE

convaincre

Indicatif

présent		passé composé		
je	vaincs	j'	ai	vaincu
tu	vaincs	tu	as	vaincu
il/elle	**vainc**	il/elle	a	vaincu
nous	vainquons	nous	avons	vaincu
vous	vainquez	vous	avez	vaincu
ils/elles	vainquent	ils/elles	ont	vaincu

imparfait		plus-que-parfait		
je	vainquais	j'	avais	vaincu
tu	vainquais	tu	avais	vaincu
il/elle	vainquait	il/elle	avait	vaincu
nous	vainquions	nous	avions	vaincu
vous	vainquiez	vous	aviez	vaincu
ils/elles	vainquaient	ils/elles	avaient	vaincu

futur simple		futur antérieur		
je	vaincrai	j'	aurai	vaincu
tu	vaincras	tu	auras	vaincu
il/elle	vaincra	il/elle	aura	vaincu
nous	vaincrons	nous	aurons	vaincu
vous	vaincrez	vous	aurez	vaincu
ils/elles	vaincront	ils/elles	auront	vaincu

passé simple		passé antérieur		
je	vainquis	j'	eus	vaincu
tu	vainquis	tu	eus	vaincu
il/elle	vainquit	il/elle	eut	vaincu
nous	vainquîmes	nous	eûmes	vaincu
vous	vainquîtes	vous	eûtes	vaincu
ils/elles	vainquirent	ils/elles	eurent	vaincu

Conditionnel

présent		passé		
je	vaincrais	j'	aurais	vaincu
tu	vaincrais	tu	aurais	vaincu
il/elle	vaincrait	il/elle	aurait	vaincu
nous	vaincrions	nous	aurions	vaincu
vous	vaincriez	vous	auriez	vaincu
ils/elles	vaincraient	ils/elles	auraient	vaincu

3e groupe : verbes en -(C)RE

Infinitif

présent	**passé**
vaincre	avoir vaincu

Participe

présent	**passé**
vainquant	**vaincu**/ue, vaincus/ues
	ayant vaincu

Impératif

présent	**passé**
vaincs	aie vaincu
vainquons	ayons vaincu
vainquez	ayez vaincu

Subjonctif

présent

que	je	vainque
que	tu	vainques
qu'	il/elle	vainque
que	nous	vainquions
que	vous	vainquiez
qu'	ils/elles	vainquent

passé

que	j'	aie	vaincu
que	tu	aies	vaincu
qu'	il/elle	ait	vaincu
que	nous	ayons	vaincu
que	vous	ayez	vaincu
qu'	ils/elles	aient	vaincu

imparfait

que	je	vainquisse
que	tu	vainquisses
qu'	il/elle	vainquît
que	nous	vainquissions
que	vous	vainquissiez
qu'	ils/elles	vainquissent

plus-que-parfait

que	j'	eusse	vaincu
que	tu	eusses	vaincu
qu'	il/elle	eût	vaincu
que	nous	eussions	vaincu
que	vous	eussiez	vaincu
qu'	ils/elles	eussent	vaincu

Les verbes en *-cre (vaincre, convaincre)* conservent dans toutes leurs formes la consonne finale de leur radical, avec des variations orthographiques, *c* ou *qu*. La graphie *c* laisse place à *qu* quand la désinence commence par une voyelle *(nous vainquons)*, sauf pour le participe passé *(vaincu)*.

ATTENTION

La 3e personne du singulier se termine sur la consonne finale du radical sans marque de désinence : *Il vainc.*

BATTRE

abattre, débattre, s'ébattre, embattre,

Indicatif

présent		passé composé		
je	**bats**	j'	ai	battu
tu	**bats**	tu	as	battu
il/elle	**bat**	il/elle	a	battu
nous	battons	nous	avons	battu
vous	battez	vous	avez	battu
ils/elles	battent	ils/elles	ont	battu

imparfait		plus-que-parfait		
je	battais	j'	avais	battu
tu	battais	tu	avais	battu
il/elle	battait	il/elle	avait	battu
nous	battions	nous	avions	battu
vous	battiez	vous	aviez	battu
ils/elles	battaient	ils/elles	avaient	battu

futur simple		futur antérieur		
je	battrai	j'	aurai	battu
tu	battras	tu	auras	battu
il/elle	battra	il/elle	aura	battu
nous	battrons	nous	aurons	battu
vous	battrez	vous	aurez	battu
ils/elles	battront	ils/elles	auront	battu

passé simple		passé antérieur		
je	battis	j'	eus	battu
tu	battis	tu	eus	battu
il/elle	battit	il/elle	eut	battu
nous	battîmes	nous	eûmes	battu
vous	battîtes	vous	eûtes	battu
ils/elles	battirent	ils/elles	eurent	battu

Conditionnel

présent		passé		
je	battrais	j'	aurais	battu
tu	battrais	tu	aurais	battu
il/elle	battrait	il/elle	aurait	battu
nous	battrions	nous	aurions	battu
vous	battriez	vous	auriez	battu
ils/elles	battraient	ils/elles	auraient	battu

3e groupe : verbes en -(TT)RE

74

rabattre, rebattre, combattre

Infinitif

présent	**passé**
battre	avoir battu

Participe

présent	**passé**
battant	battu/ue, battus/ues
	ayant battu

Impératif

présent	**passé**
bats	aie battu
battons	ayons battu
battez	ayez battu

Subjonctif

présent

que	je	batte
que	tu	battes
qu'	il/elle	batte
que	nous	battions
que	vous	battiez
qu'	ils/elles	battent

passé

que	j'	aie	battu
que	tu	aies	battu
qu'	il/elle	ait	battu
que	nous	ayons	battu
que	vous	ayez	battu
qu'	ils/elles	aient	battu

imparfait

que	je	battisse
que	tu	battisses
qu'	il/elle	battît
que	nous	battissions
que	vous	battissiez
qu'	ils/elles	battissent

plus-que-parfait

que	j'	eusse	battu
que	tu	eusses	battu
qu'	il/elle	eût	battu
que	nous	eussions	battu
que	vous	eussiez	battu
qu'	ils/elles	eussent	battu

Battre **et ses dérivés conservent dans toutes leurs formes au moins un *t* de leur radical : *Je bats, tu rabats.***

ATTENTION

Il y a deux *t* devant une voyelle *(je battais)* et devant un *r (je battrai)*.

Voir ***mettre*** (dont ***battre*** se distingue au passé simple et à l'imparfait du subjonctif).

75

CONNAÎTRE

méconnaître, reconnaître, paraître, apparaître,

Indicatif

présent		**passé composé**		
je	connais	j'	ai	connu
tu	connais	tu	as	connu
il/elle	**connaît**	il/elle	a	connu
nous	connaissons	nous	avons	connu
vous	connaissez	vous	avez	connu
ils/elles	connaissent	ils/elles	ont	connu

imparfait		**plus-que-parfait**		
je	connaissais	j'	avais	connu
tu	connaissais	tu	avais	connu
il/elle	connaissait	il/elle	avait	connu
nous	connaissions	nous	avions	connu
vous	connaissiez	vous	aviez	connu
ils/elles	connaissaient	ils/elles	avaient	connu

futur simple		**futur antérieur**		
je	**connaîtrai**	j'	aurai	connu
tu	**connaîtras**	tu	auras	connu
il/elle	**connaîtra**	il/elle	aura	connu
nous	**connaîtrons**	nous	aurons	connu
vous	**connaîtrez**	vous	aurez	connu
ils/elles	**connaîtront**	ils/elles	auront	connu

passé simple		**passé antérieur**		
je	connus	j'	eus	connu
tu	connus	tu	eus	connu
il/elle	connut	il/elle	eut	connu
nous	connûmes	nous	eûmes	connu
vous	connûtes	vous	eûtes	connu
ils/elles	connurent	ils/elles	eurent	connu

Conditionnel

présent		**passé**		
je	**connaîtrais**	j'	aurais	connu
tu	**connaîtrais**	tu	aurais	connu
il/elle	**connaîtrait**	il/elle	aurait	connu
nous	**connaîtrions**	nous	aurions	connu
vous	**connaîtriez**	vous	auriez	connu
ils/elles	**connaîtraient**	ils/elles	auraient	connu

3e groupe : verbes en -(AÎT)RE 75

comparaître, disparaître...

Infinitif

présent	passé
connaître	avoir connu

Participe

présent	passé
connaissant	connu/ue, connus/ues
	ayant connu

Impératif

présent	passé
connais	aie connu
connaissons	ayons connu
connaissez	ayez connu

Subjonctif

présent

que	je	connaisse
que	tu	connaisses
qu'	il/elle	connaisse
que	nous	connaissions
que	vous	connaissiez
qu'	ils/elles	connaissent

passé

que	j'	aie	connu
que	tu	aies	connu
qu'	il/elle	ait	connu
que	nous	ayons	connu
que	vous	ayez	connu
qu'	ils/elles	aient	connu

imparfait

que	je	connusse
que	tu	connusses
qu'	il/elle	connût
que	nous	connussions
que	vous	connussiez
qu'	ils/elles	connussent

plus-que-parfait

que	j'	eusse	connu
que	tu	eusses	connu
qu'	il/elle	eût	connu
que	nous	eussions	connu
que	vous	eussiez	connu
qu'	ils/elles	eussent	connu

Les verbes en *-aître* prennent un accent circonflexe sur le *i* chaque fois que celui-ci est suivi d'un *t (il connaît, il connaîtra).*

C'est permis ! La réforme orthographique de 1990 autorise la suppression de l'accent circonflexe chaque fois que celui-ci n'est pas discriminant : *Il conna**i**t, il conna**i**tra.*

NAÎTRE

renaître

Indicatif

présent

je	nais
tu	nais
il/elle	naît
nous	naissons
vous	naissez
ils/elles	naissent

passé composé

je	suis	né/ée
tu	es	né/ée
il/elle	est	né/ée
nous	sommes	nés/ées
vous	êtes	nés/ées
ils/elles	sont	nés/ées

imparfait

je	naissais
tu	naissais
il/elle	naissait
nous	naissions
vous	naissiez
ils/elles	naissaient

plus-que-parfait

j'	étais	né/ée
tu	étais	né/ée
il/elle	était	né/ée
nous	étions	nés/ées
vous	étiez	nés/ées
ils/elles	étaient	nés/ées

futur simple

je	naîtrai
tu	naîtras
il/elle	naîtra
nous	naîtrons
vous	naîtrez
ils/elles	naîtront

futur antérieur

je	serai	né/ée
tu	seras	né/ée
il/elle	sera	né/ée
nous	serons	nés/ées
vous	serez	nés/ées
ils/elles	seront	nés/ées

passé simple

je	naquis
tu	naquis
il/elle	naquit
nous	naquîmes
vous	naquîtes
ils/elles	naquirent

passé antérieur

je	fus	né/ée
tu	fus	né/ée
il/elle	fut	né/ée
nous	fûmes	nés/ées
vous	fûtes	nés/ées
ils/elles	furent	nés/ées

Conditionnel

présent

je	naîtrais
tu	naîtrais
il/elle	naîtrait
nous	naîtrions
vous	naîtriez
ils/elles	naîtraient

passé

je	serais	né/ée
tu	serais	né/ée
il/elle	serait	né/ée
nous	serions	nés/ées
vous	seriez	nés/ées
ils/elles	seraient	nés/ées

3e groupe : verbes en -(AÎT)RE 76

Infinitif

présent	passé
naître	être né/ée, nés/ées

Participe

présent	passé
naissant	né/née, nés/nées
	étant né/née/nés/nées

Impératif

présent	passé
nais	sois né/ée
naissons	soyons nés/ées
naissez	soyez nés/ées

Subjonctif

présent

que	je	naisse
que	tu	naisses
qu'	il/elle	naisse
que	nous	naissions
que	vous	naissiez
qu'	ils/elles	naissent

passé

que	je	sois	né/ée
que	tu	sois	né/ée
qu'	il/elle	soit	né/ée
que	nous	soyons	nés/ées
que	vous	soyez	nés/ées
qu'	ils/elles	soient	nés/ées

imparfait

que	je	naquisse
que	tu	naquisses
qu'	il/elle	naquît
que	nous	naquissions
que	vous	naquissiez
qu'	ils/elles	naquissent

plus-que-parfait

que	je	fusse	né/ée
que	tu	fusses	né/ée
qu'	il/elle	fût	né/ée
que	nous	fussions	nés/ées
que	vous	fussiez	nés/ées
qu'	ils/elles	fussent	nés/ées

- Les verbes en ***-aître*** prennent un accent circonflexe sur le ***i*** chaque fois qu'il est suivi d'un ***t (il naît, il naîtra, il naîtrait).***
- Le verbe ***naître*** se conjugue sur le modèle de ***connaître***, sauf au passé simple, au subjonctif imparfait, et au participe passé.
- ***Naître*** forme ses temps composés avec l'auxiliaire ***être***.
- ***Renaître*** n'a pas de participe passé, donc pas de temps composés.

C'est permis ! La réforme orthographique de 1990 autorise la suppression de l'accent circonflexe chaque fois que celui-ci n'est pas discriminant : *Il nait, il naitra.*

Indicatif

présent		passé composé		
je	dis	j'	ai	dit
tu	dis	tu	as	dit
il/elle	dit	il/elle	a	dit
nous	disons	nous	avons	dit
vous	dites	vous	avez	dit
ils/elles	disent	ils/elles	ont	dit

imparfait		plus-que-parfait		
je	disais	j'	avais	dit
tu	disais	tu	avais	dit
il/elle	disait	il/elle	avait	dit
nous	disions	nous	avions	dit
vous	disiez	vous	aviez	dit
ils/elles	disaient	ils/elles	avaient	dit

futur simple		futur antérieur		
je	dirai	j'	aurai	dit
tu	diras	tu	auras	dit
il/elle	dira	il/elle	aura	dit
nous	dirons	nous	aurons	dit
vous	direz	vous	aurez	dit
ils/elles	diront	ils/elles	auront	dit

passé simple		passé antérieur		
je	dis	j'	eus	dit
tu	dis	tu	eus	dit
il/elle	dit	il/elle	eut	dit
nous	dîmes	nous	eûmes	dit
vous	dîtes	vous	eûtes	dit
ils/elles	dirent	ils/elles	eurent	dit

Conditionnel

présent		passé		
je	dirais	j'	aurais	dit
tu	dirais	tu	aurais	dit
il/elle	dirait	il/elle	aurait	dit
nous	dirions	nous	aurions	dit
vous	diriez	vous	auriez	dit
ils/elles	diraient	ils/elles	auraient	dit

3e groupe : verbes en -(I)RE

77

Infinitif

présent	passé
dire	avoir dit

Participe

présent	passé
disant	dit/ite, dits/ites
	ayant dit

Impératif

présent	passé
dis	aie dit
disons	ayons dit
dites	ayez dit

Subjonctif

présent

que	je	dise
que	tu	dises
qu'	il/elle	dise
que	nous	disions
que	vous	disiez
qu'	ils/elles	disent

passé

que	j'	aie	dit
que	tu	aies	dit
qu'	il/elle	ait	dit
que	nous	ayons	dit
que	vous	ayez	dit
qu'	ils/elles	aient	dit

imparfait

que	je	disse
que	tu	disses
qu'	il/elle	dît
que	nous	dissions
que	vous	dissiez
qu'	ils/elles	dissent

plus-que-parfait

que	j'	eusse	dit
que	tu	eusses	dit
qu'	il/elle	eût	dit
que	nous	eussions	dit
que	vous	eussiez	dit
qu'	ils/elles	eussent	dit

- Parmi les dérivés de ***dire***, seul ***redire*** se conjugue exactement comme le verbe simple.
- Les dérivés du verbe ***dire*** se répartissent en trois classes, selon leur 2e personne du pluriel, au présent de l'indicatif :

- ***vous dites, vous redites***
- ***vous médisez, contredisez, dédisez, interdisez, prédisez***
- ***vous maudissez.***

78

contredire, dédire, interdire, prédire

Indicatif

présent		**passé composé**		
je	médis	j'	ai	médit
tu	médis	tu	as	médit
il/elle	médit	il/elle	a	médit
nous	médisons	nous	avons	médit
vous	médisez	vous	avez	médit
ils/elles	médisent	ils/elles	ont	médit

imparfait		**plus-que-parfait**		
je	médisais	j'	avais	médit
tu	médisais	tu	avais	médit
il/elle	médisait	il/elle	avait	médit
nous	médisions	nous	avions	médit
vous	médisiez	vous	aviez	médit
ils/elles	médisaient	ils/elles	avaient	médit

futur simple		**futur antérieur**		
je	médirai	j'	aurai	médit
tu	médiras	tu	auras	médit
il/elle	médira	il/elle	aura	médit
nous	médirons	nous	aurons	médit
vous	médirez	vous	aurez	médit
ils/elles	médiront	ils/elles	auront	médit

passé simple		**passé antérieur**		
je	médis	j'	eus	médit
tu	médis	tu	eus	médit
il/elle	médit	il/elle	eut	médit
nous	médîmes	nous	eûmes	médit
vous	médîtes	vous	eûtes	médit
ils/elles	médirent	ils/elles	eurent	médit

Conditionnel

présent		**passé**		
je	médirais	j'	aurais	médit
tu	médirais	tu	aurais	médit
il/elle	médirait	il/elle	aurait	médit
nous	médirions	nous	aurions	médit
vous	médiriez	vous	auriez	médit
ils/elles	médiraient	ils/elles	auraient	médit

3e groupe : verbes en -(I)RE

78

Infinitif

présent	**passé**
médire	avoir médit

Participe

présent	**passé**
médisant	médit
	ayant médit

Impératif

présent	**passé**
médis	aie médit
médisons	ayons médit
médisez	ayez médit

Subjonctif

présent

que	je	médise
que	tu	médises
qu'	il/elle	médise
que	nous	médisions
que	vous	médisiez
qu'	ils/elles	médisent

passé

que	j'	aie	médit
que	tu	aies	médit
qu'	il/elle	ait	médit
que	nous	ayons	médit
que	vous	ayez	médit
qu'	ils/elles	aient	médit

imparfait

que	je	médisse
que	tu	médisses
qu'	il/elle	médît
que	nous	médissions
que	vous	médissiez
qu'	ils/elles	médissent

plus-que-parfait

que	j'	eusse	médit
que	tu	eusses	médit
qu'	il/elle	eût	médit
que	nous	eussions	médit
que	vous	eussiez	médit
qu'	ils/elles	eussent	médit

- Parmi les dérivés de ***dire***, seul ***redire*** se conjugue exactement comme le verbe simple.
- Les dérivés du verbe ***dire*** se répartissent en trois classes, selon leur 2e personne du pluriel, au présent de l'indicatif :

- ***vous dites, vous redites***
- ***vous médisez, contredisez, dédisez, interdisez, prédisez***
- ***vous maudissez.***

ATTENTION

Le participe passé du verbe *médire* est invariable.

Indicatif

présent		passé composé		
je	maudis	j'	ai	maudit
tu	maudis	tu	as	maudit
il/elle	maudit	il/elle	a	maudit
nous	maudissons	nous	avons	maudit
vous	maudissez	vous	avez	maudit
ils/elles	maudissent	ils/elles	ont	maudit

imparfait		plus-que-parfait		
je	maudissais	j'	avais	maudit
tu	maudissais	tu	avais	maudit
il/elle	maudissait	il/elle	avait	maudit
nous	maudissions	nous	avions	maudit
vous	maudissiez	vous	aviez	maudit
ils/elles	maudissaient	ils/elles	avaient	maudit

futur simple		futur antérieur		
je	maudirai	j'	aurai	maudit
tu	maudiras	tu	auras	maudit
il/elle	maudira	il/elle	aura	maudit
nous	maudirons	nous	aurons	maudit
vous	maudirez	vous	aurez	maudit
ils/elles	maudiront	ils/elles	auront	maudit

passé simple		passé antérieur		
je	maudis	j'	eus	maudit
tu	maudis	tu	eus	maudit
il/elle	maudit	il/elle	eut	maudit
nous	maudîmes	nous	eûmes	maudit
vous	maudîtes	vous	eûtes	maudit
ils/elles	maudirent	ils/elles	eurent	maudit

Conditionnel

présent		passé		
je	maudirais	j'	aurais	maudit
tu	maudirais	tu	aurais	maudit
il/elle	maudirait	il/elle	aurait	maudit
nous	maudirions	nous	aurions	maudit
vous	maudiriez	vous	auriez	maudit
ils/elles	maudiraient	ils/elles	auraient	maudit

3e groupe : verbes en -(I)RE

79

Infinitif

présent	passé
maudire	avoir maudit

Participe

présent	passé
maudissant	maudit/te, maudits/tes
	ayant maudit

Impératif

présent	passé
maudis	aie maudit
maudissons	ayons maudit
maudissez	ayez maudit

Subjonctif

présent

que	je	maudisse
que	tu	maudisses
qu'	il/elle	maudisse
que	nous	maudissions
que	vous	maudissiez
qu'	ils/elles	maudissent

passé

que	j'	aie	maudit
que	tu	aies	maudit
qu'	il/elle	ait	maudit
que	nous	ayons	maudit
que	vous	ayez	maudit
qu'	ils/elles	aient	maudit

imparfait

que	je	maudisse
que	tu	maudisses
qu'	il/elle	maudît
que	nous	maudissions
que	vous	maudissiez
qu'	ils/elles	maudissent

plus-que-parfait

que	j'	eusse	maudit
que	tu	eusses	maudit
qu'	il/elle	eût	maudit
que	nous	eussions	maudit
que	vous	eussiez	maudit
qu'	ils/elles	eussent	maudit

Maudire se conjugue sur le modèle des verbes du deuxième groupe, bien qu'il appartienne au troisième groupe par son infinitif et son participe passé. En effet, toutes ses formes se rattachent à la conjugaison de ***finir***, sauf l'infinitif en ***-ire*** et le participe passé en ***-it (maudit)***. C'est le seul dérivé de ***dire*** qui se conjugue ainsi.

Vous avez dit bizarre ? Le verbe *maudire* a changé sa conjugaison sous l'influence de son antonyme *bénir*.

BRUIRE

Indicatif

présent

je	bruis
tu	bruis
il/elle	bruit
nous	bruissons
vous	bruissez
ils/elles	bruissent

imparfait

je	bruissais
tu	bruissais
il/elle	bruissait
nous	bruissions
vous	bruissiez
ils/elles	bruissaient

futur simple

je	bruirai
tu	bruiras
il/elle	bruira
nous	bruirons
vous	bruirez
ils/elles	bruiront

passé simple

je	bruis
tu	bruis
il/elle	bruit
nous	bruîmes
vous	bruîtes
ils/elles	bruirent

passé composé

j'	ai	bruit
tu	as	bruit
il/elle	a	bruit
nous	avons	bruit
vous	avez	bruit
ils/elles	ont	bruit

plus-que-parfait

j'	avais	bruit
tu	avais	bruit
il/elle	avait	bruit
nous	avions	bruit
vous	aviez	bruit
ils/elles	avaient	bruit

futur antérieur

j'	aurai	bruit
tu	auras	bruit
il/elle	aura	bruit
nous	aurons	bruit
vous	aurez	bruit
ils/elles	auront	bruit

passé antérieur

j'	eus	bruit
tu	eus	bruit
il/elle	eut	bruit
nous	eûmes	bruit
vous	eûtes	bruit
ils/elles	eurent	bruit

Conditionnel

présent

je	bruirais
tu	bruirais
il/elle	bruirait
nous	bruirions
vous	bruiriez
ils/elles	bruiraient

passé

j'	aurais	bruit
tu	aurais	bruit
il/elle	aurait	bruit
nous	aurions	bruit
vous	auriez	bruit
ils/elles	auraient	bruit

3e groupe : verbes en -(I)RE

Infinitif

présent	**passé**
bruire	avoir bruit

Participe

présent	**passé**
bruissant	bruit
	ayant bruit

Impératif

présent	**passé**
bruis	aie bruit
bruissons	ayons bruit
bruissez	ayez bruit

Subjonctif

présent

que	je	bruisse
que	tu	bruisses
qu'	il/elle	bruisse
que	nous	bruissions
que	vous	bruissiez
qu'	ils/elles	bruissent

imparfait

inusité

passé

que	j'	aie	bruit
que	tu	aies	bruit
qu'	il/elle	ait	bruit
que	nous	ayons	bruit
que	vous	ayez	bruit
qu'	ils/elles	aient	bruit

plus-que-parfait

que	j'	eusse	bruit
que	tu	eusses	bruit
qu'	il/elle	eût	bruit
que	nous	eussions	bruit
que	vous	eussiez	bruit
qu'	ils/elles	eussent	bruit

- ***Bruire***, verbe du 3e groupe, a calqué ses formes sur ***finir***, verbe du 2e groupe, avec une alternance du radical ***brui-/bruiss-*** (le second radical étant formé sur le substantif ***bruissement***). ***Bruire*** s'emploie surtout à l'infinitif et au participe présent, il est rare en dehors de la 3e personne.
- L'ancien participe présent ***bruyant*** subsiste comme adjectif.

c'est là qu'on se trompe Une forme d'infinitif calquée sur le premier groupe, *bruisser*, s'est créée à partir des formes en *-ss-* de *bruire*. C'est une forme condamnée par l'Académie.

ÉCRIRE

décrire, récrire, circonscrire, inscrire, prescrire,

Indicatif

présent

j'	écris
tu	écris
il/elle	écrit
nous	écrivons
vous	écrivez
ils/elles	écrivent

passé composé

j'	ai	écrit
tu	as	écrit
il/elle	a	écrit
nous	avons	écrit
vous	avez	écrit
ils/elles	ont	écrit

imparfait

j'	écrivais
tu	écrivais
il/elle	écrivait
nous	écrivions
vous	écriviez
ils/elles	écrivaient

plus-que-parfait

j'	avais	écrit
tu	avais	écrit
il/elle	avait	écrit
nous	avions	écrit
vous	aviez	écrit
ils/elles	avaient	écrit

futur simple

j'	écrirai
tu	écriras
il/elle	écrira
nous	écrirons
vous	écrirez
ils/elles	écriront

futur antérieur

j'	aurai	écrit
tu	auras	écrit
il/elle	aura	écrit
nous	aurons	écrit
vous	aurez	écrit
ils/elles	auront	écrit

passé simple

j'	écrivis
tu	écrivis
il/elle	écrivit
nous	écrivîmes
vous	écrivîtes
ils/elles	écrivirent

passé antérieur

j'	eus	écrit
tu	eus	écrit
il/elle	eut	écrit
nous	eûmes	écrit
vous	eûtes	écrit
ils/elles	eurent	écrit

Conditionnel

présent

j'	écrirais
tu	écrirais
il/elle	écrirait
nous	écririons
vous	écririez
ils/elles	écriraient

passé

j'	aurais	écrit
tu	aurais	écrit
il/elle	aurait	écrit
nous	aurions	écrit
vous	auriez	écrit
ils/elles	auraient	écrit

3e groupe : verbes en -(I)RE

81

proscrire, souscrire, transcrire, réinscrire, retranscrire

Infinitif

présent	**passé**
écrire	avoir écrit

Participe

présent	**passé**
écrivant	écrit/te, écrits/tes
	ayant écrit

Impératif

présent	**passé**
écris	aie écrit
écrivons	ayons écrit
écrivez	ayez écrit

Subjonctif

présent

que	j'	écrive
que	tu	écrives
qu'	il/elle	écrive
que	nous	écrivions
que	vous	écriviez
qu'	ils/elles	écrivent

passé

que	j'	aie	écrit
que	tu	aies	écrit
qu'	il/elle	ait	écrit
que	nous	ayons	écrit
que	vous	ayez	écrit
qu'	ils/elles	aient	écrit

imparfait

que	j'	écrivisse
que	tu	écrivisses
qu'	il/elle	écrivît
que	nous	écrivissions
que	vous	écrivissiez
qu'	ils/elles	écrivissent

plus-que-parfait

que	j'	eusse	écrit
que	tu	eusses	écrit
qu'	il/elle	eût	écrit
que	nous	eussions	écrit
que	vous	eussiez	écrit
qu'	ils/elles	eussent	écrit

Écrire et ses dérivés se conjuguent comme ***dire***, mais avec une base longue en ***v-*** ***(écriv-)***, qui sert à construire le participe présent, les pluriels du présent de l'indicatif et de l'impératif, l'indicatif imparfait et passé simple, et le subjonctif présent et imparfait.

82 LIRE

relire, élire, réélire

Indicatif

présent

je	lis
tu	lis
il/elle	lit
nous	lisons
vous	lisez
ils/elles	lisent

passé composé

j'	ai	lu
tu	as	lu
il/elle	a	lu
nous	avons	lu
vous	avez	lu
ils/elles	ont	lu

imparfait

je	lisais
tu	lisais
il/elle	lisait
nous	lisions
vous	lisiez
ils/elles	lisaient

plus-que-parfait

j'	avais	lu
tu	avais	lu
il/elle	avait	lu
nous	avions	lu
vous	aviez	lu
ils/elles	avaient	lu

futur simple

je	lirai
tu	liras
il/elle	lira
nous	lirons
vous	lirez
ils/elles	liront

futur antérieur

j'	aurai	lu
tu	auras	lu
il/elle	aura	lu
nous	aurons	lu
vous	aurez	lu
ils/elles	auront	lu

passé simple

je	lus
tu	lus
il/elle	lut
nous	lûmes
vous	lûtes
ils/elles	lurent

passé antérieur

j'	eus	lu
tu	eus	lu
il/elle	eut	lu
nous	eûmes	lu
vous	eûtes	lu
ils/elles	eurent	lu

Conditionnel

présent

je	lirais
tu	lirais
il/elle	lirait
nous	lirions
vous	liriez
ils/elles	liraient

passé

j'	aurais	lu
tu	aurais	lu
il/elle	aurait	lu
nous	aurions	lu
vous	auriez	lu
ils/elles	auraient	lu

3e groupe : verbes en -(I)RE

82

Infinitif

présent	**passé**
lire	avoir lu

Participe

présent	**passé**
lisant	lu/ue, lus/ues
	ayant lu

Impératif

présent	**passé**
lis	aie lu
lisons	ayons lu
lisez	ayez lu

Subjonctif

présent

que	je	lise
que	tu	lises
qu'	il/elle	lise
que	nous	lisions
que	vous	lisiez
qu'	ils/elles	lisent

passé

que	j'	aie	lu
que	tu	aies	lu
qu'	il/elle	ait	lu
que	nous	ayons	lu
que	vous	ayez	lu
qu'	ils/elles	aient	lu

imparfait

que	je	lusse
que	tu	lusses
qu'	il/elle	lût
que	nous	lussions
que	vous	lussiez
qu'	ils/elles	lussent

plus-que-parfait

que	j'	eusse	lu
que	tu	eusses	lu
qu'	il/elle	eût	lu
que	nous	eussions	lu
que	vous	eussiez	lu
qu'	ils/elles	eussent	lu

Le verbe ***lire*** se conjugue comme ***dire***, sauf au passé simple ***(je lus)***, au subjonctif imparfait ***(que je lusse)***, et au participe passé ***(lu)***, où il a des formes en ***u***.

RIRE

sourire

Indicatif

présent

je	ris
tu	ris
il/elle	rit
nous	rions
vous	riez
ils/elles	rient

passé composé

j'	ai	ri
tu	as	ri
il/elle	a	ri
nous	avons	ri
vous	avez	ri
ils/elles	ont	ri

imparfait

je	riais
tu	riais
il/elle	riait
nous	riions
vous	riiez
ils/elles	riaient

plus-que-parfait

j'	avais	ri
tu	avais	ri
il/elle	avait	ri
nous	avions	ri
vous	aviez	ri
ils/elles	avaient	ri

futur simple

je	rirai
tu	riras
il/elle	rira
nous	rirons
vous	rirez
ils/elles	riront

futur antérieur

j'	aurai	ri
tu	auras	ri
il/elle	aura	ri
nous	aurons	ri
vous	aurez	ri
ils/elles	auront	ri

passé simple

je	ris
tu	ris
il/elle	rit
nous	rîmes
vous	rîtes
ils/elles	rirent

passé antérieur

j'	eus	ri
tu	eus	ri
il/elle	eut	ri
nous	eûmes	ri
vous	eûtes	ri
ils/elles	eurent	ri

Conditionnel

présent

je	rirais
tu	rirais
il/elle	rirait
nous	ririons
vous	ririez
ils/elles	riraient

passé

j'	aurais	ri
tu	aurais	ri
il/elle	aurait	ri
nous	aurions	ri
vous	auriez	ri
ils/elles	auraient	ri

3e groupe : verbes en -(I)RE

83

Infinitif

présent	passé
rire	avoir ri

Participe

présent	passé
riant	ri
	ayant ri

Impératif

présent	passé
ris	aie ri
rions	ayons ri
riez	ayez ri

Subjonctif

présent

que	je	rie
que	tu	ries
qu'	il/elle	rie
que	nous	riions
que	vous	riiez
qu'	ils/elles	rient

passé

que	j'	aie	ri
que	tu	aies	ri
qu'	il/elle	ait	ri
que	nous	ayons	ri
que	vous	ayez	ri
qu'	ils/elles	aient	ri

imparfait

que	je	risse
que	tu	risses
qu'	il/elle	rît
que	nous	rissions
que	vous	rissiez
qu'	ils/elles	rissent

plus-que-parfait

que	j'	eusse	ri
que	tu	eusses	ri
qu'	il/elle	eût	ri
que	nous	eussions	ri
que	vous	eussiez	ri
qu'	ils/elles	eussent	ri

ATTENTION

- À l'indicatif imparfait et au subjonctif présent, aux 1re et 2e personnes du pluriel, les formes présentent une succession de deux *i (nous r**ii**ons, que vous r**ii**ez).*
- Le participe passé de *rire* ne prend pas de *-t (r**i**)*. Il est invariable, même dans l'emploi pronominal : *Elles se sont **ri** de notre mésaventure.*

SUFFIRE

Indicatif

présent

je	suffis
tu	suffis
il/elle	suffit
nous	suffisons
vous	suffisez
ils/elles	suffisent

passé composé

j'	ai	suffi
tu	as	suffi
il/elle	a	suffi
nous	avons	suffi
vous	avez	suffi
ils/elles	ont	suffi

imparfait

je	suffisais
tu	suffisais
il/elle	suffisait
nous	suffisions
vous	suffisiez
ils/elles	suffisaient

plus-que-parfait

j'	avais	suffi
tu	avais	suffi
il/elle	avait	suffi
nous	avions	suffi
vous	aviez	suffi
ils/elles	avaient	suffi

futur simple

je	suffirai
tu	suffiras
il/elle	suffira
nous	suffirons
vous	suffirez
ils/elles	suffiront

futur antérieur

j'	aurai	suffi
tu	auras	suffi
il/elle	aura	suffi
nous	aurons	suffi
vous	aurez	suffi
ils/elles	auront	suffi

passé simple

je	suffis
tu	suffis
il/elle	suffit
nous	suffîmes
vous	suffîtes
ils/elles	suffirent

passé antérieur

j'	eus	suffi
tu	eus	suffi
il/elle	eut	suffi
nous	eûmes	suffi
vous	eûtes	suffi
ils/elles	eurent	suffi

Conditionnel

présent

je	suffirais
tu	suffirais
il/elle	suffirait
nous	suffirions
vous	suffiriez
ils/elles	suffiraient

passé

j'	aurais	suffi
tu	aurais	suffi
il/elle	aurait	suffi
nous	aurions	suffi
vous	auriez	suffi
ils/elles	auraient	suffi

3e groupe : verbes en -(I)RE

84

Infinitif

présent	passé
suffire	avoir suffi

Participe

présent	passé
suffisant	suffi
	ayant suffi

Impératif

présent	passé
suffis	aie suffi
suffisons	ayons suffi
suffisez	ayez suffi

Subjonctif

présent

que	je	suffise
que	tu	suffises
qu'	il/elle	suffise
que	nous	suffisions
que	vous	suffisiez
qu'	ils/elles	suffisent

passé

que	j'	aie	suffi
que	tu	aies	suffi
qu'	il/elle	ait	suffi
que	nous	ayons	suffi
que	vous	ayez	suffi
qu'	ils/elles	aient	suffi

imparfait

que	je	suffisse
que	tu	suffisses
qu'	il/elle	suffît
que	nous	suffissions
que	vous	suffissiez
qu'	ils/elles	suffissent

plus-que-parfait

que	j'	eusse	suffi
que	tu	eusses	suffi
qu'	il/elle	eût	suffi
que	nous	eussions	suffi
que	vous	eussiez	suffi
qu'	ils/elles	eussent	suffi

Le verbe ***suffire*** se conjugue comme ***dire***, mais son participe passé est invariable et ne prend pas de -***t (suffi)***.

ATTENTION

Suffire prend deux *f* dans toute sa conjugaison.

85 CONDUIRE

déduire, introduire, produire, séduire, traduire,

Indicatif

présent		passé composé		
je	conduis	j'	ai	conduit
tu	conduis	tu	as	conduit
il/elle	conduit	il/elle	a	conduit
nous	conduisons	nous	avons	conduit
vous	conduisez	vous	avez	conduit
ils/elles	conduisent	ils/elles	ont	conduit

imparfait		plus-que-parfait		
je	conduisais	j'	avais	conduit
tu	conduisais	tu	avais	conduit
il/elle	conduisait	il/elle	avait	conduit
nous	conduisions	nous	avions	conduit
vous	conduisiez	vous	aviez	conduit
ils/elles	conduisaient	ils/elles	avaient	conduit

futur simple		futur antérieur		
je	conduirai	j'	aurai	conduit
tu	conduiras	tu	auras	conduit
il/elle	conduira	il/elle	aura	conduit
nous	conduirons	nous	aurons	conduit
vous	conduirez	vous	aurez	conduit
ils/elles	conduiront	ils/elles	auront	conduit

passé simple		passé antérieur		
je	conduisis	j'	eus	conduit
tu	conduisis	tu	eus	conduit
il/elle	conduisit	il/elle	eut	conduit
nous	conduisîmes	nous	eûmes	conduit
vous	conduisîtes	vous	eûtes	conduit
ils/elles	conduisirent	ils/elles	eurent	conduit

Conditionnel

présent		passé		
je	conduirais	j'	aurais	conduit
tu	conduirais	tu	aurais	conduit
il/elle	conduirait	il/elle	aurait	conduit
nous	conduirions	nous	aurions	conduit
vous	conduiriez	vous	auriez	conduit
ils/elles	conduiraient	ils/elles	auraient	conduit

3e groupe : verbes en -(UI)RE

réduire, construire, détruire, instruire, nuire, luire...

85

Infinitif

présent	**passé**
conduire	avoir conduit

Participe

présent	**passé**
conduisant	conduit/te, conduits/tes
	ayant conduit

Impératif

présent	**passé**
conduis	aie conduit
conduisons	ayons conduit
conduisez	ayez conduit

Subjonctif

présent			**passé**			
que	je	conduise	que	j'	aie	conduit
que	tu	conduises	que	tu	aies	conduit
qu'	il/elle	conduise	qu'	il/elle	ait	conduit
que	nous	conduisions	que	nous	ayons	conduit
que	vous	conduisiez	que	vous	ayez	conduit
qu'	ils/elles	conduisent	qu'	ils/elles	aient	conduit

imparfait			**plus-que-parfait**			
que	je	conduisisse	que	j'	eusse	conduit
que	tu	conduisisses	que	tu	eusses	conduit
qu'	il/elle	conduisît	qu'	il/elle	eût	conduit
que	nous	conduisissions	que	nous	eussions	conduit
que	vous	conduisissiez	que	vous	eussiez	conduit
qu'	ils/elles	conduisissent	qu'	ils/elles	eussent	conduit

Les verbes qui se conjuguent sur le modèle de ***conduire*** ont un passé simple en ***-uisi-*** ***(je traduisis, je construisis)*** et un participe passé en ***-uit (traduit, construit).***

c'est là qu'on se trompe *Nuire, luire* et *reluire* se conjuguent sur le modèle de *conduire*, mais ne prennent pas de *-t* au participe passé *(nui, lui, relui).*

SUIVRE

poursuivre, s'ensuivre

Indicatif

présent		passé composé		
je	suis	j'	ai	suivi
tu	suis	tu	as	suivi
il/elle	suit	il/elle	a	suivi
nous	suivons	nous	avons	suivi
vous	suivez	vous	avez	suivi
ils/elles	suivent	ils/elles	ont	suivi

imparfait		plus-que-parfait		
je	suivais	j'	avais	suivi
tu	suivais	tu	avais	suivi
il/elle	suivait	il/elle	avait	suivi
nous	suivions	nous	avions	suivi
vous	suiviez	vous	aviez	suivi
ils/elles	suivaient	ils/elles	avaient	suivi

futur simple		futur antérieur		
je	suivrai	j'	aurai	suivi
tu	suivras	tu	auras	suivi
il/elle	suivra	il/elle	aura	suivi
nous	suivrons	nous	aurons	suivi
vous	suivrez	vous	aurez	suivi
ils/elles	suivront	ils/elles	auront	suivi

passé simple		passé antérieur		
je	suivis	j'	eus	suivi
tu	suivis	tu	eus	suivi
il/elle	suivit	il/elle	eut	suivi
nous	suivîmes	nous	eûmes	suivi
vous	suivîtes	vous	eûtes	suivi
ils/elles	suivirent	ils/elles	eurent	suivi

Conditionnel

présent		passé		
je	suivrais	j'	aurais	suivi
tu	suivrais	tu	aurais	suivi
il/elle	suivrait	il/elle	aurait	suivi
nous	suivrions	nous	aurions	suivi
vous	suivriez	vous	auriez	suivi
ils/elles	suivraient	ils/elles	auraient	suivi

3e groupe : verbes en -(IV)RE

86

Infinitif

présent	**passé**
suivre	avoir suivi

Participe

présent	**passé**
suivant	suivi/ie, suivis/ies
	ayant suivi

Impératif

présent	**passé**
suis	aie suivi
suivons	ayons suivi
suivez	ayez suivi

Subjonctif

présent

que	je	suive
que	tu	suives
qu'	il/elle	suive
que	nous	suivions
que	vous	suiviez
qu'	ils/elles	suivent

passé

que	j'	aie	suivi
que	tu	aies	suivi
qu'	il/elle	ait	suivi
que	nous	ayons	suivi
que	vous	ayez	suivi
qu'	ils/elles	aient	suivi

imparfait

que	je	suivisse
que	tu	suivisses
qu'	il/elle	suivît
que	nous	suivissions
que	vous	suivissiez
qu'	ils/elles	suivissent

plus-que-parfait

que	j'	eusse	suivi
que	tu	eusses	suivi
qu'	il/elle	eût	suivi
que	nous	eussions	suivi
que	vous	eussiez	suivi
qu'	ils/elles	eussent	suivi

La base ***sui-*** est utilisée devant les désinences en ***-s (je suis)*** et en ***-t (il suit)***.

ATTENTION

- Le participe passé de *suivre* ne prend pas de *-t (suivi, suivie)*.
- Le verbe *s'ensuivre*, essentiellement pronominal, se conjugue sur le modèle de *suivre*, mais il forme ses temps composés avec *être* et n'est employé qu'aux 3es personnes et à l'infinitif.

VIVRE

revivre, survivre

Indicatif

présent

je	vis
tu	vis
il/elle	vit
nous	vivons
vous	vivez
ils/elles	vivent

passé composé

j'	ai	vécu
tu	as	vécu
il/elle	a	vécu
nous	avons	vécu
vous	avez	vécu
ils/elles	ont	vécu

imparfait

je	vivais
tu	vivais
il/elle	vivait
nous	vivions
vous	viviez
ils/elles	vivaient

plus-que-parfait

j'	avais	vécu
tu	avais	vécu
il/elle	avait	vécu
nous	avions	vécu
vous	aviez	vécu
ils/elles	avaient	vécu

futur simple

je	vivrai
tu	vivras
il/elle	vivra
nous	vivrons
vous	vivrez
ils/elles	vivront

futur antérieur

j'	aurai	vécu
tu	auras	vécu
il/elle	aura	vécu
nous	aurons	vécu
vous	aurez	vécu
ils/elles	auront	vécu

passé simple

je	vécus
tu	vécus
il/elle	vécut
nous	vécûmes
vous	vécûtes
ils/elles	vécurent

passé antérieur

j'	eus	vécu
tu	eus	vécu
il/elle	eut	vécu
nous	eûmes	vécu
vous	eûtes	vécu
ils/elles	eurent	vécu

Conditionnel

présent

je	vivrais
tu	vivrais
il/elle	vivrait
nous	vivrions
vous	vivriez
ils/elles	vivraient

passé

j'	aurais	vécu
tu	aurais	vécu
il/elle	aurait	vécu
nous	aurions	vécu
vous	auriez	vécu
ils/elles	auraient	vécu

3e groupe : verbes en -(IV)RE

87

Infinitif

présent	**passé**
vivre	avoir vécu

Participe

présent	**passé**
vivant	vécu/ue, vécus/ues
	ayant vécu

Impératif

présent	**passé**
vis	aie vécu
vivons	ayons vécu
vivez	ayez vécu

Subjonctif

présent

que	je	vive
que	tu	vives
qu'	il/elle	vive
que	nous	vivions
que	vous	viviez
qu'	ils/elles	vivent

passé

que	j'	aie	vécu
que	tu	aies	vécu
qu'	il/elle	ait	vécu
que	nous	ayons	vécu
que	vous	ayez	vécu
qu'	ils/elles	aient	vécu

imparfait

que	je	vécusse
que	tu	vécusses
qu'	il/elle	vécût
que	nous	vécussions
que	vous	vécussiez
qu'	ils/elles	vécussent

plus-que-parfait

que	j'	eusse	vécu
que	tu	eusses	vécu
qu'	il/elle	eût	vécu
que	nous	eussions	vécu
que	vous	eussiez	vécu
qu'	ils/elles	eussent	vécu

- La base ***vi-*** est utilisée devant les désinences en ***-s (je vis)*** et en ***-t (il vit)***.
- La base ***véc-*** sert à construire le passé simple ***(je vécus)***, le subjonctif imparfait ***(que je vécusse)*** et le participe passé ***(vécu)***, à l'aide des désinences en ***-u.***

ATTENTION

Survivre se conjugue sur le modèle de *vivre*, mais son participe passé est invariable *(survécu)*.

CROIRE

accroire

Indicatif

présent		passé composé		
je	crois	j'	ai	cru
tu	crois	tu	as	cru
il/elle	croit	il/elle	a	cru
nous	croyons	nous	avons	cru
vous	croyez	vous	avez	cru
ils/elles	croient	ils/elles	ont	cru

imparfait		plus-que-parfait		
je	croyais	j'	avais	cru
tu	croyais	tu	avais	cru
il/elle	croyait	il/elle	avait	cru
nous	croyions	nous	avions	cru
vous	croyiez	vous	aviez	cru
ils/elles	croyaient	ils/elles	avaient	cru

futur simple		futur antérieur		
je	croirai	j'	aurai	cru
tu	croiras	tu	auras	cru
il/elle	croira	il/elle	aura	cru
nous	croirons	nous	aurons	cru
vous	croirez	vous	aurez	cru
ils/elles	croiront	ils/elles	auront	cru

passé simple		passé antérieur		
je	crus	j'	eus	cru
tu	crus	tu	eus	cru
il/elle	crut	il/elle	eut	cru
nous	crûmes	nous	eûmes	cru
vous	crûtes	vous	eûtes	cru
ils/elles	crurent	ils/elles	eurent	cru

Conditionnel

présent		passé		
je	croirais	j'	aurais	cru
tu	croirais	tu	aurais	cru
il/elle	croirait	il/elle	aurait	cru
nous	croirions	nous	aurions	cru
vous	croiriez	vous	auriez	cru
ils/elles	croiraient	ils/elles	auraient	cru

3e groupe : verbes en -(OI)RE

88

Infinitif

présent	**passé**
croire	avoir cru

Participe

présent	**passé**
croyant	cru/ue, crus/ues
	ayant cru

Impératif

présent	**passé**
crois	aie cru
croyons	ayons cru
croyez	ayez cru

Subjonctif

présent

que	je	croie
que	tu	croies
qu'	il/elle	croie
que	nous	croyions
que	vous	croyiez
qu'	ils/elles	croient

passé

que	j'	aie	cru
que	tu	aies	cru
qu'	il/elle	ait	cru
que	nous	ayons	cru
que	vous	ayez	cru
qu'	ils/elles	aient	cru

imparfait

que	je	crusse
que	tu	crusses
qu'	il/elle	crût
que	nous	crussions
que	vous	crussiez
qu'	ils/elles	crussent

plus-que-parfait

que	j'	eusse	cru
que	tu	eusses	cru
qu'	il/elle	eût	cru
que	nous	eussions	cru
que	vous	eussiez	cru
qu'	ils/elles	eussent	cru

ATTENTION

À l'indicatif imparfait et au subjonctif présent, *croire* prend un *i* après *y* aux 1re et 2e personnes du pluriel *(nous croy**i**ons, que vous croy**i**ez)*.

Vous avez dit bizarre ? *Accroire*, seul dérivé du verbe *croire*, n'est employé qu'à l'infinitif, après *faire* et *laisser (en faire accroire à quelqu'un)*.

BOIRE

reboire

Indicatif

présent

je	bois
tu	bois
il/elle	boit
nous	buvons
vous	buvez
ils/elles	boivent

passé composé

j'	ai	bu
tu	as	bu
il/elle	a	bu
nous	avons	bu
vous	avez	bu
ils/elles	ont	bu

imparfait

je	buvais
tu	buvais
il/elle	buvait
nous	buvions
vous	buviez
ils/elles	buvaient

plus-que-parfait

j'	avais	bu
tu	avais	bu
il/elle	avait	bu
nous	avions	bu
vous	aviez	bu
ils/elles	avaient	bu

futur simple

je	boirai
tu	boiras
il/elle	boira
nous	boirons
vous	boirez
ils/elles	boiront

futur antérieur

j'	aurai	bu
tu	auras	bu
il/elle	aura	bu
nous	aurons	bu
vous	aurez	bu
ils/elles	auront	bu

passé simple

je	bus
tu	bus
il/elle	but
nous	bûmes
vous	bûtes
ils/elles	burent

passé antérieur

j'	eus	bu
tu	eus	bu
il/elle	eut	bu
nous	eûmes	bu
vous	eûtes	bu
ils/elles	eurent	bu

Conditionnel

présent

je	boirais
tu	boirais
il/elle	boirait
nous	boirions
vous	boiriez
ils/elles	boiraient

passé

j'	aurais	bu
tu	aurais	bu
il/elle	aurait	bu
nous	aurions	bu
vous	auriez	bu
ils/elles	auraient	bu

3e groupe : verbes en -(OI)RE

89

Infinitif

présent	**passé**
boire	avoir bu

Participe

présent	**passé**
buvant	bu/ue, bus/ues
	ayant bu

Impératif

présent	**passé**
bois	aie bu
buvons	ayons bu
buvez	ayez bu

Subjonctif

présent			**passé**			
que	je	boive	que	j'	aie	bu
que	tu	boives	que	tu	aies	bu
qu'	il/elle	boive	qu'	il/elle	ait	bu
que	nous	buvions	que	nous	ayons	bu
que	vous	buviez	que	vous	ayez	bu
qu'	ils/elles	boivent	qu'	ils/elles	aient	bu
imparfait			**plus-que-parfait**			
que	je	busse	que	j'	eusse	bu
que	tu	busses	que	tu	eusses	bu
qu'	il/elle	bût	qu'	il/elle	eût	bu
que	nous	bussions	que	nous	eussions	bu
que	vous	bussiez	que	vous	eussiez	bu
qu'	ils/elles	bussent	qu'	ils/elles	eussent	bu

ATTENTION

À l'indicatif présent, trois bases différentes sont utilisées : *boi- (je **boi**s), buv- (nous **buv**ons), boiv- (ils **boiv**ent).*

Vous avez dit bizarre ? • De la conjugaison de l'ancien verbe *emboire*, il ne subsiste que le participe passé *(imbu)* et le nom tiré du verbe *(embu).*

• De l'ancien verbe *fourboire*, il reste le participe passé *(fourbu).*

SE DISTRAIRE

abstraire, extraire, soustraire, traire, braire

Indicatif

présent

je	me	distrais
tu	te	distrais
il/elle	se	distrait
nous	nous	distrayons
vous	vous	distrayez
ils/elles	se	distraient

passé composé

je	me	suis	distrait/te
tu	t'	es	distrait/te
il/elle	s'	est	distrait/te
nous	nous	sommes	distraits/tes
vous	vous	êtes	distraits/tes
ils/elles	se	sont	distraits/tes

imparfait

je	me	distrayais
tu	te	distrayais
il/elle	se	distrayait
nous	nous	distrayions
vous	vous	distrayiez
ils/elles	se	distrayaient

plus-que-parfait

je	m'	étais	distrait/te
tu	t'	étais	distrait/te
il/elle	s'	était	distrait/te
nous	nous	étions	distraits/tes
vous	vous	étiez	distraits/tes
ils/elles	s'	étaient	distraits/tes

futur simple

je	me	distrairai
tu	te	distrairas
il/elle	se	distraira
nous	nous	distrairons
vous	vous	distrairez
ils/elles	se	distrairont

futur antérieur

je	me	serai	distrait/te
tu	te	seras	distrait/te
il/elle	se	sera	distrait/te
nous	nous	serons	distraits/tes
vous	vous	serez	distraits/tes
ils/elles	se	seront	distraits/tes

passé simple

inusité

passé antérieur

je	me	fus	distrait/te
tu	te	fus	distrait/te
il/elle	se	fut	distrait/te
nous	nous	fûmes	distraits/tes
vous	vous	fûtes	distraits/tes
ils/elles	se	furent	distraits/tes

Conditionnel

présent

je	me	distrairais
tu	te	distrairais
il/elle	se	distrairait
nous	nous	distrairions
vous	vous	distrairiez
ils/elles	se	distrairaient

passé

je	me	serais	distrait/te
tu	te	serais	distrait/te
il/elle	se	serait	distrait/te
nous	nous	serions	distraits/tes
vous	vous	seriez	distraits/tes
ils/elles	se	seraient	distraits/tes

3e groupe : verbes en -(RAI)RE 90

Infinitif

présent	**passé**
se distraire	s'être distrait/te, distraits/tes

Participe

présent	**passé**
se distrayant	distrait/te, distraits/tes s'étant distrait/te/ts/tes

Impératif

présent	**passé**
distrais-toi distrayons-nous distrayez-vous	*inusité*

Subjonctif

présent

que	je	me	distraie
que	tu	te	distraies
qu'	il/elle	se	distraie
que	nous	nous	distrayions
que	vous	vous	distrayiez
qu'	ils/elles	se	distraient

passé

que	je	me	sois	distrait/te
que	tu	te	sois	distrait/te
qu'	il/elle	se	soit	distrait/te
que	nous	nous	soyons	distraits/tes
que	vous	vous	soyez	distraits/tes
qu'	ils/elles	se	soient	distraits/tes

imparfait

inusité

plus-que-parfait

que	je	me	fusse	distrait/te
que	tu	te	fusses	distrait/te
qu'	il/elle	se	fût	distrait/te
que	nous	nous	fussions	distraits/tes
que	vous	vous	fussiez	distraits/tes
qu'	ils/elles	se	fussent	distraits/tes

• Le verbe ***se distraire***, parce qu'il est pronominal, forme ses temps composés avec l'auxiliaire ***être***.

• Le verbe ***distraire***, non pronominal, et les autres verbes en ***-raire (abstraire, extraire…)*** forment leurs temps composés avec l'auxiliaire ***avoir***.

ATTENTION

À l'indicatif imparfait et au subjonctif présent, *se distraire* prend un *i* après *y* aux 1re et 2e personnes du pluriel *(nous nous distray**i**ons, que vous vous distray**i**ez)*.

PLAIRE

complaire, déplaire, taire

Indicatif

présent		**passé composé**		
je	plais	j'	ai	plu
tu	plais	tu	as	plu
il/elle	plaît	il/elle	a	plu
nous	plaisons	nous	avons	plu
vous	plaisez	vous	avez	plu
ils/elles	plaisent	ils/elles	ont	plu

imparfait		**plus-que-parfait**		
je	plaisais	j'	avais	plu
tu	plaisais	tu	avais	plu
il/elle	plaisait	il/elle	avait	plu
nous	plaisions	nous	avions	plu
vous	plaisiez	vous	aviez	plu
ils/elles	plaisaient	ils/elles	avaient	plu

futur simple		**futur antérieur**		
je	plairai	j'	aurai	plu
tu	plairas	tu	auras	plu
il/elle	plaira	il/elle	aura	plu
nous	plairons	nous	aurons	plu
vous	plairez	vous	aurez	plu
ils/elles	plairont	ils/elles	auront	plu

passé simple		**passé antérieur**		
je	plus	j'	eus	plu
tu	plus	tu	eus	plu
il/elle	plut	il/elle	eut	plu
nous	plûmes	nous	eûmes	plu
vous	plûtes	vous	eûtes	plu
ils/elles	plurent	ils/elles	eurent	plu

Conditionnel

présent		**passé**		
je	plairais	j'	aurais	plu
tu	plairais	tu	aurais	plu
il/elle	plairait	il/elle	aurait	plu
nous	plairions	nous	aurions	plu
vous	plairiez	vous	auriez	plu
ils/elles	plairaient	ils/elles	auraient	plu

3e groupe : verbes en -(AI)RE 91

Infinitif

présent	passé
plaire	avoir plu

Participe

présent	passé
plaisant	plu
	ayant plu

Impératif

présent	passé
plais	aie plu
plaisons	ayons plu
plaisez	ayez plu

Subjonctif

présent

que	je	plaise
que	tu	plaises
qu'	il/elle	plaise
que	nous	plaisions
que	vous	plaisiez
qu'	ils/elles	plaisent

passé

que	j'	aie	plu
que	tu	aies	plu
qu'	il/elle	ait	plu
que	nous	ayons	plu
que	vous	ayez	plu
qu'	ils/elles	aient	plu

imparfait

que	je	plusse
que	tu	plusses
qu'	il/elle	plût
que	nous	plussions
que	vous	plussiez
qu'	ils/elles	plussent

plus-que-parfait

que	j'	eusse	plu
que	tu	eusses	plu
qu'	il/elle	eût	plu
que	nous	eussions	plu
que	vous	eussiez	plu
qu'	ils/elles	eussent	plu

ATTENTION

- Le participe passé de *plaire* et de ses dérivés *(complaire, déplaire)* est invariable *(pl**u**, compl**u**, dépl**u**)*, mais celui de *taire* est variable *(t**u**, t**ue**, t**us**, t**ues**)*.
- Plusieurs formes du verbes *plaire* sont homographes des formes correspondantes du verbe *pleuvoir* (*il plut, il a plu*, par exemple).

c'est là qu'on se trompe À la troisième personne de l'indicatif présent, on écrit *il pla**î**t, il compla**î**t, il dépla**î**t* (avec un accent circonflexe sur le *i*), mais *il ta**i**t* (sans accent).

C'est permis ! La réforme orthographique de 1990 autorise la suppression de l'accent circonflexe chaque fois que celui-ci n'est pas discriminant : *Il pla**i**t, il compla**i**t, il dépla**i**t.*

CROÎTRE

Indicatif

présent

je	croîs
tu	croîs
il/elle	croît
nous	croissons
vous	croissez
ils/elles	croissent

passé composé

j'	ai	crû
tu	as	crû
il/elle	a	crû
nous	avons	crû
vous	avez	crû
ils/elles	ont	crû

imparfait

je	croissais
tu	croissais
il/elle	croissait
nous	croissions
vous	croissiez
ils/elles	croissaient

plus-que-parfait

j'	avais	crû
tu	avais	crû
il/elle	avait	crû
nous	avions	crû
vous	aviez	crû
ils/elles	avaient	crû

futur simple

je	croîtrai
tu	croîtras
il/elle	croîtra
nous	croîtrons
vous	croîtrez
ils/elles	croîtront

futur antérieur

j'	aurai	crû
tu	auras	crû
il/elle	aura	crû
nous	aurons	crû
vous	aurez	crû
ils/elles	auront	crû

passé simple

je	crûs
tu	crûs
il/elle	crût
nous	crûmes
vous	crûtes
ils/elles	crûrent

passé antérieur

j'	eus	crû
tu	eus	crû
il/elle	eut	crû
nous	eûmes	crû
vous	eûtes	crû
ils/elles	eurent	crû

Conditionnel

présent

je	croîtrais
tu	croîtrais
il/elle	croîtrait
nous	croîtrions
vous	croîtriez
ils/elles	croîtraient

passé

j'	aurais	crû
tu	aurais	crû
il/elle	aurait	crû
nous	aurions	crû
vous	auriez	crû
ils/elles	auraient	crû

3e groupe : verbes en -(OÎT)RE

Infinitif

présent	**passé**
croître	avoir crû

Participe

présent	**passé**
croissant	crû/crue, crus/crues
	ayant crû

Impératif

présent	**passé**
croîs	aie crû
croissons	ayons crû
croissez	ayez crû

Subjonctif

présent

que	je	croisse
que	tu	croisses
qu'	il/elle	croisse
que	nous	croissions
que	vous	croissiez
qu'	ils/elles	croissent

passé

que	j'	aie	crû
que	tu	aies	crû
qu'	il/elle	ait	crû
que	nous	ayons	crû
que	vous	ayez	crû
qu'	ils/elles	aient	crû

imparfait

que	je	crûsse
que	tu	crûsses
qu'	il/elle	crût
que	nous	crûssions
que	vous	crûssiez
qu'	ils/elles	crûssent

plus-que-parfait

que	j'	eusse	crû
que	tu	eusses	crû
qu'	il/elle	eût	crû
que	nous	eussions	crû
que	vous	eussiez	crû
qu'	ils/elles	eussent	crû

- L'accent circonflexe est présent dans les temps construits sur la base ***croît-*** (infinitif, futur et conditionnel).
- Le verbe ***croître*** conserve également son accent circonflexe chaque fois que ses formes peuvent être confondues avec celles du verbe ***croire***, sauf au participe passé qui ne prend l'accent circonflexe qu'au masculin singulier ***(crû)***.

c'est là qu'on se trompe Les formes du participe passé *crue, crus, crues* sont homographes des formes correspondantes du verbe *croire*.

ACCROÎTRE

décroître, recroître

Indicatif

présent		**passé composé**		
j'	accrois	j'	ai	accru
tu	accrois	tu	as	accru
il/elle	accroît	il/elle	a	accru
nous	accroissons	nous	avons	accru
vous	accroissez	vous	avez	accru
ils/elles	accroissent	ils/elles	ont	accru

imparfait		**plus-que-parfait**		
j'	accroissais	j'	avais	accru
tu	accroissais	tu	avais	accru
il/elle	accroissait	il/elle	avait	accru
nous	accroissions	nous	avions	accru
vous	accroissiez	vous	aviez	accru
ils/elles	accroissaient	ils/elles	avaient	accru

futur simple		**futur antérieur**		
j'	accroîtrai	j'	aurai	accru
tu	accroîtras	tu	auras	accru
il/elle	accroîtra	il/elle	aura	accru
nous	accroîtrons	nous	aurons	accru
vous	accroîtrez	vous	aurez	accru
ils/elles	accroîtront	ils/elles	auront	accru

passé simple		**passé antérieur**		
j'	accrus	j'	eus	accru
tu	accrus	tu	eus	accru
il/elle	accrut	il/elle	eut	accru
nous	accrûmes	nous	eûmes	accru
vous	accrûtes	vous	eûtes	accru
ils/elles	accrurent	ils/elles	eurent	accru

Conditionnel

présent		**passé**		
j'	accroîtrais	j'	aurais	accru
tu	accroîtrais	tu	aurais	accru
il/elle	accroîtrait	il/elle	aurait	accru
nous	accroîtrions	nous	aurions	accru
vous	accroîtriez	vous	auriez	accru
ils/elles	accroîtraient	ils/elles	auraient	accru

Infinitif

présent	passé
accroître	avoir accru

Participe

présent	passé
accroissant	accru/ue, accrus/ues
	ayant accru

Impératif

présent	passé
accrois	aie accru
accroissons	ayons accru
accroissez	ayez accru

Subjonctif

présent			passé			
que	j'	accroisse	que	j'	aie	accru
que	tu	accroisses	que	tu	aies	accru
qu'	il/elle	accroisse	qu'	il/elle	ait	accru
que	nous	accroissions	que	nous	ayons	accru
que	vous	accroissiez	que	vous	ayez	accru
qu'	ils/elles	accroissent	qu'	ils/elles	aient	accru

imparfait			plus-que-parfait			
que	j'	accrusse	que	j'	eusse	accru
que	tu	accrusses	que	tu	eusses	accru
qu'	il/elle	accrût	qu'	il/elle	eût	accru
que	nous	accrussions	que	nous	eussions	accru
que	vous	accrussiez	que	vous	eussiez	accru
qu'	ils/elles	accrussent	qu'	ils/elles	eussent	accru

L'accent circonflexe est présent dans les temps construits sur la base ***accroît-*** (infinitif, futur et conditionnel). Comme il n'y a aucune confusion possible avec ***croire***, il ne figure pas ailleurs, sauf à la troisième personne du singulier de l'indicatif ***(il accroît)***.

ATTENTION

Décroître et *recroître* se conjuguent sur le modèle de *accroître*, mais *recroître* conserve l'accent circonflexe au participe passé masculin singulier : *recrû* (ainsi différencié de l'adjectif *recru* dans l'expression : *recru de fatigue*).

CONCLURE

inclure, exclure, occlure

Indicatif

présent

je	conclus
tu	conclus
il/elle	conclut
nous	concluons
vous	concluez
ils/elles	concluent

passé composé

j'	ai	conclu
tu	as	conclu
il/elle	a	conclu
nous	avons	conclu
vous	avez	conclu
ils/elles	ont	conclu

imparfait

je	concluais
tu	concluais
il/elle	concluait
nous	concluions
vous	concluiez
ils/elles	concluaient

plus-que-parfait

j'	avais	conclu
tu	avais	conclu
il/elle	avait	conclu
nous	avions	conclu
vous	aviez	conclu
ils/elles	avaient	conclu

futur simple

je	conclurai
tu	concluras
il/elle	conclura
nous	conclurons
vous	conclurez
ils/elles	concluront

futur antérieur

j'	aurai	conclu
tu	auras	conclu
il/elle	aura	conclu
nous	aurons	conclu
vous	aurez	conclu
ils/elles	auront	conclu

passé simple

je	conclus
tu	conclus
il/elle	conclut
nous	conclûmes
vous	conclûtes
ils/elles	conclurent

passé antérieur

j'	eus	conclu
tu	eus	conclu
il/elle	eut	conclu
nous	eûmes	conclu
vous	eûtes	conclu
ils/elles	eurent	conclu

Conditionnel

présent

je	conclurais
tu	conclurais
il/elle	conclurait
nous	conclurions
vous	concluriez
ils/elles	concluraient

passé

j'	aurais	conclu
tu	aurais	conclu
il/elle	aurait	conclu
nous	aurions	conclu
vous	auriez	conclu
ils/elles	auraient	conclu

3e groupe : verbes en -(U)RE

Infinitif

présent	**passé**
conclure	avoir conclu

Participe

présent	**passé**
concluant	conclu/ue, conclus/ues
	ayant conclu

Impératif

présent	**passé**
conclus	aie conclu
concluons	ayons conclu
concluez	ayez conclu

Subjonctif

présent

que	je	conclue
que	tu	conclues
qu'	il/elle	conclue
que	nous	concluions
que	vous	concluiez
qu'	ils/elles	concluent

passé

que	j'	aie	conclu
que	tu	aies	conclu
qu'	il/elle	ait	conclu
que	nous	ayons	conclu
que	vous	ayez	conclu
qu'	ils/elles	aient	conclu

imparfait

que	je	conclusse
que	tu	conclusses
qu'	il/elle	conclût
que	nous	conclussions
que	vous	conclussiez
qu'	ils/elles	conclussent

plus-que-parfait

que	j'	eusse	conclu
que	tu	eusses	conclu
qu'	il/elle	eût	conclu
que	nous	eussions	conclu
que	vous	eussiez	conclu
qu'	ils/elles	eussent	conclu

ATTENTION

Aux deux premières personnes du pluriel de l'imparfait de l'indicatif et du présent du subjonctif, trois voyelles se suivent *(nous concl**uio**ns, que vous concl**uie**z)*.

c'est là qu'on se trompe *Conclure* et *exclure* ont un participe passé sans *s* *(concl**u**, excl**u**)*, à la différence de *inclure* et *occlure (inclu**s**, occlu**s**)*.

vous avez dit bizarre ? *Reclus* est un adjectif qui vient du verbe *reclure* : *Elle vit recluse.*

RÉSOUDRE

absoudre, dissoudre

Indicatif

présent		passé composé		
je	résous	j'	ai	résolu
tu	résous	tu	as	résolu
il/elle	résout	il/elle	a	résolu
nous	résolvons	nous	avons	résolu
vous	résolvez	vous	avez	résolu
ils/elles	résolvent	ils/elles	ont	résolu

imparfait		plus-que-parfait		
je	résolvais	j'	avais	résolu
tu	résolvais	tu	avais	résolu
il/elle	résolvait	il/elle	avait	résolu
nous	résolvions	nous	avions	résolu
vous	résolviez	vous	aviez	résolu
ils/elles	résolvaient	ils/elles	avaient	résolu

futur simple		futur antérieur		
je	résoudrai	j'	aurai	résolu
tu	résoudras	tu	auras	résolu
il/elle	résoudra	il/elle	aura	résolu
nous	résoudrons	nous	aurons	résolu
vous	résoudrez	vous	aurez	résolu
ils/elles	résoudront	ils/elles	auront	résolu

passé simple		passé antérieur		
je	résolus	j'	eus	résolu
tu	résolus	tu	eus	résolu
il/elle	résolut	il/elle	eut	résolu
nous	résolûmes	nous	eûmes	résolu
vous	résolûtes	vous	eûtes	résolu
ils/elles	résolurent	ils/elles	eurent	résolu

Conditionnel

présent		passé		
je	résoudrais	j'	aurais	résolu
tu	résoudrais	tu	aurais	résolu
il/elle	résoudrait	il/elle	aurait	résolu
nous	résoudrions	nous	aurions	résolu
vous	résoudriez	vous	auriez	résolu
ils/elles	résoudraient	ils/elles	auraient	résolu

3e groupe : verbes en -(SOU)DRE 95

Infinitif

présent	**passé**
résoudre	avoir résolu

Participe

présent	**passé**
résolvant	résolu/ue, résolus/ues ayant résolu

Impératif

présent	**passé**
résous	aie résolu
résolvons	ayons résolu
résolvez	ayez résolu

Subjonctif

présent

que	je	résolve
que	tu	résolves
qu'	il/elle	résolve
que	nous	résolvions
que	vous	résolviez
qu'	ils/elles	résolvent

passé

que	j'	aie	résolu
que	tu	aies	résolu
qu'	il/elle	ait	résolu
que	nous	ayons	résolu
que	vous	ayez	résolu
qu'	ils/elles	aient	résolu

imparfait

que	je	résolusse
que	tu	résolusses
qu'	il/elle	résolût
que	nous	résolussions
que	vous	résolussiez
qu'	ils/elles	résolussent

plus-que-parfait

que	j'	eusse	résolu
que	tu	eusses	résolu
qu'	il/elle	eût	résolu
que	nous	eussions	résolu
que	vous	eussiez	résolu
qu'	ils/elles	eussent	résolu

Les verbes en ***-soudre*** perdent le ***d*** du radical au présent de l'indicatif, comme les verbes en ***-(a/e/o)indre***. Le ***d*** du radical ne se trouve qu'au futur et au conditionnel ***(je résoudrai, je résoudrais).***

ATTENTION

La seule différence entre *résoudre* et les autres verbes en *-soudre* concerne le participe passé : *résolu* s'écrit sans *s*, à la différence de *absous* et *dissous*.

c'est là qu'on se trompe Il ne faut pas confondre les participes passés *absous, absoute* et *dissous, dissoute* avec les adjectifs *absolu* et *dissolu*.

C'est permis ! La réforme orthographique de 1990 autorise d'écrire *absou**t**, dissou**t***.

MOUDRE

émoudre, remoudre

Indicatif

présent		passé composé		
je	mouds	j'	ai	moulu
tu	mouds	tu	as	moulu
il/elle	moud	il/elle	a	moulu
nous	moulons	nous	avons	moulu
vous	moulez	vous	avez	moulu
ils/elles	moulent	ils/elles	ont	moulu

imparfait		plus-que-parfait		
je	moulais	j'	avais	moulu
tu	moulais	tu	avais	moulu
il/elle	moulait	il/elle	avait	moulu
nous	moulions	nous	avions	moulu
vous	mouliez	vous	aviez	moulu
ils/elles	moulaient	ils/elles	avaient	moulu

futur simple		futur antérieur		
je	moudrai	j'	aurai	moulu
tu	moudras	tu	auras	moulu
il/elle	moudra	il/elle	aura	moulu
nous	moudrons	nous	aurons	moulu
vous	moudrez	vous	aurez	moulu
ils/elles	moudront	ils/elles	auront	moulu

passé simple		passé antérieur		
je	moulus	j'	eus	moulu
tu	moulus	tu	eus	moulu
il/elle	moulut	il/elle	eut	moulu
nous	moulûmes	nous	eûmes	moulu
vous	moulûtes	vous	eûtes	moulu
ils/elles	moulurent	ils/elles	eurent	moulu

Conditionnel

présent		passé		
je	moudrais	j'	aurais	moulu
tu	moudrais	tu	aurais	moulu
il/elle	moudrait	il/elle	aurait	moulu
nous	moudrions	nous	aurions	moulu
vous	moudriez	vous	auriez	moulu
ils/elles	moudraient	ils/elles	auraient	moulu

3e groupe : verbes en -(OU)DRE

Infinitif

présent	passé
moudre	avoir moulu

Participe

présent	passé
moulant	moulu/ue, moulus/ues
	ayant moulu

Impératif

présent	passé
mouds	aie moulu
moulons	ayons moulu
moulez	ayez moulu

Subjonctif

présent

que	je	moule
que	tu	moules
qu'	il/elle	moule
que	nous	moulions
que	vous	mouliez
qu'	ils/elles	moulent

passé

que	j'	aie	moulu
que	tu	aies	moulu
qu'	il/elle	ait	moulu
que	nous	ayons	moulu
que	vous	ayez	moulu
qu'	ils/elles	aient	moulu

imparfait

que	je	moulusse
que	tu	moulusses
qu'	il/elle	moulût
que	nous	moulussions
que	vous	moulussiez
qu'	ils/elles	moulussent

plus-que-parfait

que	j'	eusse	moulu
que	tu	eusses	moulu
qu'	il/elle	eût	moulu
que	nous	eussions	moulu
que	vous	eussiez	moulu
qu'	ils/elles	eussent	moulu

Les verbes en ***-oudre*** conservent le ***d*** du radical aux trois premières personnes du présent de l'indicatif, comme les verbes en ***-endre*** et en ***-ondre***.
La 3e personne du singulier n'a pas de désinence : ***Il moud***.

c'est là qu'on se trompe Le *d* est remplacé par un *l* à l'imparfait, au passé simple et aux trois personnes du pluriel de l'indicatif présent : dire **nous moudons*, sur le modèle *nous rendons*, est fautif.

vous avez dit bizarre ? *Émoulu* vient de l'ancien verbe *émoudre*, et *vermoulu* vient de l'expression *moulu par les vers.*

COUDRE

découdre, recoudre

Indicatif

présent

je	couds
tu	couds
il/elle	coud
nous	cousons
vous	cousez
ils/elles	cousent

passé composé

j'	ai	cousu
tu	as	cousu
il/elle	a	cousu
nous	avons	cousu
vous	avez	cousu
ils/elles	ont	cousu

imparfait

je	cousais
tu	cousais
il/elle	cousait
nous	cousions
vous	cousiez
ils/elles	cousaient

plus-que-parfait

j'	avais	cousu
tu	avais	cousu
il/elle	avait	cousu
nous	avions	cousu
vous	aviez	cousu
ils/elles	avaient	cousu

futur simple

je	coudrai
tu	coudras
il/elle	coudra
nous	coudrons
vous	coudrez
ils/elles	coudront

futur antérieur

j'	aurai	cousu
tu	auras	cousu
il/elle	aura	cousu
nous	aurons	cousu
vous	aurez	cousu
ils/elles	auront	cousu

passé simple

je	cousis
tu	cousis
il/elle	cousit
nous	cousîmes
vous	cousîtes
ils/elles	cousirent

passé antérieur

j'	eus	cousu
tu	eus	cousu
il/elle	eut	cousu
nous	eûmes	cousu
vous	eûtes	cousu
ils/elles	eurent	cousu

Conditionnel

présent

je	coudrais
tu	coudrais
il/elle	coudrait
nous	coudrions
vous	coudriez
ils/elles	coudraient

passé

j'	aurais	cousu
tu	aurais	cousu
il/elle	aurait	cousu
nous	aurions	cousu
vous	auriez	cousu
ils/elles	auraient	cousu

3e groupe : verbes en -(OU)DRE 97

Infinitif

présent	passé
coudre	avoir cousu

Participe

présent	passé
cousant	cousu/ue, cousus/ues
	ayant cousu

Impératif

présent	passé
couds	aie cousu
cousons	ayons cousu
cousez	ayez cousu

Subjonctif

présent

que	je	couse
que	tu	couses
qu'	il/elle	couse
que	nous	cousions
que	vous	cousiez
qu'	ils/elles	cousent

passé

que	j'	aie	cousu
que	tu	aies	cousu
qu'	il/elle	ait	cousu
que	nous	ayons	cousu
que	vous	ayez	cousu
qu'	ils/elles	aient	cousu

imparfait

que	je	cousisse
que	tu	cousisses
qu'	il/elle	cousît
que	nous	cousissions
que	vous	cousissiez
qu'	ils/elles	cousissent

plus-que-parfait

que	j'	eusse	cousu
que	tu	eusses	cousu
qu'	il/elle	eût	cousu
que	nous	eussions	cousu
que	vous	eussiez	cousu
qu'	ils/elles	eussent	cousu

es verbes en ***-oudre*** conservent le ***d*** du radical aux trois premières personnes du résent de l'indicatif, comme les verbes en ***-endre*** et en ***-ondre***.
a 3e personne du singulier n'a pas de désinence : ***Il coud***.

c'est là qu'on se trompe Le *d* est remplacé par un *s* à l'imparfait, au passé imple et aux trois personnes du pluriel de l'indicatif présent : dire **nous coudons*, sur modèle *nous rendons*, est fautif.

CLORE

enclore, éclore, déclore, forclore

Indicatif

présent

je	clos
tu	clos
il/elle	clôt
nous	closons
vous	closez
ils/elles	closent

passé composé

j'	ai	clos
tu	as	clos
il/elle	a	clos
nous	avons	clos
vous	avez	clos
ils/elles	ont	clos

imparfait

inusité

plus-que-parfait

j'	avais	clos
tu	avais	clos
il/elle	avait	clos
nous	avions	clos
vous	aviez	clos
ils/elles	avaient	clos

futur simple

je	clorai
tu	cloras
il/elle	clora
nous	clorons
vous	clorez
ils/elles	cloront

futur antérieur

j'	aurai	clos
tu	auras	clos
il/elle	aura	clos
nous	aurons	clos
vous	aurez	clos
ils/elles	auront	clos

passé simple

inusité

passé antérieur

j'	eus	clos
tu	eus	clos
il/elle	eut	clos
nous	eûmes	clos
vous	eûtes	clos
ils/elles	eurent	clos

Conditionnel

présent

je	clorais
tu	clorais
il/elle	clorait
nous	clorions
vous	cloriez
ils/elles	cloraient

passé

j'	aurais	clos
tu	aurais	clos
il/elle	aurait	clos
nous	aurions	clos
vous	auriez	clos
ils/elles	auraient	clos

3e groupe : verbes en -(O)RE

98

Infinitif

présent	**passé**
clore	avoir clos

Participe

présent	**passé**
closant	clos/ose, clos/oses
	ayant clos

Impératif

présent	**passé**
clos	aie clos
inusité	ayons clos
inusité	ayez clos

Subjonctif

présent

que	je	close
que	tu	closes
qu'	il/elle	close
que	nous	closions
que	vous	closiez
qu'	ils/elles	closent

imparfait

inusité

passé

que	j'	aie	clos
que	tu	aies	clos
qu'	il/elle	ait	clos
que	nous	ayons	clos
que	vous	ayez	clos
qu'	ils/elles	aient	clos

plus-que-parfait

que	j'	eusse	clos
que	tu	eusses	clos
qu'	il/elle	eût	clos
que	nous	eussions	clos
que	vous	eussiez	clos
qu'	ils/elles	eussent	clos

e verbe ***clore*** et ses dérivés sont défectifs. Ils sont inusités à l'imparfait, au passé imple et à l'imparfait du subjonctif, et peu employés aux autres temps.

ATTENTION

Clore prend un accent circonflexe sur le *o* à la 3e personne du singulier du présent *(il cl**ô**t)*, mais pas ses dérivés *éclore (il écl**o**t)* et *enclore (il encl**o**t)*.

Déclore et *forclore* n'existent plus qu'au participe passé et à l'infinitif.

SE REPAÎTRE

paître

Indicatif

présent

je	me	repais
tu	te	repais
il/elle	se	repaît
nous	nous	repaissons
vous	vous	repaissez
ils/elles	se	repaissent

passé composé

je	me	suis	repu/ue
tu	t'	es	repu/ue
il/elle	s'	est	repu/ue
nous	nous	sommes	repus/ues
vous	vous	êtes	repus/ues
ils/elles	se	sont	repus/ues

imparfait

je	me	repaissais
tu	te	repaissais
il/elle	se	repaissait
nous	nous	repaissions
vous	vous	repaissiez
ils/elles	se	repaissaient

plus-que-parfait

je	m'	étais	repu/ue
tu	t'	étais	repu/ue
il/elle	s'	était	repu/ue
nous	nous	étions	repus/ues
vous	vous	étiez	repus/ues
ils/elles	s'	étaient	repus/ues

futur simple

je	me	repaîtrai
tu	te	repaîtras
il/elle	se	repaîtra
nous	nous	repaîtrons
vous	vous	repaîtrez
ils/elles	se	repaîtront

futur antérieur

je	me	serai	repu/ue
tu	te	seras	repu/ue
il/elle	se	sera	repu/ue
nous	nous	serons	repus/ues
vous	vous	serez	repus/ues
ils/elles	se	seront	repus/ues

passé simple

je	me	repus
tu	te	repus
il/elle	se	reput
nous	nous	repûmes
vous	vous	repûtes
ils/elles	se	repurent

passé antérieur

je	me	fus	repu/ue
tu	te	fus	repu/ue
il/elle	se	fut	repu/ue
nous	nous	fûmes	repus/ues
vous	vous	fûtes	repus/ues
ils/elles	se	furent	repus/ues

Conditionnel

présent

je	me	repaîtrais
tu	te	repaîtrais
il/elle	se	repaîtrait
nous	nous	repaîtrions
vous	vous	repaîtriez
ils/elles	se	repaîtraient

passé

je	me	serais	repu/ue
tu	te	serais	repu/ue
il/elle	se	serait	repu/ue
nous	nous	serions	repus/ues
vous	vous	seriez	repus/ues
ils/elles	se	seraient	repus/ues

3e groupe : verbes en -(AÎT)RE 99

Infinitif

présent	**passé**
se repaître	s'être repu/ue, repus/ues

Participe

présent	**passé**
se repaissant	repu/ue, repus/ues
	s'étant repu/ue/us/ues

Impératif

présent	**passé**
repais-toi	*inusité*
repaissons-nous	
repaissez-vous	

Subjonctif

présent

que	je	me	repaisse
que	tu	te	repaisses
qu'	il/elle	se	repaisse
que	nous	nous	repaissions
que	vous	vous	repaissiez
qu'	ils/elles	se	repaissent

passé

que	je	me	sois	repu/ue
que	tu	te	sois	repu/ue
qu'	il/elle	se	soit	repu/ue
que	nous	nous	soyons	repus/ues
que	vous	vous	soyez	repus/ues
qu'	ils/elles	se	soient	repus/ues

imparfait

que	je	me	repusse
que	tu	te	repusses
qu'	il/elle	se	repût
que	nous	nous	repussions
que	vous	vous	repussiez
qu'	ils/elles	se	repussent

plus-que-parfait

que	je	me	fusse	repu/ue
que	tu	te	fusses	repu/ue
qu'	il/elle	se	fût	repu/ue
que	nous	nous	fussions	repus/ues
que	vous	vous	fussiez	repus/ues
qu'	ils/elles	se	fussent	repus/ues

- Les verbes en ***-aître*** prennent un accent circonflexe sur le ***i*** chaque fois qu'il est suivi d'un ***t (il se repaît, il se repaîtra, il se repaîtrait)***.
- Le verbe s***e repaître,*** pronominal, forme ses temps composés avec l'auxiliaire ***être***.

ATTENTION

aître n'a pas de participe passé, donc pas de temps composés. Il n'existe ni au passé imple ni au subjonctif imparfait.

CONFIRE

déconfire, frire, circoncire

Indicatif

présent		passé composé		
je	confis	j'	ai	confit
tu	confis	tu	as	confit
il/elle	confit	il/elle	a	confit
nous	confisons	nous	avons	confit
vous	confisez	vous	avez	confit
ils/elles	confisent	ils/elles	ont	confit

imparfait		plus-que-parfait		
je	confisais	j'	avais	confit
tu	confisais	tu	avais	confit
il/elle	confisait	il/elle	avait	confit
nous	confisions	nous	avions	confit
vous	confisiez	vous	aviez	confit
ils/elles	confisaient	ils/elles	avaient	confit

futur simple		futur antérieur		
je	confirai	j'	aurai	confit
tu	confiras	tu	auras	confit
il/elle	confira	il/elle	aura	confit
nous	confirons	nous	aurons	confit
vous	confirez	vous	aurez	confit
ils/elles	confiront	ils/elles	auront	confit

passé simple		passé antérieur		
je	confis	j'	eus	confit
tu	confis	tu	eus	confit
il/elle	confit	il/elle	eut	confit
nous	confîmes	nous	eûmes	confit
vous	confîtes	vous	eûtes	confit
ils/elles	confirent	ils/elles	eurent	confit

Conditionnel

présent		passé		
je	confirais	j'	aurais	confit
tu	confirais	tu	aurais	confit
il/elle	confirait	il/elle	aurait	confit
nous	confirions	nous	aurions	confit
vous	confiriez	vous	auriez	confit
ils/elles	confiraient	ils/elles	auraient	confit

Infinitif

présent	passé
confire	avoir confit

Participe

présent	passé
confisant	confit/te, confits/tes
	ayant confit

Impératif

présent	passé
confis	aie confit
confisons	ayons confit
confisez	ayez confit

Subjonctif

présent			passé			
que	je	confise	que	j'	aie	confit
que	tu	confises	que	tu	aies	confit
qu'	il/elle	confise	qu'	il/elle	ait	confit
que	nous	confisions	que	nous	ayons	confit
que	vous	confisiez	que	vous	ayez	confit
qu'	ils/elles	confisent	qu'	ils/elles	aient	confit

imparfait			plus-que-parfait			
que	je	confisse	que	j'	eusse	confit
que	tu	confisses	que	tu	eusses	confit
qu'	il/elle	confît	qu'	il/elle	eût	confit
que	nous	confissions	que	nous	eussions	confit
que	vous	confissiez	que	vous	eussiez	confit
qu'	ils/elles	confissent	qu'	ils/elles	eussent	confit

es verbes ***confire, déconfire, frire*** et ***circoncire*** suivent le modèle de ***suffire,*** sauf our les participes passés, qui sont variables et qui prennent un ***t (confit, confite ; léconfit, déconfite ; frit, frite)*** ou un ***s (circoncis, circoncise).***

ATTENTION

rire est un verbe défectif qui n'a pas de pluriel au présent de l'indicatif et de impératif. Il est par ailleurs inusité à l'indicatif imparfait et passé simple, ainsi qu'au ubjonctif présent et imparfait. Aux formes inusitées, il est remplacé par la tournure *aire frire.*

MODE D'EMPLOI
du répertoire des verbes

Ce répertoire permet de retrouver comment se conjuguent et se construisent tous les verbes courants de la langue.

Les numéros renvoient aux tableaux de conjugaison.

Pour chaque verbe, sont indiqués :

- le ou les modes de construction (transitive directe ou indirecte, intransitive) ;
- les prépositions généralement utilisées pour introduire le complément (C.O.I., C.O.S. ou C.C.), mentionnées entre parenthèses ;
- l'emploi pronominal éventuel (à cette voix, l'auxiliaire de conjugaison est toujours « être ») ;
- l'auxiliaire qui permet de former les temps composés à la voix active quand ce n'est pas « avoir » qui est obligatoire ;
- les particularités orthographiques ;
- les particularités d'emploi, quand elles ne sont pas indiquées au verbe modèle.

Les verbes essentiellement pronominaux (qui n'existent pas à la voix active) sont suivis de **-se-** ou **-s'-**.

Les verbes propres à la francophonie sont signalés par l'indication du pays ou de la région où ils sont employés : Afrique, Belgique, Québec, Suisse.

ABRÉVIATIONS UTILISÉES

T	emploi transitif direct (avec un C.O.D.)
TI	emploi transitif indirect (avec un C.O.I.)
I	emploi intransitif (avec un C.C. ou sans complément)
Pr	verbe souvent conjugué à la voix pronominale (à cette voix, toujours avec « être » aux temps composés)
U	verbe unipersonnel (= impersonnel), n'existe qu'à la 3e personne du singulier
Déf	verbe défectif (= dont certaines formes sont inusitées)
p.p inv.	verbe dont le participe passé est toujours invariable
p.p. inv.	participe passé invariable dans l'emploi indiqué
+ être	verbe actif qui forme ses temps composés avec l'auxiliaire « être »
+ être ou avoir	verbe actif qui peut former ses temps composés avec l'auxiliaire « être » ou avec l'auxiliaire « avoir », selon la nuance de sens.

Le RÉPERTOIRE des VERBES

A

abaisser **T / Pr** (à) 12
abandonner **T / Pr** (à) 12
abasourdir **T** 35
abâtardir **T** 35
abattre **T / I,** p.p.inv. / **Pr** 74
abcéder **I / p.p.inv.** 20
abdiquer **T / I,** p.p.inv. 16
abêtir **T / Pr** 35
abhorrer **T** 12
abîmer **T / Pr** 12
abjurer **T** 12
ablater **T / Pr** 12
abolir **T** 35
abominer **T** 12
abonder **I / p.p.inv.** 12
abonner **T / Pr** (à) 12
abonnir **T / Pr** 35
aborder **I,** p.p.inv. / **T** 12
aboucher **T / Pr** (avec) 12
abouler **T / Pr** 12
abouter **T** 12
aboutir **Ti** (à) / **I / p.p.inv.** 35
aboyer **I / Ti** (à, après, contre) / **p.p.inv.** 31
abraser **T** 12
abréagir **I / p.p.inv.** 35
abréger **T** 21
abreuver **T / Pr** (à, de) 12
abriter **T / Pr** 12
abroger **T** 17
abrutir **T** 35
absenter **-s'-** (de) **+ être** 12
absorber **T / Pr** (dans) 12
absoudre **T** 95
abstenir **-s'-** (de) **+ être** 4
abstraire **T / Pr** (de) / **Déf :** pas de passé simple, pas de subj. imparf. 90
abuser **Ti** (de), p.p.inv. / **T / Pr** 12
accabler **T** 12
accaparer **T / Pr** (de), Belgique 12
accastiller **T** 12
accéder **Ti** (à) / **p.p.inv.** 20
accélérer **T / I,** p.p.inv. / **Pr** 20
accentuer **T / Pr** 13
accepter **T** 12
accessoiriser **T** 12
accidenter **T** 12
acclamer **T** 12
acclimater **T / Pr** (à) 12
accointer **-s'-** (avec) **+ être** 12
accoler **T** 12
accommoder **T / I,** p.p.inv. / **Pr** (à, avec, de) 12
accompagner **T** 12
accomplir **T / Pr** 35
accorder **T / Pr** 12
accoster **T** 12
accoter **T / Pr** 12
accoucher **I,** p.p.inv. / **Ti** (de), p.p.inv. / **T** 12
accouder **-s'- + être** 12
accouer **T** 13
accoupler **T / Pr** 12
accourcir **T** 35
accourir **I / + être ou avoir** 42
accoutrer **T / Pr** 12
accoutumer **T / Pr** (à) 12
accréditer **T / Pr** 12
accrocher **T / Pr** 12
accroire **T / Déf :** usité seulement à l'inf., après *faire* et *laisser* *(en faire accroire à quelqu'un)* 88
accroître T / Pr **93**
accroupir **-s'- + être** 35
accueillir **T** 46
acculer **T** 12
acculturer **T** 12
accumuler **T / Pr** 12
accuser **T** 12
acérer **T** 20
acétifier **T** 15
achalander **T** 12
acharner **-s'-** (sur, contre) **+ être** 12
acheminer **T / Pr** (vers) 12
acheter T **28**
achever **T** 25
achopper **I / p.p.inv.** 12
achromatiser **T** 12
acidifier **T** 15
aciduler **T** 12
aciérer **T** 20
acoquiner **-s'-** (avec, à) **+ être** 12
acquérir T **44**
acquiescer I / Ti (à) / **p.p.inv.** **19**
acquitter **T / Pr** (de) 12
actionner **T** 12
activer **T / Pr** 12
actualiser **T** 12
adapter **T / Pr** (à) 12
additionner **T** 12
adhérer **Ti** (à) / **p.p.inv.** 20
adjectiver **T** 12
adjectiviser **T** 12
adjoindre **T / Pr** 71
adjuger **T / Pr** 17
adjurer **T** 12
admettre **T** 6
administrer **T** 12
admirer **T** 12
admonester **T** 12
adonner **-s'-** (à) **+ être** 12
adopter **T** 12
adorer **T / Pr** 12
adosser **T / Pr** (à, contre) 12
adouber **T** 12
adoucir **T / Pr** 35
adresser **T / Pr** (à) 12
adsorber **T** 12
aduler **T** 12
adultérer **T** 20
advenir **I / + être / Déf :** usité seulement à l'inf., aux 3es pers. et au part. passé. 4
aérer **T / Pr** 20
affabuler **I / p.p.inv.** 12
affadir **T** 35
affaiblir **T / Pr** 35
affairer **-s'-** (auprès de) **+ être** 12
affaisser **T / Pr** 12
affaler **T / Pr** (sur) 12
affamer **T** 12
afféager **T** 17
affecter **T / Pr** (de) 12
affectionner **T** 12
affermer **T** 12
affermir **T** 35
afficher **T / Pr** 12
affiler **T** 12
affilier **T / Pr** (à) 15
affiner **T / Pr** 12
affirmer **T / Pr** 12
affleurer **T / I,** p.p.inv. 12
affliger **T / Pr** (de) 17
afflouer **T** 13
affluer **I / p.p.inv.** 13
affoler **T / Pr** 12

affouager **T**	17
affouiller **T**	12
affourager **T**	17
affourcher **T**	12
affourrager **T**	17
affranchir **T / Pr** (de)	35
affréter **T**	20
affriander **T**	12
affrioler **T**	12
affronter **T / Pr**	12
affruiter **I,** p.p.inv. / **T**	12
affubler **T / Pr** (de)	12
affûter **T**	12
africaniser **T / Pr**	12
agacer **T**	18
agencer **T**	18
agenouiller **-s'- + être**	12
agglomérer **T / Pr**	20
agglutiner **T / Pr** (à)	12
aggraver **T / Pr**	12
agir **I,** p.p.inv. / **T**	35
agir **-s'-** (de) **+ être U / p.p.inv.**	35
agiter **T / Pr**	12
agneler **I / p.p.inv.**	25
agonir **T**	35
agoniser **I / p.p.inv.**	12
agrafer **T**	12
agrainer **T**	12
agrandir **T / Pr**	35
agréer **T / Ti** (à), p.p.inv. / -é- partout	14
agréger **T / Pr** (à)	21
agrémenter **T**	12
agresser **T**	12
agriffer **-s'- + être**	12
agripper **T / Pr** (à)	12
aguerrir **T / Pr**	35
aguicher **T**	12
ahaner **I / p.p.inv.**	12
ahurir **T**	35
aicher **T**	12
aider **T / Ti** (à), p.p.inv. **/ Pr** (de)	12
aigrir **T / I,** p.p.inv. / **Pr**	35
aiguiller **T**	12
aiguilleter **T**	27
aiguillonner **T**	12
aiguiser **T**	12
ailler **T**	12
aimanter **T**	12
aimer T / Pr	**12**
airer **I / p.p.inv.**	12
ajointer **T**	12
ajourer **T**	12
ajourner **T**	12
ajouter **T / Pr** (à)	12
ajuster **T**	12
alanguir **T / Pr**	35
alarmer **T / Pr** (de)	12
alcaliniser **T**	12
alcooliser **T / Pr**	12
alerter **T**	12
aléser **T**	20
aleviner **T**	12
aliéner **T**	20
aligner **T / Pr**	12
alimenter **T**	12
aliter **T / Pr**	12
allaiter **T**	12
allécher **T**	20
alléger **T**	21
alléguer **T /** -gu- partout	20
aller I / + être / Pr	**3**
allier **T / Pr** (à, avec)	15
allonger **T / I,** p.p.inv. **/ Pr**	17
allotir **T**	35
allouer **T**	13
allumer **T / Pr**	12
alluvionner **I / p.p.inv.**	12
alourdir **T**	35
alpaguer **T /** -gu- partout	16
alphabétiser **T**	12
altérer **T**	20
alterner **I,** p.p.inv. / **T**	12
aluminer **T**	12
aluner **T**	12
alunir **I / p.p.inv.**	35
amadouer **T / Pr**	13
amaigrir **T / Pr**	35
amalgamer **T / Pr**	12
amariner **T**	12
amarrer **T**	12
amasser **T / Pr**	12
amatir **T**	35
ambiancer **I / p.p.inv. /** Afrique	18
ambitionner **T**	12
ambler **I / p.p.inv.**	12
ambrer **T**	12
améliorer **T / Pr**	12
aménager **T**	17
amender **T / Pr**	12
amener **T / Pr**	25
amenuiser **T / Pr**	12
américaniser **T / Pr**	12
amerrir **I / p.p.inv.**	35
ameublir **T**	35
ameuter **T**	12
amidonner **T**	12
amincir **T / Pr**	35
amnistier **T**	15
amocher **T**	12
amodier **T**	15
amoindrir **T / Pr**	35
amollir **T / Pr**	35
amonceler **T / Pr**	23
amorcer **T / Pr**	18
amortir **T / Pr**	35
amouracher **-s'-** (de) **+ être**	12
amplifier **T**	15
amputer **T**	12
amuïr **-s'- + être /** -ï- partout	35
amurer **T**	12
amuser **T / Pr**	12
analyser **T / Pr**	12
anastomoser **T / Pr**	12
anathématiser **T**	12
anatomiser **T**	12
ancrer **T / Pr**	12
anéantir **T / Pr**	35
anémier **T**	15
anesthésier **T**	15
anglaiser **T**	12
angliciser **T / Pr**	12
angoisser **T**	12
anhéler **I / p.p.inv.**	20
animaliser **T**	12
animer **T / Pr**	12
aniser **T**	12
ankyloser **T / Pr**	12
anneler **T**	23
annexer **T / Pr**	12
annihiler **T**	12
annoncer **T**	18
annoter **T**	12
annualiser **T**	12
annuler **T**	12
anoblir **T**	35
anodiser **T**	12
ânonner **I,** p.p.inv. / **T**	12
anordir **I / p.p.inv.**	35
antéposer **T**	12

Verbe	Modèle
anticiper **T / I,** p.p.inv. / **Ti** (sur), p.p.inv.	12
antidater **T**	12
antiparasiter **T**	12
apaiser **T / Pr**	12
apercevoir **T / Pr** (de)	51
apeurer **T**	12
apiquer **T**	16
apitoyer **T / Pr** (sur)	31
aplanir **T**	35
aplatir **T / I,** p.p.inv. / **Pr**	35
aplomber **T / Pr /** Québec	12
apostasier **T / I,** p.p.inv.	15
aposter **T**	12
apostiller **T**	12
apostropher **T**	12
appairer **T**	12
apparaître **I / + être**	75
appareiller **T / I,** p.p.inv.	12
apparenter **-s'- (à) + être**	12
apparier **T / Pr**	15
apparoir **I / Déf :** usité seulement à l'inf. prés. et à la 3e pers. du sing. de l'ind. prés. *(il appert que...)* / Langage juridique	–
appartenir **Ti** (à) / **U / Pr / p.p.inv.**	4
appâter **T**	12
appauvrir **T / Pr**	35
appeler **T / Ti** (de, à), p.p. inv. / **Pr**	**23**
appendre **T**	66
appesantir **T / Pr** (sur)	35
applaudir **T / Ti** (à), p.p.inv. / **Pr** (de)	35
appliquer **T / Pr** (à)	16
appointer **T**	12
appondre **T /** Suisse	66
apponter **I / p.p.inv.**	12
apporter **T**	12
apposer **T**	12
apprécier **T / Pr**	15
appréhender **T**	12
apprendre **T**	68
apprêter **T / Pr** (à)	12
apprivoiser **T / Pr**	12
approcher **T / I,** p.p.inv. / **Ti** (de), p.p. inv. / **Pr** (de)	12
approfondir **T**	35
approprier **T / Pr**	15
approuver **T**	12
approvisionner **T**	12
appuyer **T / I,** p.p.inv. / **Pr** (à, sur)	32
apurer **T**	12
arabiser **T / Pr**	12
araser **T**	12
arbitrer **T**	12
arborer **T**	12
arc-bouter **T / Pr** (à, contre, sur)	12
architecturer **T**	12
archiver **T**	12
arçonner **T**	12
argenter **T**	12
arguer **T / Ti** (de), p.p.inv.	**34**
argumenter **I,** p.p.inv. / **T**	12
ariser **T**	12
armer **T / Pr** (de)	12
armorier **T**	15
arnaquer **T**	16
aromatiser **T**	12
arpéger **T**	21
arpenter **T**	12
arquer **T**	16
arracher **T / Pr** (de, à)	12
arraisonner **T**	12
arranger **T / Pr**	17
arrenter **T**	12
arrérager **I,** p.p.inv. / **Pr**	17
arrêter **T / I,** p.p.inv. / **Pr** (de + inf.)	12
arriérer **T**	20
arrimer **T**	12
arriser **T**	12
arriver **I / U /+ être**	12
arroger **-s'- + être**	17
arrondir **T / Pr**	35
arroser **T**	12
articuler **T / Pr** (sur)	12
ascensionner **T**	12
aseptiser **T**	12
asperger **T**	17
asphalter **T**	12
asphyxier **T / Pr**	15
aspirer **T / Ti** (à), p.p.inv.	12
assagir **T / Pr**	35
assaillir **T**	47
assainir **T**	35
assaisonner **T**	12
assassiner **T**	12
assécher **T / Pr**	20
assembler **T / Pr**	12
assener **T**	25
asséner **T**	20
asseoir **T / Pr**	**58 ou 59**
assermenter **T**	12
asservir **T**	35
assiéger **T**	21
assigner **T**	12
assimiler **T / Pr** (à)	12
assister **T / Ti** (à), p.p.inv.	12
associer **T / Pr** (à, avec)	15
assoiffer **T**	12
assoler **T**	12
assombrir **T / Pr**	35
assommer **T**	12
assortir **T / Pr** (à, avec, de)	35
assoupir **T / Pr**	35
assouplir **T / Pr**	35
assourdir **T**	35
assouvir **T**	35
assujettir **T**	35
assumer **T / Pr**	12
assurer **T / I,** p.p.inv. **/ Pr**	12
asticoter **T**	12
astiquer **T**	16
astreindre **T / Pr** (à)	70
atermoyer **I / p.p. inv.**	31
atomiser **T**	12
atrophier **-s'- + être**	15
attabler **-s'- + être**	12
attacher **T / I,** p.p.inv. / **Pr** (à)	12
attaquer **T / Pr** (à)	16
attarder **-s'- + être**	12
atteindre **T / Ti** (à), p.p.inv.	70
atteler **T / Pr** (à)	23
attendre **T / I,** p.p.inv. / **Ti,** p.p.inv. / **Pr** (à)	66
attendrir **T / Pr**	35
attenter **Ti** (à) / **p.p.inv.**	12
atténuer **T / Pr**	13
atterrer **T**	12
atterrir **I / p.p.inv.**	35
attester **T**	12
attiédir **T**	35
attifer **T / Pr**	12
attiger **I / p.p.inv.**	17
attirer **T**	12
attiser **T**	12
attraire **T**	90

attraper **T**	12
attremper **T**	12
attribuer **T / Pr**	13
attrister **T / Pr**	12
attrouper **T / Pr**	12
auditer **T**	12
auditionner **T / I,** p.p.inv.	12
augmenter **T / I,** p.p.inv.	12
augurer **T**	12
auréoler **T**	12
aurifier **T**	15
ausculter **T**	12
authentifier **T**	15
authentiquer **T**	16
autocensurer **-s'- + être**	12
autofinancer **-s'- + être**	18
autographier **T**	15
automatiser **T**	12
autoproclamer **-s'- + être**	12
autopsier **T**	15
autoriser **T / Pr** (de)	12
avachir **-s'- + être**	35
avaler **T**	12
avaliser **T**	12
avancer **T / I,** p.p.inv. / **Pr**	18
avantager **T**	17
avarier **T**	15
aventurer **T / Pr**	12
avérer **-s'- + être**	20
avertir **T**	35
aveugler **T / Pr**	12
aveulir **T / Pr**	35
avilir **T / Pr**	35
aviner **T**	12
aviser **T / I,** p.p.inv. / **Pr** (de)	12
avitailler **T**	12
aviver **T**	12
avoir T	**2**
avoisiner **T**	12
avorter **I,** p.p.inv. / **T**	12
avouer **T / Pr**	13
axer **T**	12
axiomatiser **T**	12
azurer **T**	12

B

babiller **I / p.p.inv.**	12
bâcher **T**	12
bachoter **I / p.p.inv.**	12
bâcler **T**	12
badigeonner **T**	12
badiner **I / Ti** (avec, sur) / **p.p.inv.**	12
bafouer **T**	13
bafouiller **T / I,** p.p.inv.	12
bâfrer **T / I,** p.p.inv.	12
bagarrer **I,** p.p.inv. / **Pr**	12
baguenauder **I,** p.p.inv. / **Pr**	12
baguer **T /** -gu- partout	16
baigner **T / I,** p.p. inv. / **Pr**	12
bailler **T /** Usité surtout dans : *vous me la baillez belle*	12
bâiller **I / p.p.inv.**	12
bâillonner **T**	12
baiser **T**	12
baisoter **T**	12
baisser **T / I,** p.p.inv. / **Pr**	12
balader **T / I,** p.p.inv. / **Pr**	12
balafrer **T**	12
balancer **T / I,** p.p.inv. / **Pr**	18
balayer **T**	29 ou 30
balbutier **I,** p.p.inv. / **T**	15
baliser **T / I,** p.p.inv.	12
balkaniser **T / Pr**	12
ballaster **T**	12
baller **I / p.p.inv.**	12
ballonner **T / Pr**	12
ballotter **T / I,** p.p.inv.	12
bambocher **I / p.p.inv.**	12
banaliser **T**	12
bancher **T**	12
bander **T / I,** p.p.inv.	12
bannir **T**	35
banquer **I / p.p.inv.**	16
banqueter **I / p.p.inv.**	27
baptiser **T**	12
baragouiner **T / I,** p.p.inv.	12
baraquer **I / p.p.inv.**	16
baratiner **I /** p.p.inv. / **T**	12
baratter **T**	12
barber **T**	12
barbifier **T**	15
barboter **I,** p.p.inv. / **T**	12
barbouiller **T**	12
barder **T / U,** p.p.inv. : *ça va barder*	12
baréter **I / p.p.inv.**	20
barguigner **I / p.p.inv. :** *sans barguigner*	12
barioler **T**	12
barrer **T / Pr**	12
barricader **T / Pr**	12
barrir **I / p.p.inv.**	35
basaner **T**	12
basculer **I,** p.p.inv. / **T**	12
baser **T / Pr** (sur)	12
bassiner **T**	12
bastonner **-se- + être**	12
batailler **I / p.p.inv.**	12
bateler **I / p.p.inv.**	23
bâter **T**	12
batifoler **I / p.p.inv.**	12
bâtir **T**	35
bâtonner **T**	12
battre T / I, p.p.inv. / **Pr** (contre)	**74**
bavarder **I / p.p.inv.**	12
bavasser **I / p.p.inv.**	12
baver **I / p.p.inv.**	12
bavocher **I / p.p.inv.**	12
bayer **I / p.p.inv. :** *bayer aux corneilles*	12
bazarder **T**	12
béatifier **T**	15
bêcher **T / I,** p.p.inv.	12
bêcheveter **T**	27
bécoter **T / Pr**	12
becqueter **T**	27
becter **T / I,** p.p.inv.	12
bedonner **I / p.p.inv.**	12
béer **I / p.p.inv. / Déf :** usité seulement à l'inf. prés. et au part. prés. *(béant)* ; souvent remplacé par *être béant/te* aux autres temps	14
bégayer **I,** p.p.inv. / **T**	29 ou 30
bégueter **I / p.p.inv.**	28
bêler **I / p.p.inv.**	12
bémoliser **T**	12
bénéficier **Ti** (de) / **I,** Afrique / **p.p.inv.**	15
bénir **T**	35
béqueter **T**	28
béquiller **T**	12
bercer **T / Pr** (de)	18
berner **T**	12
besogner **I / p.p.inv.**	12
bêtifier **I / p.p.inv.**	15
bétonner **T / I,** p.p.inv.	12
beugler **I,** p.p.inv. / **T**	12

beurrer **T** 12
biaiser **I,** p.p.inv. / **T** 12
biberonner **I,** p.p.inv. / **T** 12
bicher **I / p.p.inv.** 12
bichonner **T / Pr** 12
bidonner **T / Pr** 12
bidouiller **T** 12
bienvenir **I / Déf :** usité seulement à l'inf. prés. (*se faire bienvenir* = être bien accueilli) –
biffer **T** 12
bifurquer **I / Ti** (sur, vers) / **p.p.inv.** 16
bigarrer **T** 12
bigler **I,** p.p.inv. / **T** 12
bigorner **T / Pr** 12
biler **-se- + être** 12
biller **T** 12
biloquer **T** 16
biner **T / I,** p.p.inv. 12
biper **T** 12
biscuiter **T** 12
biseauter **T** 12
biser **I,** p.p.inv. / **T** 12
bisquer **I / p.p.inv.** 16
bisser **T** 12
bistourner **T** 12
bistrer **T** 12
bitturer **-se- + être** 12
bitumer **T** 12
biturer **-se- + être** 12
bivouaquer **I / p.p.inv.** 16
bizuter **T** 12
blackbouler **T** 12
blaguer **I,** p.p.inv. / **T** / -gu- partout 16
blairer **T** 12
blâmer **T** 12
blanchir **T / I,** p.p.inv. 35
blaser **T** 12
blasonner **T** 12
blasphémer **T / I,** p.p.inv. 20
blatérer **I / p.p.inv.** 20
blêmir **I / p.p.inv.** 35
bléser **I / p.p.inv.** 20
blesser **T / Pr** 12
blettir **I / p.p.inv.** 35
bleuir **T / I,** p.p.inv. 35
bleuter **T** 12
blinder **T** 12
blinquer **I / p.p.inv. /** Belgique 16
blondir **I,** p.p.inv. / **T** 35
bloquer **T** 16
blottir **-se- + être** 35
blouser **T / I,** p.p.inv. 12
bluffer **T / I,** p.p.inv. 12
bluter **T** 12
bobiner **T** 12
bocarder **T** 12
boire T **89**
boiser **T** 12
boiter **I / p.p.inv.** 12
boitiller **I / p.p.inv.** 12
bombarder **T** 12
bomber **T / I,** p.p.inv. 12
bondir **I / p.p.inv.** 35
bonifier **T / Pr** 15
bonimenter **I / p.p.inv.** 12
border **T** 12
borner **T / Pr** (à) 12
bornoyer **I,** p.p.inv. / **T** 31
bosseler **T** 23
bosser **T / I,** p.p.inv. 12
bossuer **T** 13
bostonner **I / p.p.inv.** 12
botteler **T** 23
botter **T** 12
boubouler **I / p.p.inv.** 12
boucaner **T** 12
boucharder **T** 12
boucher **T** 12
bouchonner **T / I,** p.p.inv. 12
boucler **T / I,** p.p.inv. 12
bouder **I,** p.p.inv. / **T** 12
boudiner **T** 12
bouffer **I,** p.p.inv. / **T / Pr** 12
bouffir **T / I,** p.p.inv. 35
bouffonner **I / p.p.inv.** 12
bouger **I,** p.p.inv. / **T** 17
bougonner **T / I,** p.p.inv. 12
bouillir I, p.p.inv. / **T** **39**
bouillonner **I,** p.p.inv. / **T** 12
bouillotter **I / p.p.inv.** 12
boulanger **I,** p.p.inv. / **T** 17
bouler **I / p.p.inv.** 12
bouleverser **T** 12
boulocher **I / p.p.inv.** 12
boulonner **T / I,** p.p.inv. 12
boulotter **T / I,** p.p.inv. 12
boumer **I / U / p.p.inv.** 12
bouquiner **I,** p.p.inv. / **T** 12
bourdonner **I / p.p.inv.** 12
bourgeonner **I / p.p.inv.** 12
bourlinguer **I / p.p.inv.** / -gu- partout 16
bourrer **T / I,** p.p.inv. / **Pr** 12
boursicoter **I / p.p.inv.** 12
boursoufler **T / Pr** 12
bousculer **T / Pr** 12
bousiller **T** 12
bouter **T** 12
boutonner **T / I,** p.p.inv. / **Pr** 12
bouturer **I,** p.p.inv. / **T** 12
boxer **I,** p.p.inv. / **T** 12
boyauter **-se- + être** 12
boycotter **T** 12
braconner **I / p.p.inv.** 12
brader **T** 12
brailler **T / I,** p.p.inv. 12
braire **I / Déf :** usité seulement à l'inf. prés. et aux 3es pers. de l'ind. prés. et futur, ainsi qu'au conditionnel prés. 90
braiser **T** 12
bramer **I / p.p.inv.** 12
brancarder **T** 12
brancher **T / I ,** p.p.inv. / **Pr** (sur) 12
brandir **T** 35
branler **I,** p.p.inv. / **T / Pr** 12
braquer **T / I,** p.p.inv. / **Pr** (contre) 16
braser **T** 12
brasiller **I / p.p.inv.** 12
brasser **T / Pr** 12
braver **T** 12
bredouiller **I,** p.p.inv. / **T** 12
brêler **T** 12
brésiller **T / I,** p.p.inv. / **Pr** 12
bretteler **T** 23
bretter **T** 12
breveter **T** 27
bricoler **I,** p.p.inv. / **T** 12
brider **T** 12
bridger **I / p.p.inv.** 17
briefer **T** 12
briffer **I,** p.p.inv. / **T** 12
briguer **T** / -gu- partout 16
brillanter **T** 12
brillantiner **T** 12
briller **I / p.p.inv.** 12

brimbaler **T / I,** p.p.inv. 12
brimer **T** 12
bringuebaler **T / I,** p.p.inv. 12
bringuer **I,** p.p.inv. / **Pr /** Suisse / -gu- partout 16
brinquebaler **T / I,** p.p.inv. 12
briquer **T** 16
briqueter **T** 27
briser **T / I,** p.p.inv. / **Pr** 12
brocanter **I / p.p.inv.** 12
brocarder **T** 12
brocher **T** 12
broder **T** 12
broncher **I / p.p.inv.** 12
bronzer **T / I,** p.p.inv. 12
brosser **T / Pr** 12
brouetter **T** 12
brouillasser **U / p.p.inv.** 12
brouiller **T / Pr** 12
brouillonner **T** 12
brouter **T / I,** p.p.inv. 12
broyer **T** 31
bruiner **U / p.p.inv.** 12
bruir **T** 35
bruire I / p.p.inv. / Déf 80
bruisser **I / p.p.inv.** 12
bruiter **T** 12
brûler **T / I,** p.p.inv. / **Pr** 12
brumasser **U / p.p.inv.** 12
brumer **U / p.p.inv.** 12
brunir **T / I,** p.p.inv. 35
brusquer **T** 16
brutaliser **T** 12
bûcher **T / I,** p.p.inv. 12
budgéter **T** 20
budgétiser **T** 12
buffler **T** 12
buller **I / p.p.inv.** 12
bureaucratiser **T** 12
buriner **T** 12
buser **T /** Belgique 12
busquer **T** 16
buter **Ti** (sur, contre), p.p.inv. / **T / Pr** 12
butiner **I,** p.p.inv. / **T** 12
butter **T** 12

C

cabaler **I / p.p.inv.** 12
cabaner **T / I,** p.p.inv. 12
câbler **T** 12
cabosser **T** 12
caboter **I / p.p.inv.** 12
cabotiner **I / p.p.inv.** 12
cabrer **T / Pr** 12
cabrioler **I / p.p.inv.** 12
cacaber **I / p.p.inv.** 12
cacarder **I / p.p.inv.** 12
cacher **T / Pr** 12
cacheter **T** 27
cadastrer **T** 12
cadenasser **T** 12
cadencer **T** 18
cadmier **T** 15
cadrer **I** (avec), p.p.inv. **/ T** 12
cafarder **I,** p.p.inv. / **T** 12
cafouiller **I / p.p.inv.** 12
cafter **I,** p.p.inv. / **T** 12
cahoter **T / I,** p.p.inv. 12
cailler **T / I,** p.p.inv. / **Pr** 12
caillouter **T** 12
cajoler **T / I,** p.p.inv. 12
calaminer **-se- + être** 12
calancher **I / p.p.inv.** 12
calandrer **T** 12
calciner **T / Pr** 12
calculer **T / I,** p.p.inv. 12
caler **T / I,** p.p.inv. 12
caleter **I,** p.p.inv. / **Pr** 12
calfater **T** 12
calfeutrer **T / Pr** 12
calibrer **T** 12
câliner **T** 12
calligraphier **T / I,** p.p.inv. 15
calmer **T / Pr** 12
calmir **I / p.p.inv.** 35
calomnier **T** 15
calorifuger **T** 17
calotter **T** 12
calquer **T** 16
calter **I,** p.p.inv. / **Pr** 12
cambrer **T / Pr** 12
cambrioler **T** 12
camer **-se- + être** 12
camionner **T** 12
camoufler **T / Pr** 12
camper **I,** p.p.inv. / **T / Pr** 12
canaliser **T** 12
canarder **T / I,** p.p.inv. 12
cancaner **I / p.p.inv.** 12
cancériser **-se- + être** 12
candir **T / Pr** 35
caner **I / p.p.inv.** 12
canner **I,** p.p.inv. / **T** 12
cannibaliser **T** 12
canoniser **T** 12
canonner **T** 12
canoter **I / p.p.inv.** 12
cantiner **I / p.p.inv.** 12
cantonner **T / I,** p.p.inv. / **Pr** 12
canuler **T** 12
caoutchouter **T** 12
caparaçonner **T** 12
capéer **I / p.p.inv. /** -é- partout 14
capeler **T** 23
caper **T** 12
capeyer **I / p.p.inv. /** -y- partout 30
capitaliser **T / I,** p.p.inv. 12
capitonner **T** 12
capituler **I / p.p.inv.** 12
caporaliser **T** 12
capoter **T / I,** p.p.inv. 12
capsuler **T** 12
capter **T** 12
captiver **T** 12
capturer **T** 12
caquer **T** 16
caqueter **I / p.p.inv.** 27
caracoler **I / p.p.inv.** 12
caractériser **T / Pr** (par) 12
caramboler **I,** p.p.inv. / **T** 12
caraméliser **I,** p.p.inv. / **T** 12
carapater **-se- + être** 12
carbonater **T** 12
carboniser **T** 12
carbonitrurer **T** 12
carburer **T / I,** p.p.inv. 12
carcailler **I / p.p.inv.** 12
carder **T** 12
carencer **T** 18
caréner **T** 20
caresser **T** 12
carguer **T /** -gu- partout 16
caricaturer **T** 12
carier **T / Pr** 15
carillonner **I,** p.p.inv. / **T** 12
carotter **T** 12
carreler **T** 23
carrer **T / Pr** 12

carrosser **T** 12
carroyer **T** 31
cartelliser **T** 12
carter **T** 12
cartographier **T** 15
cartonner **T / I** 12
cascader **I / p.p.inv.** 12
casemater **T** 12
caser **T / Pr** 12
caserner **T** 12
casquer **I,** p.p.inv. / **T** 16
casser **T / I,** p.p.inv. / **Pr** 12
castrer **T** 12
cataloguer **T /** -gu- partout 16
catalyser **T** 12
catapulter **T** 12
catastropher **T** 12
catcher **I / p.p.inv.** 12
catéchiser **T** 12
catégoriser **T** 12
catir **T** 35
cauchemarder **I / p.p.inv.** 12
causer **T / Ti** (de, sur), p.p.inv. 12
cautériser **T** 12
cautionner **T** 12
cavalcader **I / p.p.inv.** 12
cavaler **I,** p.p.inv. / **T / Pr** 12
caver **T / I,** p.p.inv. 12
caviarder **T** 12
céder T / I, p.p.inv. / **Ti** (à), p.p.inv. **20**
ceindre **T** 70
ceinturer **T** 12
célébrer **T** 20
celer **T** 25
cémenter **T** 12
cendrer **T** 12
censurer **T** 12
centraliser **T** 12
centrer **T** 12
centrifuger **T** 17
centupler **T / I,** p.p.inv. 12
cercler **T** 12
cerner **T** 12
certifier **T** 15
césariser **T** 12
cesser **T / I,** p.p.inv. 12
chabler **T** 12
chagriner **T** 12
chahuter **T / I,** p.p.inv. 12
chaîner **T** 12
chaloir **U / Déf :** usité seulement dans l'expression *peu me (te, lui...) chaut* –
chalouper **I / p.p.inv.** 12
chamailler **-se- + être** 12
chamarrer **T** 12
chambarder **T** 12
chambouler **T** 12
chambrer **T** 12
chamoiser **T** 12
champagniser **T** 12
champlever **T** 25
chanceler **I / p.p.inv.** 23
chancir **I / p.p.inv.** 35
chanfreiner **T** 12
changer **T / I,** p.p.inv. / **Ti** (de), p.p.inv. / **Pr** 17
chansonner **T** 12
chanter **I,** p.p.inv. / **T** 12
chantonner **T / I,** p.p.inv. 12
chantourner **T** 12
chaparder **T** 12
chapeauter **T** 12
chaperonner **T** 12
chapitrer **T** 12
chaponner **T** 12
chaptaliser **T** 12
charbonner **T / I,** p.p.inv. 12
charcuter **T** 12
charger **T / Pr** (de) 17
charioter **I / p.p.inv.** 12
charmer **T** 12
charpenter **T** 12
charrier **T / I,** p.p.inv. 15
charroyer **T** 31
chasser **T / I,** p.p.inv. 12
châtier **T** 15
chatonner **I / p.p.inv.** 12
chatouiller **T** 12
chatoyer **I / p.p.inv.** 31
châtrer **T** 12
chauffer **T / I,** p.p.inv. / **Pr** 12
chauler **T** 12
chaumer **T / I,** p.p.inv. 12
chausser **T / I,** p.p.inv. / **Pr** 12
chauvir **I / p.p.inv. /** Suit le modèle de *aimer* (12) au plur. du prés. de l'ind. et de l'impér., à l'ind. imparf., au subj. prés. et au part. prés. 35
chavirer **I,** p.p.inv. / **T** 12
cheminer **I / p.p.inv.** 12
chemiser **T** 12
chercher **T** 12
chérir **T** 35
chevaler **T** 12
chevaucher **T / I,** p.p.inv. / **Pr** 12
cheviller **T** 12
chevreter **I / p.p.inv.** 27
chevretter **I / p.p.inv.** 12
chevroter **I / p.p.inv.** 12
chiader **I,** p.p.inv. / **T** 12
chialer **I / p.p.inv.** 12
chicaner **I,** p.p.inv. / **T** 12
chicoter **I / p.p.inv.** 12
chier **I,** p.p.inv. / **T** 15
chiffonner **T** 12
chiffrer **T / I,** p.p.inv. / **Pr** 12
chiner **T / I,** p.p.inv. 12
chinoiser **I / p.p.inv.** 12
chiper **T** 12
chipoter **I / p.p.inv.** 12
chiquer **T / I,** p.p.inv. 16
chlinguer **I / p.p.inv. /** -gu- partout 16
chloroformer **T** 12
chlorurer **T** 12
choir I / + être / Déf **63**
choisir **T** 35
chômer **I,** p.p.inv. / **T** 12
choper **T** 12
choquer **T** 16
chorégraphier **T** 15
chosifier **T** 15
chouchouter **T** 12
chouriner **T** 12
choyer **T** 31
christianiser **T** 12
chromer **T** 12
chromiser **T** 12
chroniciser **-se- + être** 12
chronométrer **T** 20
chuchoter **I,** p.p.inv. / **T** 12
chuinter **I / p.p.inv.** 12
chuter **I / p.p.inv.** 12
cibler **T** 12
cicatriser **T / I,** p.p.inv. / **Pr** 12
ciller **I / p.p.inv.** 12

cimenter **T**	12	clouer **T**	13	commander **T / I,** p.p.inv. / **Ti** (à), p.p.inv. / **Pr**	12
cingler **I,** p.p.inv. / **T**	12	clouter **T**	12	commanditer **T**	12
cintrer **T**	12	coaguler **T / I,** p.p.inv. / **Pr**	12	commémorer **T**	12
circoncire **T**	100	coalescer **T**	19	commencer **T / Ti** (à + inf., par), p.p.inv. / **I,** p.p.inv.	18
circonscrire **T**	81	coaliser **T / Pr** (contre)	12	commenter **T**	12
circonvenir **T**	4	coasser **I / p.p.inv.**	12	commercer **Ti** (avec) / **p.p.inv.**	18
circulariser **T**	12	cocher **T**	12	commercialiser **T**	12
circuler **I / p.p.inv.**	12	côcher **T**	12	commérer **I / p.p.inv.**	20
cirer **T**	12	cochonner **I,** p.p.inv. / **T**	12	commettre **T / Pr**	6
cisailler **T**	12	cocoler **T** / Suisse	12	commissionner **T**	12
ciseler **T**	25	cocoter **I / p.p.inv.**	12	commotionner **T**	12
citer **T**	12	cocotter **I / p.p.inv.**	12	commuer **T**	13
civiliser **T**	12	cocufier **T**	15	communaliser **T**	12
clabauder **I / p.p.inv.**	12	coder **T**	12	communier **I,** p.p.inv. / **T**	15
claboter **I,** p.p.inv. / **T**	12	codifier **T**	15	communiquer **T / Ti** (avec, sur), p.p.inv.	16
claironner **I,** p.p.inv. / **T**	12	coéditer **T**	12	commuter **T**	12
clamecer **I / p.p.inv.**	18	coexister **I / p.p.inv.**	12	compacter **T**	12
clamer **T**	12	coffrer **T**	12	comparaître **I / p.p.inv.**	75
clamser **I / p.p.inv.**	12	cofinancer **T**	18	comparer **T**	12
clapir **I / p.p.inv.**	35	cogérer **T**	20	comparoir **I / Déf :** usité seulement à l'inf. prés. et au part. prés. *(comparant)* ; on emploie *comparaître* pour les autres formes	–
clapoter **I / p.p.inv.**	12	cogiter **I,** p.p.inv. / **T**	12	compartimenter **T**	12
clapper **I / p.p.inv.**	12	cogner **I,** p.p.inv. / **Ti** (à, contre, sur, dans), p.p.inv. / **T / Pr**	12	compasser **T**	12
claquemurer **T / Pr**	12	cohabiter **I / p.p.inv.**	12	compatir **Ti** (à) / **p.p.inv.**	35
claquer **I,** p.p.inv. / **T / Pr**	16	cohériter **I / p.p.inv.**	12	compenser **T**	12
claqueter **I / p.p.inv.**	27	coiffer **T / Pr**	12	compiler **T**	12
clarifier **T**	15	coincer **T / Pr**	18	compisser **T**	12
classer **T / Pr**	12	coïncider **I / p.p.inv.**	12	complaire **Ti** (à) / **Pr** (dans) / **p.p.inv.** même à la voix pronominale	91
classifier **T**	15	coïter **I / p.p.inv.**	12	complanter **T**	12
claudiquer **I / p.p.inv.**	16	cokéfier **T**	15	compléter **T / Pr**	20
claustrer **T / Pr**	12	collaborer **I / Ti** (à) / **p.p.inv.**	12	complexer **T**	12
claver **T**	12	collationner **T**	12	complexifier **T**	15
claveter **T**	27	collecter **T**	12	complimenter **T**	12
clayonner **T**	12	collectionner **T**	12	compliquer **T / Pr**	16
clicher **T**	12	collectiviser **T**	12	comploter **T / I,** p.p.inv.	12
cligner **T / I,** p.p.inv.	12	coller **T / I,** p.p.inv. / **Ti** (à), p.p.inv.	12	comporter **T / Pr**	12
clignoter **I / p.p.inv.**	12	colleter **-se- + être**	27	composer **T / I,** p.p.inv.	12
climatiser **T**	12	colliger **T**	17	composter **T**	12
cliquer **I / p.p.inv.**	16	colloquer **T**	16	comprendre **T**	68
cliqueter **I / p.p.inv.**	27	colmater **T**	12	compresser **T**	12
clisser **T**	12	coloniser **T**	12	comprimer **T**	12
cliver **T / Pr**	12	colorer **T**	12	compromettre **T / I,** p.p.inv. / **Pr**	6
clochardiser **T / Pr**	12	colorier **T**	15		
clocher **I / p.p.inv.**	12	coloriser **T**	12		
cloisonner **T**	12	colporter **T**	12		
cloîtrer **T / Pr**	12	coltiner **T / Pr**	12		
cloner **T**	12	combattre **T / I,** p.p.inv.	74		
clopiner **I / p.p.inv.**	12	combiner **T / Pr**	12		
cloquer **I / p.p.inv.**	16	combler **T**	12		
clore T / Déf	**98**				
clôturer **T / I,** p.p.inv.	12				

comptabiliser **T** 12
compter **T / Ti** (avec, sur), p.p.inv. / **I,** p.p.inv. 12
compulser **T** 12
concasser **T** 12
concéder **T** 20
concélébrer **T** 20
concentrer **T / Pr** 12
conceptualiser **T** 12
concerner **T** 12
concerter **T / Pr** 12
concevoir **T** 51
concilier **T / Pr** 15
conclure T / Ti (à), p.p.inv. / **I,** p.p.inv. **94**
concocter **T** 12
concorder **I / p.p.inv.** 12
concourir **Ti** (à) / **I / p.p.inv.** 42
concréter **T / Pr** 20
concrétiser **T / Pr** 12
concurrencer **T** 18
condamner **T** 12
condenser **T / Pr** 12
condescendre **Ti** (à) / **p.p.inv.** 66
conditionner **T** 12
conduire T / Pr **85**
confectionner **T** 12
confédérer **T** 20
conférer **I** (avec), p.p.inv. / **T** 20
confesser **T / Pr** 12
confier **T / Pr** 15
confiner **Ti** (à), p.p.inv. / **T / Pr** 12
confire T / Pr **100**
confirmer **T** 12
confisquer **T** 16
confluer **I / p.p.inv.** 13
confondre **T / Pr** 66
conformer **T / Pr** (à) 12
conforter **T** 12
confronter **T** 12
congédier **T** 15
congeler **T / Pr** 25
congestionner **T / Pr** 12
conglomérer **T** 20
conglutiner **T** 12
congratuler **T** 12
congréer **T /** -é- partout 14
conjecturer **T** 12
conjuguer **T /** -gu- partout 16

conjurer **T** 12
connaître T / Ti (de), p.p.inv. / **Pr** **75**
connecter **T** 12
connoter **T** 12
conquérir **T** 44
consacrer **T / Pr** (à) 12
conscientiser **T** 12
conseiller **T** 12
consentir **Ti** (à), p.p.inv. / **T** 38
conserver **T / Pr** 12
considérer **T** 20
consigner **T** 12
consister **Ti** (à, dans, en) / **p.p.inv.** 12
consoler **T / Pr** 12
consolider **T** 12
consommer **T / I,** p.p.inv. 12
conspirer **I,** p.p.inv. / **T** 12
conspuer **T** 13
constater **T** 12
consteller **T** 12
consterner **T** 12
constiper **T** 12
constituer **T / Pr** 13
constitutionnaliser **T** 12
construire **T** 85
consulter **T / I,** p.p.inv. 12
consumer **T / Pr** 12
contacter **T** 12
contagionner **T** 12
containériser **T** 12
contaminer **T** 12
contempler **T** 12
conteneuriser **T** 12
contenir **T / Pr** 4
contenter **T / Pr** (de) 12
conter **T** 12
contester **T** 12
contingenter **T** 12
continuer **T / Ti** (à), p.p.inv. / **I,** p.p.inv. / **Pr** 13
contorsionner **-se- + être** 12
contourner **T** 12
contracter **T / Pr** 12
contractualiser **T** 12
contracturer **T** 12
contraindre **T** 69
contrarier **T** 15

contraster **I,** p.p.inv. / **Ti** (avec), p.p.inv. / **T** 12
contre-attaquer **T / I,** p.p.inv. 16
contrebalancer **T / Pr** 18
contre-braquer **T / I,** p.p.inv. 16
contrebuter **T** 12
contrecarrer **T** 12
contredire **T / Pr** 78
contrefaire **T** 5
contreficher **-se-** (de) **+ être** 12
contrefoutre **-se-** (de) **+ être / Déf :** inusité au passé simple et au subj. imparf. 66
contre-indiquer **T** 16
contre-manifester **I / p.p.inv.** 12
contremarquer **T** 16
contre-miner **T** 12
contre-passer **T** 12
contreplaquer **T** 16
contrer **T** 12
contresigner **T** 12
contre-tirer **T** 12
contretyper **T** 12
contrevenir **Ti** (à) / **p.p.inv.** 4
contreventer **T** 12
contribuer **Ti** (à) / **p.p.inv.** 13
contrister **T** 12
contrôler **T / Pr** 12
controverser **T** 12
contusionner **T** 12
convaincre **T** 73
convenir **Ti** (de, à), p.p.inv. / **U** (de) **+ être ou avoir / Pr / Attention :** p.p.inv. à la voix pronominale 4
conventionner **T** 12
converger **I / p.p.inv.** 17
converser **I / p.p.inv.** 12
convertir **T** 35
convier **T** 15
convoiter **T** 12
convoler **I / p.p.inv.** 12
convoquer **T** 16
convoyer **T** 31
convulser **T** 12
convulsionner **T** 12
coopérer **Ti** (à) / **p.p.inv.** 20
coopter **T** 12
coordonner **T** 12

copartager **T** 17
copermuter **T** 12
copier **T / Ti** (sur), p.p.inv. 15
copiner **I / p.p.inv.** 12
coposséder **T** 20
coproduire **T** 85
copuler **I / p.p.inv.** 12
coqueter **I / p.p.inv.** 27
coquiller **I / p.p.inv.** 12
cordeler **T** 23
corder **T** 12
cordonner **T** 12
cornaquer **T** 16
corner **I,** p.p.inv. / **T** 12
correctionnaliser **T** 12
corréler **T** 20
correspondre **I / Ti** (à) / **p.p.inv.** 66
corriger **T / Pr** 17
corroborer **T** 12
corroder **T** 12
corrompre **T** 72
corroyer **T** 31
corser **T / Pr** 12
corseter **T** 28
cosigner **T** 12
cosser **I / p.p.inv.** 12
costumer **T** 12
coter **T / I,** p.p.inv. 12
cotir **T** 35
cotiser **I,** p.p.inv. / **Pr** 12
cotonner **-se- + être** 12
côtoyer **T** 31
couchailler **I / p.p.inv.** 12
coucher **T / I**, p.p.inv. / **Pr** 12
couder **T** 12
coudoyer **T** 31
coudre T **97**
couillonner **T** 12
couiner **I / p.p.inv.** 12
couler **I,** p.p.inv. / **T / Pr** 12
coulisser **T / I,** p.p.inv. 12
coupailler **T** 12
couper **T / Ti** (à), p.p.inv. / **I,** p.p.inv. / **Pr** 12
coupler **T** 12
courailler **I / p.p.inv.** 12
courbaturer **T** 12
courber **T / I,** p.p.inv. / **Pr** 12
courcailler **I / p.p.inv.** 12
courir I, p.p.inv. / **T** **42**
couronner **T / Pr** 12
courroucer **T** 18
courser **T** 12
courtauder **T** 12
court-circuiter **T** 12
courtiser **T** 12
cousiner **I / p.p.inv.** 12
coûter **I,** p.p.inv. / **T** 12
couver **T / I,** p.p.inv. 12
couvrir **T / Pr** 45
craboter **T** 12
cracher **I,** p.p.inv. / **Ti** (sur), p.p.inv. / **T** 12
crachiner **U / p.p.inv.** 12
crachoter **I / p.p.inv.** 12
crachouiller **I / p.p.inv.** 12
crailler **I / p.p.inv.** 12
craindre T / I, p.p.inv. **69**
cramer **I,** p.p.inv. / **T** 12
cramponner **T / Pr** (à) 12
crâner **I / p.p.inv.** 12
cranter **T** 12
crapahuter **I / p.p.inv.** 12
crapaüter **I / p.p.inv.** 12
craqueler **T / Pr** 23
craquer **I,** p.p.inv. / **T** 16
craqueter **I / p.p.inv.** 27
crasher **-se- + être** 12
cravacher **T / I,** p.p.inv. 12
cravater **T** 12
crawler **I / p.p.inv.** 12
crayonner **T** 12
crécher **I / p.p.inv.** 20
crédibiliser **T** 12
créditer **T** 12
créer T / -é- partout **14**
crémer **I / p.p.inv.** 20
créneler **T** 23
créner **T** 20
créoliser **-se- + être** 12
créosoter **T** 12
crêper **T / Pr** dans l'expression familière *se crêper le chignon* 12
crépir **T** 35
crépiter **I / p.p.inv.** 12
crétiniser **T** 12
creuser **T / Pr** 12
crevasser **T / Pr** 12
crever **I,** p.p.inv. / **T / Pr** (à) 25
crevoter **I / p.p.inv. /** Suisse 12
criailler **I / p.p.inv.** 12
cribler **T** 12
crier **I,** p.p.inv. / **Ti** (après, contre), p.p.inv. / **T** 15
criminaliser **T** 12
crisper **T / Pr** 12
crisser **I / p.p.inv.** 12
cristalliser **T / I,** p.p.inv. / **Pr** 12
criticailler **T** 12
critiquer **T** 16
croasser **I / p.p.inv.** 12
crocher **T / I,** p.p.inv. / Suisse 12
crocheter **T** 28
croire T / Ti (à, en), p.p.inv. / **I,** p.p.inv. / **Pr** **88**
croiser **T / I,** p.p.inv. / **Pr** 12
croître I / p.p.inv. **92**
croquer **I,** p.p.inv. / **T** 16
crosser **T** 12
crotter **I / p.p.inv.** 12
crouler **I / p.p.inv.** 12
croupir **I / p.p.inv.** 35
croustiller **I / p.p.inv.** 12
croûter **I / p.p.inv.** 12
crucifier **T** 15
crypter **T** 12
cuber **T / I,** p.p.inv. 12
cueillir T **46**
cuirasser **T / Pr** 12
cuire **T / I,** p.p.inv. 85
cuisiner **I,** p.p.inv. / **T** 12
cuiter **-se- + être** 12
cuivrer **T** 12
culbuter **T / I,** p.p.inv. 12
culer **I / p.p.inv.** 12
culminer **I / p.p.inv.** 12
culotter **T** 12
culpabiliser **T / I,** p.p.inv. 12
cultiver **T / Pr** 12
cumuler **T / I,** p.p.inv. 12
curer **T / Pr** 12
cureter **T** 27
cuveler **T** 23
cuver **I,** p.p.inv. / **T** 12
cyanoser **T** 12
cyanurer **T** 12
cycliser **T** 12
cylindrer **T** 12

D

dactylographier **T** 15
daigner **T** (+ inf.) / **p.p.inv.** 12
daller **T** 12
damasquiner **T** 12
damasser **T** 12
damer **T** 12
damner **T / Pr** 12
dandiner **-se- + être** 12
danser **I,** p.p.inv. / **T** 12
dansoter **I / p.p.inv.** 12
dansotter **I / p.p.inv.** 12
darder **T** 12
dater **T / I,** p.p.inv. 12
dauber **T / I,** p.p.inv. 12
déambuler **I / p.p.inv.** 12
débâcher **T** 12
débâcler **T / I,** p.p.inv. 12
débagouler **I,** p.p.inv. / **T** 12
débâillonner **T** 12
déballer **T** 12
déballonner **-se- + être** 12
débalourder **T** 12
débander **T / Pr** 12
débaptiser **T** 12
débarbouiller **T / Pr** 12
débarder **T** 12
débarquer **T / I,** p.p.inv. 16
débarrasser **T / Pr** (de) 12
débarrer **T** 12
débâter **T** 12
débâtir **T** 35
débattre **T / Ti** (de), p.p.inv. / **Pr** 74
débaucher **T** 12
débecqueter **T** 27
débecter **T** 1
débenzoler **T** 12
débéqueter **T** 28
débiliter **T** 12
débillarder **T** 12
débiner **T / Pr** 12
débiter **T** 12
déblatérer **Ti** (contre) / **p.p.inv.** 20
déblayer **T** 29 ou 30
débloquer **T / I,** p.p.inv. 16
débobiner **T** 12
déboiser **T / Pr** 12
déboîter **T / I,** p.p.inv. / **Pr** 12

débonder **T / Pr** 12
déborder **I,** p.p.inv. / **T / Ti** (de), p.p.inv. / **Pr** 12
débosseler **T** 23
débotter **T** 12
déboucher **T / I,** p.p.inv. 12
déboucler **T** 12
débouillir **T** 39
débouler **I,** p.p.inv. / **T** 12
déboulonner **T** 12
débouquer **I / p.p.inv.** 16
débourber **T** 12
débourrer **T / I,** p.p.inv. 12
débourser **T** 12
déboussoler **T** 12
débouter **T** 12
déboutonner **T / Pr** 12
débrailler **-se- + être** 12
débrancher **T** 12
débraser **T** 12
débrayer **T / I,** p.p.inv. 29 ou 30
débrider **T** 12
débrocher **T** 12
débrouiller **T / Pr** 12
débroussailler **T** 12
débrousser **T /** Afrique 12
débucher **I,** p.p.inv. / **T** 12
débudgétiser **T** 12
débureaucratiser **T** 12
débusquer **T** 16
débuter **I,** p.p.inv. / **T** 12
décacheter **T** 27
décadenasser **T** 12
décadrer **T** 12
décaisser **T** 12
décalaminer **T** 12
décalcifier **T / Pr** 15
décaler **T / Pr** 12
décalotter **T** 12
décalquer **T** 16
décamper **I / p.p.inv.** 12
décaniller **I / p.p.inv.** 12
décanter **T / Pr** 12
décapeler **T** 23
décaper **T** 12
décapitaliser **I / p.p.inv.** 12
décapiter **T** 12
décapoter **T** 12
décapsuler **T** 12
décapuchonner **T** 12

décarbonater **T** 12
décarburer **T** 12
décarcasser **-se- + être** 12
décarreler **T** 23
décatir **T / Pr** 35
décauser **I / p.p.inv.** / Belgique 12
décavaillonner **T** 12
décaver **T** 12
décéder **I / + être** 20
déceler **T** 25
décélérer **I / p.p.inv.** 20
décentraliser **T** 12
décentrer **T** 12
décercler **T** 12
décérébrer **T** 20
décerner **T** 12
décerveler **T** 23
décevoir **T** 51
déchaîner **T / Pr** 12
déchanter **I / p.p.inv.** 12
déchaperonner **T** 12
décharger **T / I,** p.p.inv. / **Pr** (de) 17
décharner **T** 12
déchaumer **T** 12
déchausser **T / Pr** 12
déchiffonner **T** 12
déchiffrer **T** 12
déchiqueter **T** 27
déchirer **T / Pr** 12
déchlorurer **T** 12
déchoir I / T / + être ou avoir / Déf **65**
déchristianiser **T** 12
décider **T / I,** p.p.inv. / **Ti** (de), p.p.inv. / **Pr** (à) 12
décimaliser **T** 12
décimer **T** 12
décintrer **T** 12
déclamer **T / I,** p.p.inv. 12
déclarer **T / Pr** 12
déclasser **T** 12
déclaveter **T** 27
déclencher **T / Pr** 12
décliner **I,** p.p.inv. / **T** 12
décliqueter **T** 27
décloisonner **T** 12
déclore **T / Déf :** usité seulement à l'inf. et au part. passé *(déclos, déclose/ses)* 98

Verbe	Modèle
déclouer **T**	13
décocher **T**	12
décoder **T**	12
décoffrer **T**	12
décoiffer **T**	12
décoincer **T / Pr**	18
décolérer **I / p.p.inv.**	20
décollectiviser **T**	12
décoller **T / I,** p.p.inv.	12
décolleter **T**	27
décoloniser **T**	12
décolorer **T**	12
décommander **T**	12
décompenser **I / p.p.inv.**	12
décomplexer **T**	12
décomposer **T / Pr**	12
décompresser **I / p.p.inv.**	12
décomprimer **T**	12
décompter **T / I,** p.p.inv.	12
déconcentrer **T / Pr**	12
déconcerter **T**	12
déconditionner **T**	12
déconfire **T**	100
décongeler **T**	25
décongestionner **T**	12
déconnecter **T / I,** p.p.inv.	12
déconner **I / p.p.inv.**	12
déconseiller **T**	12
déconsidérer **T / Pr**	20
déconsigner **T**	12
déconstruire **T**	85
décontaminer **T**	12
décontenancer **T / Pr**	18
décontracter **T / Pr**	12
déconventionner **T**	12
décorder **-se- + être**	12
décorer **T**	12
décorner **T**	12
décortiquer **T**	16
découcher **I / p.p.inv.**	12
découdre **T / I** dans l'expression familière *en découdre avec quelqu'un* (usitée à l'infinitif)	97
découler **Ti** (de) / **p.p.inv.**	12
découper **T / Pr**	12
découpler **T**	12
décourager **T / Pr**	17
découronner **T**	12
découvrir **T / I,** p.p.inv. / **Pr**	45
décrasser **T**	12
décrédibiliser **T**	12
décrêper **T**	12
décrépir **T / Pr**	35
décrépiter **T**	12
décréter **T**	20
décreuser **T**	12
décrier **T**	15
décriminaliser **T**	12
décrire **T**	81
décrisper **T**	12
décrocher **T / I,** p.p.inv.	12
décroiser **T**	12
décroître **I / p.p.inv.** *(décru)*	93
décrotter **T**	12
décruer **T**	13
décruser **T**	12
décrypter **T**	12
décuivrer **T**	12
déculasser **T**	12
déculotter **T / Pr**	12
déculpabiliser **T**	12
décupler **T / I,** p.p.inv.	12
décuver **T**	12
dédaigner **T / Ti** (de + inf.), p.p.inv.	12
dédicacer **T**	18
dédier **T**	15
dédifférencier **-se- + être**	15
dédire **-se- + être**	78
dédommager **T**	17
dédorer **T**	12
dédouaner **T / Pr**	12
dédoubler **T**	12
dédramatiser **T**	12
déduire **T**	85
défaillir I / p.p.inv.	**47**
défaire **T / Pr** (de)	5
défalquer **T**	16
défatiguer **T** / -gu- partout	16
défaufiler **T**	12
défausser **T / Pr** (de, sur)	12
défavoriser **T**	12
défendre **T / Pr**	66
défenestrer **T**	12
déféquer **I,** p.p.inv. / **T**	20
déférer **T / Ti** (à), p.p.inv.	20
déferler **T / I**, p.p.inv.	12
déferrer **T**	12
défeuiller **T**	12
défeutrer **T**	12
défibrer **T**	12
déficeler **T**	23
défier **T / Pr** (de)	15
défigurer **T**	12
défiler **I,** p.p.inv. / **T / Pr**	12
définir **T**	35
défiscaliser **T**	12
déflagrer **I / p.p.inv.**	12
défléchir **T**	35
défleurir **T / I,** p.p.inv.	35
déflorer **T**	12
défolier **T**	15
défoncer **T / Pr**	18
déforcer **T** / Belgique	18
déformer **T**	12
défouler **T / Pr**	12
défourner **T**	12
défraîchir **T**	35
défrayer **T**	29 ou 30
défricher **T**	12
défriper **T**	12
défriser **T**	12
défroisser **T**	12
défroncer **T**	18
défroquer **I,** p.p.inv. / **Pr**	16
défruiter **T**	12
dégager **T / Pr**	17
dégainer **T**	12
déganter **-se- + être**	12
dégarnir **T / Pr**	35
dégasoliner **T**	12
dégauchir **T**	35
dégazer **T / I,** p.p.inv.	12
dégazoliner **T**	12
dégazonner **T**	12
dégeler **T / I,** p.p.inv. / **Pr**	25
dégénérer **I / p.p.inv.**	20
dégermer **T**	12
dégivrer **T**	12
déglacer **T**	18
déglinguer **T** / -gu- partout	16
dégluer **T**	13
déglutir **T / I,** p.p.inv.	35
dégobiller **T / I,** p.p.inv.	12
dégoiser **T / I,** p.p.inv.	12
dégommer **T**	12
dégonfler **T / Pr**	12
dégorger **T / I,** p.p.inv.	17
dégoter **T**	12
dégotter **T**	12

dégouliner **I / p.p.inv.**	12
dégoupiller **T**	12
dégourdir **T**	35
dégoûter **T**	12
dégoutter **I / p.p.inv.**	12
dégrader **T / Pr**	12
dégrafer **T**	12
dégraisser **T / I,** p.p.inv.	12
dégravoyer **T**	31
dégréer **T /** -é- partout	14
dégrever **T**	25
dégringoler **I,** p.p.inv. / **T**	12
dégripper **T**	12
dégriser **T / Pr**	12
dégrosser **T**	12
dégrossir **T**	35
dégrouiller **-se- + être**	12
dégrouper **T**	12
déguerpir **I / p.p.inv.**	35
dégueuler **T / I,** p.p.inv.	12
déguiller **T / I,** p.p.inv. / Suisse	12
déguiser **T / Pr**	12
dégurgiter **T**	12
déguster **T**	12
déhaler **T / Pr**	12
déhancher **-se- + être**	12
déharnacher **T**	12
déhouiller **T**	12
déifier **T**	15
déjanter **T**	12
déjauger **I,** p.p.inv. / **T**	17
déjeter **T**	27
déjeuner **I / p.p.inv.**	12
déjouer **T**	13
déjucher **I,** p.p.inv. / **T**	12
déjuger **-se- + être**	17
délabrer **T / Pr**	12
délacer **T**	18
délainer **T**	12
délaisser **T**	12
délaiter **T**	12
délarder **T**	12
délasser **T / Pr**	12
délaver **T**	12
délayer **T**	29 ou 30
délecter **-se-** (de) **+ être**	12
délégitimer **T**	12
déléguer **T /** -gu- partout	20
délester **T**	12
délibérer **I / p.p.inv.**	20
délier **T**	15
délimiter **T**	12
délinéer **T /** -é- partout	14
délirer **I / p.p.inv.**	12
délisser **T**	12
déliter **T / Pr**	12
délivrer **T**	12
délocaliser **T**	12
déloger **I,** p.p.inv. / **T,** Belgique	17
délurer **T**	12
délustrer **T**	12
déluter **T**	12
démagnétiser **T**	12
démaigrir **T**	35
démailler **T**	12
démailloter **T**	12
démancher **T / I,** p.p.inv. / **Pr**	12
demander **T / Ti** (après), p.p.inv. / **Pr**	12
démanger **T**	17
démanteler **T**	25
démantibuler **T**	12
démaquiller **T**	12
démarcher **T**	12
démarier **T**	15
démarquer **T / I,** p.p.inv. / **Pr** (de)	16
démarrer **T / I,** p.p.inv.	12
démascler **T**	12
démasquer **T / Pr**	16
démastiquer **T**	16
démâter **T / I,** p.p.inv.	12
dématérialiser **T**	12
démazouter **T**	12
démédicaliser **T**	12
démêler **T**	12
démembrer **T**	12
déménager **T / I,** p.p.inv.	17
démener **-se- + être**	25
démentir **T / Pr**	38
démerder **-se- + être**	12
démériter **I / p.p.inv.**	12
démettre **T / Pr**	6
démeubler **T**	12
demeurer **I / + être ou avoir**	12
démieller **T**	12
démilitariser **T**	12
déminer **T**	12
déminéraliser **T**	12
démissionner **I,** p.p.inv. / **T**	12
démobiliser **T**	12
démocratiser **T**	12
démoder **-se- + être**	12
démoduler **T**	12
démolir **T**	35
démonétiser **T**	12
démonter **T / Pr**	12
démontrer **T**	12
démoraliser **T**	12
démordre **Ti** (de) / **p.p.inv.** **/** Usité à la tournure négative *(il n'en démord pas...)*	66
démotiver **T**	12
démoucheter **T**	27
démouler **T**	12
démoustiquer **T**	16
démultiplier **T / I,** p.p.inv.	15
démunir **T / Pr** (de)	35
démuseler **T**	23
démutiser **T**	12
démystifier **T**	15
démythifier **T**	15
dénantir **T**	35
dénasaliser **T**	12
dénationaliser **T**	12
dénatter **T**	12
dénaturaliser **T**	12
dénaturer **T**	12
dénazifier **T**	15
dénébuler **T**	12
dénébuliser **T**	12
déneiger **T**	17
déniaiser **T**	12
dénicher **T / I,** p.p.inv.	12
dénicotiniser **T**	12
dénier **T**	15
dénigrer **T**	12
dénitrer **T**	12
dénitrifier **T**	15
déniveler **T**	23
dénombrer **T**	12
dénommer **T**	12
dénoncer **T**	18
dénoter **T**	12
dénouer **T**	13
dénoyauter **T**	12
dénoyer **T**	31
densifier **T**	15
denteler **T**	23
dénucléariser **T**	12

dénuder **T / Pr** 12
dénuer **-se-** (de) **+ être** 13
dépailler **T** 12
dépalisser **T** 12
dépanner **T** 12
dépaqueter **T** 27
déparasiter **T** 12
dépareiller **T** 12
déparer **T** 12
déparier **T** 15
déparler **I / p.p.inv.** 12
départager **T** 17
départementaliser **T** 12
départir **T / Pr** (de) 35 ou 38
dépasser **T / I,** p.p.inv. / **Pr** 12
dépassionner **T** 12
dépatouiller **-se- + être** 12
dépatrier **T** 15
dépaver **T** 12
dépayser **T** 12
dépecer T **26**
dépêcher **T / Pr** 12
dépeigner **T** 12
dépeindre **T** 70
dépénaliser **T** 12
dépendre **T / Ti** (de), p.p.inv. / **U,** p.p.inv. dans les expressions *cela dépend, il dépend de toi (lui, nous...) que...* 66
dépenser **T / Pr** 12
dépérir **I / p.p.inv.** 35
dépersonnaliser **T** 12
dépêtrer **T / Pr** (de) 12
dépeupler **T / Pr** 12
déphaser **T** 12
déphosphater **T** 12
déphosphorer **T** 12
dépiauter **T** 12
dépiler **T** 12
dépiquer **T** 16
dépister **T** 12
dépiter **T / Pr** 12
déplacer **T / Pr** 18
déplafonner **T** 12
déplaire **Ti** (à) / **Pr / p.p.inv.** même à la voix pronominale 91
déplanter **T** 12
déplâtrer **T** 12
déplier **T** 15
déplisser **T** 12

déplomber **T** 12
déplorer **T** 12
déployer **T** 31
déplumer **T / Pr** 12
dépoétiser **T** 12
dépointer **T** 12
dépolariser **T** 12
dépolir **T** 35
dépolitiser **T** 12
dépolluer **T** 13
déporter **T** 12
déposer **T** 12
déposséder **T** 20
dépoter **T / I,** p.p.inv. / **U,** p.p.inv. (avec le pronom démonstratif familier : *ça dépote*) 12
dépouiller **T / Pr** 12
dépourvoir **T / Pr** (de, en) 54
dépoussiérer **T** 20
dépraver **T** 12
déprécier **T / Pr** 15
déprendre **-se-** (de) **+ être** 68
dépressuriser **T** 12
déprimer **T / I,** p.p.inv. 12
dépriser **T** 12
déprogrammer **T** 12
dépuceler **T** 23
dépulper **T** 12
dépurer **T** 12
députer **T** 12
déqualifier **T** 15
déraciner **T** 12
dérader **I / p.p.inv.** 12
dérager **I / p.p.inv.** 17
déraidir **T** 35
dérailler **I / p.p.inv.** 12
déraisonner **I / p.p.inv.** 12
déramer **I,** p.p.inv. / **T** 12
déranger **T / Pr** 17
déraper **I / p.p.inv.** 12
déraser **T** 12
dératiser **T** 12
dérayer **T** 30
déréaliser **T** 12
déréglementer **T** 12
dérégler **T / Pr** 20
déréguler **T** 12
déresponsabiliser **T** 12
dérider **T / Pr** 12
dériver **T / Ti** (de), p.p.inv. / **I,** p.p.inv. 12

dériveter **T** 27
dérober **T / Pr** (à, sous) 12
dérocher **T / I,** p.p.inv. 12
déroder **T** 12
déroger **Ti** (à) / **p.p.inv.** 17
dérougir **T / I,** p.p.inv. 35
dérouiller **T / I,** p.p.inv. 12
dérouler **T / Pr** 12
dérouter **T** 12
désabonner **T / Pr** 12
désabuser **T** 12
désaccorder **T** 12
désaccoupler **T** 12
désaccoutumer **T / Pr** (de) 12
désacraliser **T** 12
désactiver **T** 12
désadapter **T** 12
désaérer **T** 20
désaffecter **T** 12
désaffilier **T** 15
désagréger **T / Pr** 21
désaimanter **T** 12
désaisonnaliser **T** 12
désajuster **T** 12
désaliéner **T** 20
désaligner **T** 12
désalper **I / p.p.inv. /** Suisse 12
désaltérer **T / Pr** 20
désambiguïser **T** 12
désamidonner **T** 12
désamorcer **T** 18
désapparier **T** 15
désappointer **T** 12
désapprendre **T** 68
désapprouver **T** 12
désapprovisionner **T** 12
désarçonner **T** 12
désargenter **T** 12
désarmer **T / I,** p.p.inv. 12
désarrimer **T** 12
désarticuler **T / Pr** 12
désassembler **T** 12
désassimiler **T** 12
désassortir **T** 35
désatelliser **T** 12
désavantager **T** 17
désavouer **T** 13
désaxer **T** 12
desceller **T** 12

descendre **I + être / T + avoir** 66
déscolariser **T** 12
déséchouer **T** 13
désectoriser **T** 12
désembourber **T** 12
désembourgeoiser **T** 12
désembouteiller **T** 12
désembuer **T** 13
désemparer **I / p.p.inv.** **/** Usité dans l'expression *sans désemparer* (= sans cesser) 12
désemplir **I,** p.p.inv. / **Pr /** Usité surtout à la tournure négative : *ce magasin ne désemplit pas* 35
désencadrer **T** 12
désenchaîner **T** 12
désenchanter **T** 12
désenclaver **T** 12
désencoller **T** 12
désencombrer **T** 12
désencrasser **T** 12
désencrer **T** 12
désendetter **-se- + être** 12
désenflammer **T** 12
désenfler **T / I,** p.p.inv. 12
désenfumer **T** 12
désengager **T / Pr** 17
désengorger **T** 17
désengrener **T** 25
désenivrer **T / I,** p.p.inv. 12
désennuyer **T** 32
désenrayer **T** 30
désensabler **T** 12
désensibiliser **T / Pr** 12
désensimer **T** 12
désensorceler **T** 23
désentoiler **T** 12
désentortiller **T** 12
désentraver **T** 12
désenvaser **T** 12
désenvelopper **T** 12
désenvenimer **T** 12
désenverguer **T /** -gu- partout 16
désépaissir **T** 35
déséquilibrer **T** 12
déséquiper **T** 12
déserter **T / I,** p.p.inv. 12
désertifier **-se- + être** 15
désespérer **T / I,** p.p.inv. / **Ti** (de), p.p.inv. / **Pr** 20

désétatiser **T** 12
désexciter **T** 12
désexualiser **T** 12
déshabiller **T / Pr** 12
déshabituer **T / Pr** (de) 13
désherber **T** 12
déshériter **T** 12
déshonorer **T / Pr** 12
déshuiler **T** 12
déshumaniser **T** 12
déshumidifier **T** 15
déshydrater **T / Pr** 12
déshydrogéner **T** 20
désidéologiser **T** 12
désigner **T** 12
désiler **T** 12
désillusionner **T** 12
désincarcérer **T** 20
désincarner **-se- + être** 12
désincruster **T** 12
désindexer **T** 12
désindustrialiser **T** 12
désinfecter **T** 12
désinformer **T** 12
désinhiber **T** 12
désinsectiser **T** 12
désintégrer **T / Pr** 20
désintéresser **T / Pr** (de) 12
désintoxiquer **T** 16
désinvestir **T / I,** p.p.inv. 35
désirer **T** 12
désister **-se- + être** 12
désobéir **Ti** (à) / **p.p.inv.** sauf à la voix passive : *elle a été désobéie* 35
désobliger **T** 17
désobstruer **T** 13
désodoriser **T** 12
désoler **T / Pr** (de) 12
désolidariser **T / Pr** (de) 12
désoperculer **T** 12
désopiler **T** 12
désorganiser **T** 12
désorienter **T** 12
désosser **T** 12
désoxyder **T** 12
désoxygéner **T** 20
desquamer **I,** p.p.inv. / **Pr** 12
dessabler **T** 12
dessaisir **T / Pr** (de) 35

dessaler **T / I,** p.p.inv. / **Pr** 12
dessangler **T** 12
dessaouler **T / I,** p.p.inv. 12
dessécher **T / Pr** 20
desseller **T** 12
desserrer **T** 12
dessertir **T** 35
desservir **T** 37
dessiller **T** 12
dessiner **T / I,** p.p.inv. / **Pr** 12
dessoler **T** 12
dessouder **T** 12
dessoûler **T / I,** p.p.inv. 12
dessuinter **T** 12
déstabiliser **T** 12
déstaliniser **T** 12
destiner **T** 12
destituer **T** 13
déstocker **T** 12
déstructurer **T** 12
désulfiter **T** 12
désulfurer **T** 12
désunir **T / Pr** 35
désurchauffer **T** 12
désynchroniser **T** 12
désyndicaliser **T** 12
détacher **T / Pr** (de) 12
détailler **T** 12
détaler **I / p.p.inv.** 12
détalonner **T** 12
détartrer **T** 12
détaxer **T** 12
détecter **T** 12
déteindre **T / I,** p.p.inv. 70
dételer **T / I,** p.p.inv. 23
détendre **T / Pr** 66
détenir **T** 4
déterger **T** 17
détériorer **T / Pr** 12
déterminer **T / Pr** (à) 12
déterrer **T** 12
détester **T / Pr** 12
détirer **T** 12
détoner **I / p.p.inv.** 12
détonner **I / p.p.inv.** 12
détordre **T** 66
détortiller **T** 12
détourer **T** 12
détourner **T / Pr** (de) 12
détoxiquer **T** 16

détracter **T**	12
détraquer **T / Pr**	16
détremper **T**	12
détromper **T**	12
détrôner **T**	12
détroquer **T**	16
détrousser **T**	12
détruire **T**	85
dévaler **T / I,** p.p.inv.	12
dévaliser **T**	12
dévaloriser **T**	12
dévaluer **T**	13
devancer **T**	18
dévaster **T**	12
développer **T / Pr**	12
devenir **I / + être**	4
dévergonder **-se- + être**	12
déverguer **T /** -gu- partout	16
dévernir **T**	35
déverrouiller **T**	12
déverser **T**	12
dévêtir **T / Pr**	41
dévider **T**	12
dévier **I,** p.p.inv. / **T**	15
deviner **T**	12
dévirer **T**	12
dévirginiser **T**	12
déviriliser **T**	12
dévisager **T**	17
deviser **I,** p.p.inv. / **T,** Suisse	12
dévisser **T / I,** p.p.inv.	12
dévitaliser **T**	12
dévitrifier **T**	15
dévoiler **T / Pr**	12
devoir T / U + être / Pr	**10**
dévolter **T**	12
dévorer **T**	12
dévouer **-se-** (à) **+ être**	13
dévoyer **T**	31
diaboliser **T**	12
diagnostiquer **T**	16
dialectiser **T**	12
dialoguer **I / p.p.inv. /** -gu- partout	16
dialyser **T**	12
diamanter **T**	12
diaphragmer **T / I,** p.p.inv.	12
diaprer **T**	12
dicter **T**	12
diéséliser **T**	12
diéser **T**	20
diffamer **T**	12
différencier **T / Pr**	15
différentier **T**	15
différer **T / Ti** (de, sur), p.p.inv.	20
diffracter **T**	12
diffuser **T**	12
digérer **T**	20
digitaliser **T**	12
dilacérer **T**	20
dilapider **T**	12
dilater **T / Pr**	12
diligenter **T**	12
diluer **T / Pr**	13
dimensionner **T**	12
diminuer **T / I,** p.p.inv.	13
dindonner **T**	12
dîner **I / p.p.inv.**	12
dinguer **I / p.p.inv. /** -gu- partout	16
diphtonguer **T /** -gu- partout	16
diplômer **T**	12
dire T	**77**
diriger **T**	17
discerner **T**	12
discipliner **T**	12
discontinuer **I / Déf :** usité seulement à l'inf., dans l'expression *sans discontinuer*	–
disconvenir **Ti** (de) / **p.p.inv.**	4
discorder **I / p.p.inv.**	12
discounter **T / I,** p.p.inv.	12
discourir **I / p.p.inv.**	42
discréditer **T / Pr**	12
discriminer **T**	12
disculper **T / Pr**	12
discutailler **I / p.p.inv.**	12
discuter **T / Ti** (de), p.p.inv.	12
disgracier **T**	15
disjoindre **T**	71
disjoncter **I,** p.p.inv. / **T**	12
disloquer **T**	16
disparaître **I / + être ou avoir**	75
dispatcher **T**	12
dispenser **T / Pr** (de)	12
disperser **T / Pr**	12
disposer **T / Ti** (de), p.p.inv. / **Pr** (à)	12
disputer **T / Pr**	12
disqualifier **T / Pr**	15
disséminer **T**	12
disséquer **T**	20
disserter **I / p.p.inv.**	12
dissimuler **T / Pr**	12
dissiper **T / Pr**	12
dissocier **T**	15
dissoner **I / p.p.inv.**	12
dissoudre **T / Déf :** pas de passé simple, pas de subj. imparf.	95
dissuader **T**	12
distancer **T**	18
distancier **T / Pr** (de)	15
distendre **T / Pr**	66
distiller **T / I,** p.p.inv.	12
distinguer T / Pr / -gu- partout	**16**
distordre **T**	66
distraire T / Pr / Déf	**90**
distribuer **T / Pr**	13
divaguer **I / p.p.inv. /** -gu- partout	16
diverger **I / p.p.inv.**	17
diversifier **T**	15
divertir **T / Pr** (de)	35
diviniser **T**	12
diviser **T / Pr**	12
divorcer **I / p.p.inv.**	18
divulguer **T /** -gu- partout	16
documenter **T / Pr** (sur)	12
dodeliner **Ti** (de) / **p.p.inv.**	12
dodiner **Ti** (de) / **p.p.inv.**	12
dogmatiser **I / p.p.inv.**	12
doigter **T**	12
doler **T**	12
domestiquer **T**	16
domicilier **T**	15
dominer **I,** p.p.inv. / **T / Pr**	12
dompter **T**	12
donner **T / I,** p.p.inv. / **Ti** (de), p.p.inv. / **Pr**	12
doper **T / Pr**	12
dorer **T**	12
dorloter **T**	12
dormir I / p.p.inv.	**37**
doser **T**	12
doter **T**	12
doubler **T / I,** p.p.inv. / **Pr** (de)	12
doublonner **I / p.p.inv.**	12
doucher **T / Pr**	12
doucir **T**	35

douer **T / Déf :** usité à l'inf., au part. passé et aux temps composés 13
douter **Ti** (de), p.p.inv. / **Pr** (de) 12
dracher **U / p.p.inv. /** Belgique ; Zaïre 12
dragéifier **T** 15
drageonner **I / p.p.inv.** 12
draguer **T /** -gu- partout 16
drainer **T** 12
dramatiser **T** 12
draper **T / Pr** 12
draver **T /** Québec 12
drayer **T** 29 ou 30
dresser **T / Pr** 12
dribbler **I,** p.p.inv. / **T** 12
driller **T** 12
driver **I,** p.p.inv. / **T** 12
droguer **T / I,** p.p.inv. / **Pr / **-gu- partout 16
droper **I,** p.p.inv. / **T** 12
dropper **I,** p.p.inv. / **T** 12
drosser **T** 12
dudgeonner **T** 12
dulcifier **T** 15
duper **T** 12
duplexer **T** 12
dupliquer **T / Pr** 16
durcir **T / I,** p.p.inv. / **Pr** 35
durer **I / p.p.inv.** 12
duveter **-se- + être** 27
dynamiser **T** 12
dynamiter **T** 12

E

ébahir **T / Pr** 35
ébarber **T** 12
ébattre **-s'- + être** 74
ébaucher **T** 12
ébaudir **-s'- + être** 35
ébavurer **T** 12
éberluer **T** 13
ébiseler **T** 23
éblouir **T** 35
éborgner **T** 12
ébouillanter **T / Pr** 12
ébouler **T / Pr** 12
ébourgeonner **T** 12
ébouriffer **T** 12
ébourrer **T** 12
ébouter **T** 12
ébrancher **T** 12
ébranler **T / Pr** 12
ébraser **T** 12
ébrécher **T** 20
ébrouer **-s'- + être** 13
ébruiter **T / Pr** 12
écacher **T** 12
écailler **T / Pr** 12
écaler **T** 12
écanguer **T /** -gu- partout 16
écarquiller **T** 12
écarteler **T** 25
écarter **T / Pr** 12
échafauder **T / I,** p.p.inv. 12
échalasser **T** 12
échancrer **T** 12
échanger **T** 17
échantillonner **T** 12
échapper **I,** p.p.inv. / **Ti** (à, de), p.p.inv. / **Pr / T** dans l'expression *l'échapper belle* 12
échardonner **T** 12
écharner **T** 12
écharper **T** 12
échauder **T** 12
échauffer **T / Pr** 12
échelonner **T** 12
écheniller **T** 12
écher **T** 20
écheveler **T** 23
échiner **-s'- + être** 12
échographier **T** 15
échoir Ti (à) / **I / + être / Déf** **64**
échopper **T** 12
échouer **T / I,** p.p.inv. / **Pr** 13
écimer **T** 12
éclabousser **T** 12
éclaircir **T / Pr** 35
éclairer **T / Pr** 12
éclater **I,** p.p.inv. / **Pr** 12
éclipser **T / Pr** 12
éclisser **T** 12
éclore **I / + être ou avoir / Déf :** usité seulement à l'inf., aux 3es pers. et au part. passé 98
écluser **T** 12
écobuer **T** 13
écœurer **T** 12
éconduire **T** 85
économiser **T** 12
écoper **T / Ti** (de), p.p.inv. 12
écorcer **T** 18
écorcher **T / Pr** 12
écorner **T** 12
écosser **T** 12
écouler **T / Pr** 12
écourter **T** 12
écouter **T / Pr** 12
écouvillonner **T** 12
écrabouiller **T** 12
écraser **T / I,** p.p.inv. / **Pr** 12
écrémer **T** 20
écrêter **T** 12
écrier **-s'- + être** 15
écrire T / I, p.p.inv. **81**
écrivailler **I / p.p.inv.** 12
écrivasser **I / p.p.inv.** 12
écrouer **T** 13
écrouir **T** 35
écrouler **-s'- + être** 12
écroûter **T** 12
écuisser **T** 12
écumer **T / I,** p.p.inv. 12
écurer **T** 12
écussonner **T** 12
édenter **T** 12
édicter **T** 12
édifier **T** 15
éditer **T** 12
édulcorer **T** 12
éduquer **T** 16
éfaufiler **T** 12
effacer **T / Pr** 18
effaner **T** 12
effarer **T** 12
effaroucher **T** 12
effectuer **T** 13
efféminer **T** 12
effeuiller **T / Pr** 12
effiler **T** 12
effilocher **T / Pr** 12
effleurer **T** 12
effleurir **I / p.p.inv.** 35
effondrer **T / Pr** 12
efforcer **-s'-** (de) **+ être** 18
effranger **T** 17
effrayer **T / Pr** 29 ou 30

effriter **T / Pr** 12
égailler **-s'- + être** 12
égaler **T** 12
égaliser **T / I,** p.p.inv. 12
égarer **T / Pr** 12
égayer **T / Pr** 29 ou 30
égermer **T** 12
égorger **T / Pr** 17
égosiller **-s'- + être** 12
égoutter **T / Pr** 12
égrainer **T / Pr** 12
égrapper **T** 12
égratigner **T / Pr** 12
égrener **T / Pr** 25
égriser **T** 12
égruger **T** 17
égueuler **T** 12
éjaculer **T / I,** p.p.inv. 12
éjecter **T** 12
éjointer **T** 12
élaborer **T** 12
élaguer **T** / -gu- partout 16
élancer **I,** p.p.inv. / **T / Pr** 18
élargir **T / Pr** 35
électrifier **T** 15
électriser **T** 12
électrocuter **T** 12
électrolyser **T** 12
élégir **T** 35
élever **T / Pr** 25
élider **T** 12
éliminer **T** 12
élinguer **T** / -gu- partout 16
élire **T** 82
éloigner **T / Pr** 12
élonger **T** 17
élucider **T** 12
élucubrer **T** 12
éluder **T** 12
émacier **T / Pr** 15
émailler **T** 12
émanciper **T / Pr** 12
émaner **Ti** (de) / **p.p.inv.** 12
émarger **T / Ti** (à), p.p.inv. 17
émasculer **T** 12
emballer **T / Pr** 12
embarbouiller **T / Pr** 12
embarquer **T / I,** p.p.inv. / **Pr** 16
embarrasser **T / Pr** (de) 12
embarrer **I,** p.p.inv. / **Pr** 12

embastiller **T** 12
embattre **T** 74
embaucher **T** 12
embaumer **T / I,** p.p.inv. 12
embecquer **T** / -cqu- partout 16
embéguiner **T / Pr** 12
embellir **T / I,** p.p.inv. 35
emberlificoter **T / Pr** 12
embêter **T** 12
emblaver **T** 12
embobeliner **T** 12
embobiner **T** 12
emboîter **T / Pr** 12
embosser **T** 12
emboucher **T** 12
embouer **T / p.p.inv.** 13
embouquer **I,** p.p.inv. / **T** 16
embourber **T / Pr** 12
embourgeoiser **T / Pr** 12
embourrer **T** 12
embouteiller **T** 12
emboutir **T** 35
embrancher **T / Pr** 12
embraquer **T** 16
embraser **T / Pr** 12
embrasser **T / Pr** 12
embrayer **T / Ti** (sur) / p.p.inv. 29 ou 30
embrever **T** 25
embrigader **T** 12
embringuer **T** / -gu- partout 16
embrocher **T** 12
embrouiller **T / Pr** 12
embroussailler **T / Pr** 12
embrumer **T** 12
embuer **T** 13
embusquer **T / Pr** 16
émécher **T** 20
émerger **I / p.p.inv.** 17
émeriser **T** 12
émerveiller **T / Pr** (de) 12
émettre **T / I,** p.p.inv. 6
émietter **T** 12
émigrer **I / p.p.inv.** 12
émincer **T** 18
emmagasiner **T** 12
emmailloter **T** 12
emmancher **T / Pr** 12
emmêler **T** 12
emménager **T / I,** p.p.inv. 17

emmener **T** 25
emmerder **T / Pr** 12
emmétrer **T** 20
emmieller **T** 12
emmitoufler **T / Pr** 12
emmouscailler **T** 12
emmurer **T** 12
émonder **T** 12
émorfiler **T** 12
émotionner **T** 12
émotter **T** 12
émoudre **T** 96
émousser **T** 12
émoustiller **T** 12
émouvoir **T / Pr** (de) **55**
empailler **T** 12
empaler **T / Pr** 12
empalmer **T** 12
empanacher **T** 12
empanner **I / p.p.inv.** 12
empaqueter **T** 27
emparer **-s'-** (de) **+ être** 12
empâter **T / Pr** 12
empatter **T** 12
empaumer **T** 12
empêcher **T / Pr** (de) 12
empenner **T** 12
emperler **T** 12
empeser **T** 25
empester **T / I,** p.p.inv. 12
empêtrer **T / Pr** (dans) 12
empierrer **T** 12
empiéter **Ti / p.p.inv.** 20
empiffrer **-s'-** (de) **+ être** 12
empiler **T / Pr** 12
empirer **I / p.p.inv.** 12
emplir **T** 35
employer **T / Pr** **31**
emplumer **T** 12
empocher **T** 12
empoigner **T / Pr** 12
empoisonner **T / Pr** 12
empoisser **T** 12
empoissonner **T** 12
emporter **T / Pr** 12
empoter **T** 12
empourprer **T / Pr** 12
empoussiérer **T** 20
empreindre **T** 70
empresser **-s'-** (de + inf.) **+ être** 12

Verbe	N°
emprésurer **T**	12
emprisonner **T**	12
emprunter **T**	12
empuantir **T**	35
émuler **T**	12
émulsifier **T**	15
émulsionner **T**	12
enamourer **-s'- + être**	12
énamourer **-s'- + être**	12
encabaner **T**	12
encadrer **T**	12
encager **T**	17
encaisser **T**	12
encanailler **-s'- + être**	12
encapuchonner **T / Pr**	12
encaquer **T**	16
encarter **T**	12
encaserner **T**	12
encasteler **-s'- + être**	25
encastrer **T / Pr** (dans)	12
encaustiquer **T**	16
encaver **T**	12
enceindre **T**	70
enceinter **T /** Afrique	12
encenser **T / I,** p.p.inv.	12
encercler **T**	12
enchaîner **T / I,** p.p.inv. / **Pr**	12
enchanter **T**	12
enchâsser **T**	12
enchausser **T**	12
enchemiser **T**	12
enchérir **I / p.p.inv.**	35
enchevaucher **T**	12
enchevêtrer **T / Pr**	12
enclaver **T**	12
enclencher **T / Pr**	12
encliqueter **T**	27
enclore **T / Déf :** pas de part. prés., d'ind. imparf. et passé simple, de subj. imparf., d'impér. prés ; pas de plur. à l'ind. prés.	98
enclouer **T**	13
encocher **T**	12
encoder **T**	12
encoller **T**	12
encombrer **T / Pr** (de)	12
encorder **-s'- + être**	12
encorner **T**	12
encoubler **-s'- + être /** Suisse	12
encourager **T**	17
encourir **T**	42
encrasser **T / Pr**	12
encrer **T**	12
encroûter **T / Pr**	12
encuver **T**	12
endenter **T**	12
endetter **T / Pr**	12
endeuiller **T**	12
endêver **I / p.p.inv. / Déf :** usité familièrement à l'inf.prés. : *faire endêver* (= faire enrager)	12
endiabler **I / p.p.inv.**	12
endiguer **T /** -gu- partout	16
endimancher **-s'- + être**	12
endivisionner **T**	12
endoctriner **T**	12
endolorir **T / Déf :** usité surtout au part.passé et aux 3es pers.	35
endommager **T**	17
endormir **T / Pr**	37
endosser **T**	12
enduire **T**	85
endurcir **T / Pr**	35
endurer **T**	12
énerver **T / Pr**	12
enfaîter **T**	12
enfanter **T**	12
enfariner **T**	12
enfermer **T / Pr**	12
enferrer **T / Pr**	12
enficher **T**	12
enfieller **T**	12
enfiévrer **T**	20
enfiler **T**	12
enflammer **T / Pr**	12
enfler **T / I,** p.p.inv.	12
enfleurer **T**	12
enfoncer **T / I,** p.p.inv. / **Pr**	18
enfouir **T / Pr**	35
enfourcher **T**	12
enfourner **T**	12
enfreindre **T**	70
enfuir **-s'- + être**	40
enfumer **T**	12
enfutailler **T**	12
enfûter **T**	12
engager **T / Pr**	17
engainer **T**	12
engamer **T**	12
engazonner **T**	12
engendrer **T**	12
engerber **T**	12
englober **T**	12
engloutir **T / Pr**	35
engluer **T / Pr**	13
engober **T**	12
engommer **T**	12
engoncer **T**	18
engorger **T / Pr**	17
engouer **-s'-** (de) **+ être**	12
engouffrer **T / Pr**	12
engourdir **T**	35
engraisser **T / I,** p.p.inv.	12
engranger **T**	17
engraver **T**	12
engrener **T / I,** p.p.inv.	25
engrosser **T**	12
engueuler **T / Pr**	12
enguirlander **T**	12
enhardir **T / Pr**	35
enharnacher **T**	12
enherber **T**	12
enivrer **T**	12
enjamber **T / I,** p.p.inv.	12
enjaveler **T**	23
enjoindre **T**	71
enjôler **T**	12
enjoliver **T**	12
enjuguer **T /** -gu- partout	16
enkyster **-s'- + être**	12
enlacer **T / Pr**	18
enlaidir **T / I,** p.p.inv.	35
enlever **T**	25
enliasser **T**	12
enlier **T**	15
enliser **T / Pr**	12
enluminer **T**	12
enneiger **T**	17
ennoblir **T**	35
ennoyer **T**	31
ennuager **T**	17
ennuyer **T / Pr**	32
énoncer **T**	18
enorgueillir **T / Pr** (de)	35
énouer **T**	13
enquérir **-s'-** (de) **+ être**	44
enquêter **I / p.p.inv.**	12
enquiquiner **T**	12
enraciner **T / Pr**	12

Verbe	Modèle
enrager **I / p.p.inv.**	17
enrayer **T / Pr**	29 ou 30
enrégimenter **T**	12
enregistrer **T**	12
enrêner **T**	12
enrhumer **T / Pr**	12
enrichir **T / Pr**	35
enrober **T**	12
enrocher **T**	12
enrôler **T / Pr**	12
enrouer **T / Pr**	13
enrouler **T**	12
enrubanner **T**	12
ensabler **T / Pr**	12
ensacher **T**	12
ensaisiner **T**	12
ensanglanter **T**	12
enseigner **T**	12
ensemencer **T**	18
enserrer **T**	12
ensevelir **T / Pr**	35
ensiler **T**	12
ensoleiller **T**	12
ensorceler **T**	23
ensoufrer **T**	12
ensuivre **-s'- + être / Déf :** usité seulement à l'infinitif et aux 3es personnes	86
entabler **T**	12
entacher **T**	12
entailler **T**	12
entamer **T**	12
entartrer **T**	12
entasser **T**	12
entendre **T / Pr**	66
enténébrer **T**	20
enter **T**	12
entériner **T**	12
enterrer **T / Pr**	12
entêter **T / Pr** (à, dans)	12
enthousiasmer **T / Pr** (pour)	12
enticher **-s'-** (de) **+ être**	12
entoiler **T**	12
entôler **T**	12
entonner **T**	12
entortiller **T / Pr**	12
entourer **T / Pr** (de)	12
entraider **-s'- + être**	12
entr'aimer **-s'- + être**	12
entraîner **T / Pr**	12
entr'apercevoir **T**	51
entrapercevoir **T**	51
entraver **T / I,** p.p.inv.	12
entrebâiller **T**	12
entrechoquer **T / Pr**	16
entrecouper **T**	12
entrecroiser **T / Pr**	12
entre-déchirer **-s'- + être**	12
entre-dévorer **-s'- + être**	12
entr'égorger **-s'- + être**	17
entre-haïr **-s'- + être**	36
entre-heurter **-s'- + être**	12
entrelacer **T / Pr**	18
entrelarder **T**	12
entremêler **T / Pr**	12
entremettre **-s'- + être**	6
entreposer **T**	12
entreprendre **T**	68
entrer **I + être / T + avoir**	12
entretailler **-s'- + être**	12
entretenir **T / Pr** (de)	4
entre-tisser **T**	12
entretoiser **T**	12
entre-tuer **-s'- + être**	13
entrevoir **T**	52
entrouvrir **T**	45
entuber **T**	12
énucléer **T /** -é- partout	14
énumérer **T**	20
énuquer **-s'- + être /** Suisse	16
envahir **T**	35
envaser **T**	12
envelopper **T**	12
envenimer **T / Pr**	12
enverguer **T /** -gu- partout	16
envider **T**	12
envier **T**	15
environner **T / Pr**	12
envisager **T**	17
envoiler **-s'- + être**	12
envoler **-s'- + être**	12
envoûter **T**	12
envoyer T / Pr	**33**
épaissir **T / I,** p.p.inv. / **Pr**	35
épamprer **T**	12
épancher **T / Pr**	12
épandre **T**	67
épanneler **T**	23
épanner **T**	12
épanouir **T / Pr**	35
épargner **T / Pr**	12
éparpiller **T / Pr**	12
épater **T**	12
épaufrer **T**	12
épauler **T / I,** p.p.inv.	12
épeler **T**	23
épépiner **T**	12
éperonner **T**	12
épeurer **T**	12
épicer **T**	18
épier **I,** p.p.inv. / **T**	15
épierrer **T**	12
épiler **T**	12
épiloguer **I** (sur) / **p.p.inv.** / -gu- partout	16
épincer **T**	18
épinceter **T**	27
épiner **T**	12
épingler **T**	12
épisser **T**	12
éployer **T**	31
éplucher **T**	12
épointer **T**	12
éponger **T / Pr**	17
épouiller **T**	12
époumoner **-s'- + être**	12
épouser **T**	12
épousseter **T**	27
époustoufler **T**	12
époutir **T**	35
épouvanter **T**	12
épreindre **T**	70
éprendre **-s'-** (de) **+ être**	68
éprouver **T**	12
épucer **T**	18
épuiser **T**	12
épurer **T**	12
équarrir **T**	35
équerrer **T**	12
équeuter **T**	12
équilibrer **T / Pr**	12
équiper **T / Pr**	12
équivaloir **Ti** (à) **/ p.p.inv.**	56
équivoquer **I / p.p.inv.**	16
éradiquer **T**	16
érafler **T**	12
érailler **T**	12
éreinter **T**	12
ergoter **I / p.p.inv.**	12
ériger **T / Pr**	17

éroder **T**	12	étaler **T / Pr**	12	éventrer **T**	12
érotiser **T**	12	étalinguer **T /** -gu- partout	16	évertuer **-s'-** (à) **+ être**	13
errer **I / p.p.inv.**	12	étalonner **T**	12	évider **T**	12
éructer **I,** p.p.inv. / **T**	12	étamer **T**	12	évincer **T**	18
esbigner **-s'- + être**	12	étamper **T**	12	éviscérer **T**	20
esbroufer **T**	12	étancher **T**	12	éviter **T / I,** p.p.inv.	12
escalader **T**	12	étançonner **T**	12	évoluer **I / p.p.inv.**	13
escaloper **T**	12	étarquer **T**	16	évoquer **T**	16
escamoter **T**	12	étatiser **T**	12	exacerber **T**	12
escarrifier **T**	15	étayer **T**	29 ou 30	exagérer **T / I,** p.p.inv. / **Pr**	20
escher **T**	12	éteindre **T / Pr**	70	exalter **T / Pr**	12
esclaffer **-s'- + être**	12	étendre **T / Pr**	66	examiner **T**	12
escompter **T**	12	éterniser **T / Pr**	12	exaspérer **T**	20
escorter **T**	12	éternuer **I / p.p.inv.**	13	exaucer **T**	18
escrimer **-s'-** (à) **+ être**	12	étêter **T**	12	excaver **T**	12
escroquer **T**	16	éthérifier **T**	15	excéder **T**	20
espacer **T**	18	éthériser **T**	12	exceller **I / p.p.inv.**	12
espérer **T / Ti** (en), p.p.inv.	20	étinceler **I / p.p.inv.**	23	excentrer **T**	12
espionner **T**	12	étioler **T / Pr**	12	excepter **T**	12
esquicher **T**	12	étiqueter **T**	27	exciper **Ti** (de) / **p.p.inv.**	12
esquinter **T**	12	étirer **T / Pr**	12	exciser **T**	12
esquisser **T**	12	étoffer **T**	12	exciter **T / Pr**	12
esquiver **T / Pr**	12	étoiler **T**	12	exclamer **-s'- + être**	12
essaimer **I / p.p.inv.**	12	étonner **T / Pr** (de)	12	exclure **T**	94
essanger **T**	17	étouffer **T / I,** p.p.inv. / **Pr**	12	excommunier **T**	15
essarter **T**	12	étouper **T**	12	excorier **T**	15
essayer **T / Pr** (à)	29 ou 30	étoupiller **T**	12	excréter **T**	20
essorer **T**	12	étourdir **T / Pr**	35	excursionner **I / p.p.inv.**	12
essoriller **T**	12	étrangler **T / Pr**	12	excuser **T / Pr**	12
essoucher **T**	12	**être I / p.p.inv.**	**1**	exécrer **T**	20
essouffler **T / Pr**	12	étrécir **T**	35	exécuter **T / Pr**	12
essuyer T	**32**	étreindre **T**	70	exemplifier **T**	15
estamper **T**	12	étrenner **T / I,** p.p.inv.	12	exempter **T**	12
estampiller **T**	12	étrésillonner **T**	12	exercer **T / Pr**	18
ester **I / Déf :** usité seulement à l'inf. *(ester en justice)*	–	étriller **T**	12	exfiltrer **T**	12
		étriper **T**	12	exfolier **T**	15
estérifier **T**	15	étriquer **T**	16	exhaler **T / Pr**	12
esthétiser **I,** p.p.inv. / **T**	12	**étudier T / Pr**	**15**	exhausser **T**	12
estimer **T / Pr**	12	étuver **T**	12	exhéréder **T**	20
estiver **T / I,** p.p.inv.	12	euphoriser **T**	12	exhiber **T / Pr**	12
estomaquer **T**	16	européaniser **T / Pr**	12	exhorter **T**	12
estomper **T / Pr**	12	évacuer **T**	13	exhumer **T**	12
estoquer **T**	16	évader **-s'- + être**	12	exiger **T**	17
estourbir **T**	35	évaluer **T**	13	exiler **T / Pr**	12
estrapasser **T**	12	évangéliser **T**	12	exister **I / p.p.inv.**	12
estropier **T**	15	évanouir **-s'- + être**	35	exonder **-s'- + être**	12
établer **T**	12	évaporer **T / Pr**	12	exonérer **T**	20
établir **T / Pr**	35	évaser **T / Pr**	12	exorciser **T**	12
étager **T / Pr**	17	éveiller **T / Pr**	12	expatrier **T / Pr**	15
étalager **T**	17	éventer **T / Pr**	12	expectorer **T**	12

expédier **T** 15
expérimenter **T** 12
expertiser **T** 12
expier **T** 15
expirer **T / I,** p.p.inv. 12
expliciter **T** 12
expliquer **T / Pr** 16
exploiter **T** 12
explorer **T** 12
exploser **I / p.p.inv.** 12
exporter **T** 12
exposer **T / Pr** 12
exprimer **T / Pr** 12
exproprier **T** 15
expulser **T** 12
expurger **T** 17
exsuder **I,** p.p.inv. / **T** 12
extasier **-s'- + être** 15
exténuer **T / Pr** 13
extérioriser **T / Pr** 12
exterminer **T** 12
extirper **T / Pr** 12
extorquer **T** 16
extrader **T** 12
extraire **T / Pr** (de) / **Déf:** pas de passé simple, pas de subj. imparf. 90
extrapoler **T / I,** p.p.inv. 12
extravaguer **I / p.p.inv. /** -gu- partout 16
extravaser **-s'- + être** 12
extruder **T / I,** p.p.inv. 12
exulcérer **T** 20
exulter **I / p.p.inv.** 12

F

fabriquer **T** 16
fabuler **I / p.p.inv.** 12
facetter **T** 12
fâcher **T / Pr** 12
faciliter **T** 12
façonner **T / Pr** 12
factoriser **T** 12
facturer **T** 12
fagoter **T / Pr** 12
faiblir **I / p.p.inv.** 35
failler **-se- + être** 12
faillir **I / Ti** (à) / **p.p.inv. / Déf:** usité surtout à l'inf. et aux temps composés *(j'ai failli...)* 47
fainéanter **I / p.p.inv.** 12
faire T / Pr **5**
faisander **T / Pr** 12
falloir U / p.p.inv. / Pr uniquement dans certaines expressions **11**
falsifier **T** 15
faluner **T** 12
familiariser **T / Pr** (avec) 12
fanatiser **T** 12
faner **T / Pr** 12
fanfaronner **I / p.p.inv.** 12
fantasmer **I / p.p.inv.** 12
farcir **T / Pr** 35
farder **T / Pr** 12
farfouiller **I / p.p.inv.** 12
fariner **T** 12
farter **T** 12
fasciner **T** 12
fasciser **T** 12
faseyer **I / p.p.inv.** 30
fatiguer **T / I,** p.p.inv. / **Pr /** -gu- partout 16
faucarder **T** 12
faucher **T** 12
faufiler **T / Pr** 12
fausser **T** 12
fauter **I / p.p.inv.** 12
favoriser **T** 12
faxer **T** 12
fayoter **I / p.p.inv.** 12
féconder **T** 12
féculer **T** 12
fédéraliser **T** 12
fédérer **T** 20
feindre **T / I,** p.p.inv. 70
feinter **T / I,** p.p.inv. 12
fêler **T / Pr** 12
féliciter **T / Pr** (de) 12
féminiser **T / Pr** 12
fendiller **T / Pr** 12
fendre **T / Pr** 66
fenêtrer **T** 12
férir **T / Déf:** usité seulement à l'inf. prés. *(sans coup férir)* et au part. passé *(féru/ue/us/ues)* –
ferler **T** 12
fermenter **I / p.p.inv.** 12
fermer **T / I,** p.p.inv. 12
ferrailler **I,** p.p.inv. / **T** 12
ferrer **T** 12
ferrouter **T** 12
fertiliser **T** 12
fesser **T** 12
festonner **T** 12
festoyer **I / p.p.inv.** 31
fêter **T** 12
feuiller **I / p.p.inv.** 12
feuilleter **T** 27
feuler **I / p.p.inv.** 12
feutrer **T / I,** p.p.inv. / **Pr** 12
fiabiliser **T** 12
fiancer **T / Pr** 18
ficeler **T** 23
fiche **Pr** (de) / Part. passé: *fichu/ue/us/ues* 12
ficher **T** 12
fidéliser **T** 12
fienter **I / p.p.inv.** 12
fier **-se-** (à) **+ être** 15
figer **T** 17
fignoler **T / I,** p.p.inv. 12
figurer **T / I,** p.p.inv. / **Pr** 12
filer **T / I,** p.p.inv. 12
fileter **T** 28
filialiser **T** 12
filigraner **T** 12
filmer **T** 12
filocher **I / p.p.inv.** 12
filouter **T** 12
filtrer **T / I,** p.p.inv. 12
finaliser **T** 12
financer **T** 18
finasser **I / p.p.inv.** 12
finir **T / I,** p.p.inv. **35**
fiscaliser **T** 12
fissionner **T / I,** p.p.inv. 12
fissurer **T** 12
fixer **T / Pr** 12
flageller **T** 12
flageoler **I / p.p.inv.** 12
flagorner **T** 12
flairer **T** 12
flamber **I,** p.p.inv. / **T** 12
flamboyer **I / p.p.inv.** 31
flancher **I / p.p.inv.** 12
flâner **I / p.p.inv.** 12
flanquer **T** 16

Verbe	Modèle
flasher **Ti** (sur), p.p.inv. / **T**	12
flatter **T / Pr** (de)	12
flécher **T**	20
fléchir **T / I,** p.p.inv.	35
flemmarder **I / p.p.inv.**	12
flétrir **T / Pr**	35
fleurer **T / I,** p.p.inv.	12
fleureter **I / p.p.inv.**	27
fleurir **I,** p.p.inv. / **T**	35
flexibiliser **T**	12
flibuster **I / p.p.inv.**	12
flinguer **T / Pr /** -gu- partout	16
flipper **I / p.p.inv.**	12
flirter **I / p.p.inv.**	12
floconner **I / p.p.inv.**	12
floculer **I / p.p.inv.**	12
floquer **T**	16
flotter **I,** p.p.inv. / **T / U,** p.p.inv.	12
flouer **T**	13
fluctuer **I / p.p.inv.**	13
fluer **I / p.p.inv.**	13
fluidifier **T**	15
fluidiser **T**	12
flûter **I / p.p.inv.**	12
focaliser **T**	12
foirer **I / p.p.inv.**	12
foisonner **I / p.p.inv.**	12
folâtrer **I / p.p.inv.**	12
folioter **T**	12
fomenter **T**	12
foncer **T / I,** p.p.inv.	18
fonctionnaliser **T**	12
fonctionnariser **T**	12
fonctionner **I / p.p.inv.**	12
fonder **T / Pr** (sur)	12
fondre **T / I,** p.p.inv. / **Pr**	66
forcer **T / I,** p.p.inv. / **Pr**	18
forcir **I / p.p.inv.**	35
forclore **T / Déf :** usité seulement à l'inf. et au part. passé	–
forer **T**	12
forfaire **Ti** (à) / **p.p.inv. / Déf :** usité seulement à l'inf. prés., au sing. de l'ind. prés., au part. passé et aux temps composés	5
forger **T**	17
forjeter **T / I,** p.p.inv.	27
forlancer **T**	18
forligner **I / p.p.inv.**	12
forlonger **T**	17
formaliser **T / Pr**	12
formater **T**	12
former **T / Pr**	12
formoler **T**	12
formuler **T**	12
forniquer **I / p.p.inv.**	16
fortifier **T**	15
fossiliser **T / Pr**	12
fossoyer **T**	31
fouailler **T**	12
foudroyer **T**	31
fouetter **T / I,** p.p.inv.	12
fouger **T / I,** p.p.inv.	17
fouiller **T / I,** p.p.inv. / **Pr**	12
fouiner **I / p.p.inv.**	12
fouir **T**	35
fouler **T / Pr**	12
foulonner **T**	12
fourbir **T**	35
fourcher **I / p.p.inv.**	12
fourgonner **I / p.p.inv.**	12
fourguer **T /** -gu- partout	16
fourmiller **I / Ti** (de) / **p.p.inv.**	12
fournir **T / Ti** (à), p.p.inv. / **Pr**	35
fourrager **I / p.p.inv.**	17
fourrer **T / Pr**	12
fourvoyer **T / Pr**	31
foutre **T / Pr** (de) / **Déf :** inusité au passé simple et au subj. imparf.	66
fracasser **T**	12
fractionner **T**	12
fracturer **T**	12
fragiliser **T**	12
fragmenter **T**	12
fraîchir **I / p.p.inv.**	35
fraiser **T**	12
framboiser **T**	12
franchir **T**	35
franchiser **T**	12
franciser **T**	12
francophoniser **T /** Québec	12
franger **T**	17
fransquillonner **I / p.p.inv. /** Belgique	12
frapper **T / I,** p.p.inv. / **Pr**	12
fraser **T**	12
fraterniser **I / p.p.inv.**	12
frauder **T / I,** p.p.inv.	12
frayer **T / Ti** (avec), p.p.inv. / **I,** p.p.inv.	29 ou 30
fredonner **T / I,** p.p.inv.	12
frégater **T**	12
freiner **T / I,** p.p.inv.	12
frelater **T**	12
frémir **I / p.p.inv.**	35
fréquenter **T / I,** p.p.inv., Afrique	12
fréter **T**	20
frétiller **I / p.p.inv.**	12
fretter **T**	12
fricasser **T**	12
fricoter **T / Ti** (avec), p.p.inv.	12
frictionner **T**	12
frigorifier **T**	15
frimer **I / p.p.inv.**	12
fringuer **T / Pr /** -gu- partout	16
friper **T**	12
frire **T / I,** p.p.inv. / **Déf**	100
friser **T / I,** p.p.inv.	12
frisotter **T / I,** p.p.inv.	12
frissonner **I / p.p.inv.**	12
fritter **T**	12
froisser **T / Pr**	12
frôler **T**	12
froncer **T**	18
fronder **T**	12
frotter **T / I,** p.p.inv. / **Pr** (à)	12
frouer **I / p.p.inv.**	13
froufrouter **I / p.p.inv.**	12
fructifier **I / p.p.inv.**	15
frustrer **T**	12
fuguer **I / p.p.inv. /** -gu- partout	16
fuir I, p.p.inv. / **T**	**40**
fulgurer **I / p.p.inv.**	12
fulminer **I,** p.p.inv. / **T**	12
fumer **I,** p.p.inv. / **T**	12
fumiger **T**	17
fureter **I / p.p.inv.**	28
fuseler **T**	23
fuser **I / p.p.inv.**	12
fusiller **T**	12
fusionner **T / I,** p.p.inv.	12
fustiger **T**	17

G

Verbe	Modèle
gabarier **T**	15
gabionner **T**	12

gâcher **T** 12
gadgétiser **T** 12
gaffer **T / I,** p.p.inv. / **Pr,** Suisse 12
gager **T** 17
gagner **T / I,** p.p.inv. 12
gainer **T** 12
galber **T** 12
galéjer **I / p.p.inv.** 20
galérer **I / p.p.inv.** 20
galeter **T** 27
galipoter **T** 12
galonner **T** 12
galoper **I / p.p.inv.** 12
galvaniser **T** 12
galvauder **T** 12
gambader **I / p.p.inv.** 12
gamberger **I,** p.p.inv. / **T** 12
gambiller **I / p.p.inv.** 12
gaminer **I / p.p.inv.** 12
gangrener **T / Pr** 25
ganser **T** 12
ganter **T / I,** p.p.inv. 12
garancer **T** 18
garantir **T** 35
garder **T / Pr** (de) 12
garer **T / Pr** 12
gargariser **-se-** (de) **+ être** 12
gargouiller **I / p.p.inv.** 12
garnir **T / Pr** 35
garrotter **T** 12
gaspiller **T** 12
gâter **T / Pr** 12
gâtifier **I / p.p.inv.** 15
gatter **T /** Suisse 12
gauchir **I,** p.p.inv. / **T** 35
gaufrer **T** 12
gauler **T** 12
gausser **-se-** (de) **+ être** 12
gaver **T / Pr** (de) 12
gazéifier **T** 15
gazer **T / I,** p.p.inv. 12
gazonner **T** 12
gazouiller **I / p.p.inv.** 12
geindre **I / p.p.inv.** 70
geler T / I, p.p.inv. / **U,** p.p.inv. **25**
gélifier **T** 15
géminer **T** 12
gémir **I / p.p.inv.** 35
gemmer **T** 12
gendarmer **-se- + être** 12

gêner **T / Pr** 12
généraliser **T / Pr** 12
générer **T** 20
gerber **T / I,** p.p.inv. 12
gercer **T / Pr** 18
gérer **T** 20
germaniser **T** 12
germer **I / p.p.inv.** 12
gésir I / Déf 49
gesticuler **I / p.p.inv.** 12
gicler **I / p.p.inv.** 12
gifler **T** 12
gigoter **I / p.p.inv.** 12
gîter **I / p.p.inv.** 12
givrer **T** 12
glacer **T** 18
glairer **T** 12
glaiser **T** 12
glander **I / p.p.inv.** 12
glandouiller **I / p.p.inv.** 12
glaner **T** 12
glapir **I / p.p.inv.** 35
glatir **I / p.p.inv.** 35
gléner **T** 20
glisser **I,** p.p.inv. / **T / Pr** 12
globaliser **T** 12
glorifier **T / Pr** (de) 15
gloser **Ti** (sur), p.p.inv. / **T** 12
glouglouter **I / p.p.inv.** 12
glousser **I / p.p.inv.** 12
glycériner **T** 12
gober **T / Pr** 12
goberger **-se- + être** 17
godailler **I / p.p.inv.** 12
goder **I / p.p.inv.** 12
godiller **I / p.p.inv.** 12
goinfrer **-se- + être** 12
gominer **-se- + être** 12
gommer **T** 12
gondoler **T / I,** p.p.inv. / **Pr** 12
gonfler **T / I,** p.p.inv. / **Pr** 12
gorger **T** 17
gouacher **T** 12
gouailler **I / p.p.inv.** 12
goudronner **T** 12
goujonner **T** 12
goupiller **T / Pr** 12
gourer **-se- + être** 12
gourmander **T** 12

goûter **T / Ti** (à, de), p.p.inv. / **I,** p.p.inv. 12
goutter **I / p.p.inv.** 12
gouverner **T / I,** p.p.inv. 12
gracier **T** 15
graduer **T** 13
grafigner **T /** Québec 12
grailler **I,** p.p.inv. / **T** 12
graillonner **I / p.p.inv.** 12
grainer **I,** p.p.inv. / **T** 12
graisser **T / I,** p.p.inv. 12
grammaticaliser **T** 12
grandir **I,** p.p.inv. / **T** 35
graniter **T** 12
granuler **T** 12
graphiter **T** 12
grappiller **T / I,** p.p.inv. 12
grasseyer **I,** p.p.inv. / **T** / -y- partout 30
gratifier **T** 15
gratiner **T** 12
gratter **T / I,** p.p.inv. 12
graver **T** 12
gravillonner **T** 12
gravir **T** 35
graviter **I / p.p.inv.** 12
gréciser **T** 12
grecquer **T** 16
gréer **T /** -é- partout 14
greffer **T / Pr** 12
grêler **T / U,** p.p.inv. 12
grelotter **I / p.p.inv.** 12
grenader **T** 12
grenailler **T** 12
greneler **T** 23
grener **I,** p.p.inv. / **T** 25
grenouiller **I / p.p.inv.** 12
gréser **T** 20
grésiller **I / U / p.p.inv.** 12
grever **T** 25
gribouiller **I,** p.p.inv. / **T** 12
griffer **T** 12
griffonner **T** 12
grigner **I / p.p.inv.** 12
grignoter **T** 12
grillager **T** 17
griller **T / I,** p.p.inv. 12
grimacer **I / p.p.inv.** 18
grimer **T** 12
grimper **I,** p.p.inv. / **T** 12

Verbe	Modèle
grincer **I / p.p.inv.**	18
gripper **I,** p.p.inv. / **Pr**	12
grisailler **T / I,** p.p.inv.	12
griser **T**	12
grisoller **I / p.p.inv.**	12
grisonner **I / p.p.inv.**	12
griveler **T / I,** p.p.inv.	23
grognasser **I / p.p.inv.**	12
grogner **I / p.p.inv.**	12
grognonner **I / p.p.inv.**	12
grommeler **T / I,** p.p.inv.	23
gronder **I,** p.p.inv. / **T**	12
grossir **T / I,** p.p.inv.	35
grossoyer **T**	31
grouiller **I /** p.p.inv. / **Pr**	12
grouper **T / I,** p.p.inv. / **Pr**	12
gruger **T**	17
grumeler **-se- + être**	23
gruter **T**	12
guéer **T /** -é- partout	14
guérir **T / I,** p.p.inv. / **Pr**	35
guerroyer **I / p.p.inv.**	31
guêtrer **T**	12
guetter **T**	12
gueuler **I,** p.p.inv. / **T**	12
gueuletonner **I / p.p.inv.**	12
gueuser **I / p.p.inv.**	12
guider **T**	12
guigner **T**	12
guillemeter **T**	27
guillocher **T**	12
guillotiner **T**	12
guincher **I / p.p.inv.**	12
guinder **T**	12
guiper **T**	12
guniter **T**	12

H

Verbe	Modèle
habiliter **T**	12
habiller **T / Pr**	12
habiter **T / I,** p.p.inv.	12
habituer **T / Pr** (à)	13
hacher **T**	12
hachurer **T**	12
haïr T / Pr	**36**
halener **T**	25
haler **T**	12
hâler **T**	12
haleter **I / p.p.inv.**	28
halluciner **T**	12
hancher **T / Pr**	12
handicaper **T**	12
hannetonner **T**	12
hanter **T**	12
happer **T**	12
haranguer **T /** -gu- partout	16
harasser **T**	12
harceler **T**	25
harder **T**	12
harmoniser **T / Pr**	12
harnacher **T**	12
harponner **T**	12
hasarder **T / Pr**	12
hâter **T / Pr**	12
haubaner **T**	12
hausser **T / I,** p.p.inv., Belgique	12
haver **T**	12
havir **T**	35
héberger **T**	17
hébéter **T**	20
hébraïser **T**	12
héler **T**	20
helléniser **T**	12
hennir **I / p.p.inv.**	35
herbager **T**	17
herber **T**	12
herboriser **I / p.p.inv.**	12
hercher **I / p.p.inv.**	12
hérisser **T / Pr**	12
hériter **I,** p.p.inv. / **T / Ti** (de), p.p.inv.	12
herscher **I / p.p.inv.**	12
herser **T**	12
hésiter **I / p.p.inv.**	12
heurter **T / I,** p.p.inv. / **Pr** (à)	12
hiberner **I / p.p.inv.**	12
hiérarchiser **T**	12
hisser **T / Pr**	12
historier **T**	15
hiverner **I,** p.p.inv. / **T**	12
hocher **T**	12
homogénéiser **T**	12
homologuer **T /** -gu- partout	16
hongrer **T**	12
hongroyer **T**	31
honnir **T**	35
honorer **T / Pr**	12
hoqueter **I / p.p.inv.**	27
horrifier **T**	15
horripiler **T**	12
hospitaliser **T**	12
hotter **T**	12
houblonner **T**	12
houer **T**	13
houpper **T**	12
hourder **T**	12
houspiller **T**	12
housser **T**	12
houssiner **T**	12
hucher **T**	12
huer **T / I,** p.p.inv.	13
huiler **T**	12
hululer **I / p.p.inv.**	12
humaniser **T / Pr**	12
humecter **T**	12
humer **T**	12
humidifier **T**	15
humilier **T / Pr**	15
hurler **I,** p.p.inv. / **T**	12
hybrider **T**	12
hydrater **T**	12
hydrofuger **T**	17
hydrogéner **T**	20
hydrolyser **T**	12
hypertrophier **T / Pr**	15
hypnotiser **T / Pr**	12
hypostasier **T**	15
hypothéquer **T**	20

I

Verbe	Modèle
idéaliser **T**	12
identifier **T / Pr** (à, avec)	15
idolâtrer **T**	12
ignifuger **T**	17
ignorer **T**	12
illuminer **T**	12
illusionner **T / Pr**	12
illustrer **T / Pr**	12
imaginer **T / Pr**	12
imbiber **T / Pr** (de)	12
imbriquer **T / Pr**	16
imiter **T**	12
immatriculer **T**	12
immerger **T / Pr**	17
immigrer **I / p.p.inv.**	12
immiscer **-s'-** (dans) **+ être**	18
immobiliser **T**	12
immoler **T**	12

immortaliser **T** 12
immuniser **T** 12
impartir **T /** Usité surtout à l'inf., à l'ind. prés., au part. passé et aux temps composés 35
impatienter **T / Pr** 12
impatroniser **-s'- + être** 12
imperméabiliser **T** 12
impétrer **T** 20
implanter **T / Pr** 12
impliquer **T / Pr** 16
implorer **T** 12
imploser **I / p.p.inv.** 12
importer **I / Ti** (à) / **p.p.inv. / Déf :** usité seulement aux 3es personnes et à l'infinitif 12
importer **T** 12
importuner **T** 12
imposer **T / Ti** (à), p.p.inv. / **Pr** 12
imprégner **T** 20
impressionner **T** 12
imprimer **T** 12
improviser **T** 12
impulser **T** 12
imputer **T** 12
inactiver **T** 12
inalper **-s'- + être** 12
inaugurer **T** 12
incarcérer **T** 20
incarner **T / Pr** 12
incendier **T** 15
incinérer **T** 20
inciser **T** 12
inciter **T** 12
incliner **T / Ti** (à), p.p.inv. / **Pr** 12
inclure **T** 94
incomber **Ti** (à) / **p.p.inv. / Déf :** usité à l'inf. et aux 3es pers. 12
incommoder **T** 12
incorporer **T** 12
incrémenter **T** 12
incriminer **T** 12
incruster **T / Pr** 12
incuber **T** 12
inculper **T** 12
inculquer **T** 16
incurver **T / Pr** 12
indaguer **I / p.p.inv.** / Belgique / -gu- partout 16
indemniser **T** 12
indexer **T** 12
indifférer **T** 20
indigner **T / Pr** (de) 12
indiquer **T** 16
indisposer **T** 12
individualiser **T / Pr** 12
induire **T** 85
indulgencier **T** 15
indurer **T** 12
industrialiser **T / Pr** 12
infantiliser **T** 12
infatuer **-s'- + être** 13
infecter **T / Pr** 12
inféoder **T / Pr** 12
inférer **T** 20
inférioriser **T** 12
infester **T** 12
infiltrer **T / Pr** 12
infirmer **T** 12
infléchir **T / Pr** 35
infliger **T** 17
influencer **T** 18
influer **Ti** (sur) / **p.p.inv.** 13
informatiser **T** 12
informer **T / I,** p.p.inv. / **Pr** (de) 12
infuser **T / I,** p.p.inv. 12
ingénier **-s'-** (à) **+ être** 15
ingérer **T / Pr** (dans) 20
ingurgiter **T** 12
inhaler **T** 12
inhiber **T** 12
inhumer **T** 12
initialiser **T** 12
initier **T / Pr** (à) 15
injecter **T / Pr** 12
injurier **T** 15
innerver **T** 12
innocenter **T** 12
innover **I / p.p.inv.** 12
inoculer **T** 12
inonder **T** 12
inquiéter **T / Pr** (de) 20
inscrire **T / Pr** 81
insculper **T** 12
inséminer **T** 12
insensibiliser **T** 12
insérer **T / Pr** (dans) 20
insinuer **T / Pr** (dans) 13
insister **I / p.p.inv.** 12
insoler **T** 12
insolubiliser **T** 12
insonoriser **T** 12
inspecter **T** 12
inspirer **T / Pr** (de) 12
installer **T / Pr** 12
instaurer **T** 12
instiguer **T** / Belgique / -gu- partout 16
instiller **T** 12
instituer **T** 13
institutionnaliser **T** 12
instruire **T / Pr** 85
instrumenter **T / I,** p.p.inv. 12
insuffler **T** 12
insulter **T** 12
insupporter **T** 12
insurger **-s'-** (contre) **+ être** 17
intailler **T** 12
intégrer **T / Pr** 20
intellectualiser **T** 12
intensifier **T / Pr** 15
intenter **T** 12
interagir **I / p.p.inv.** 35
intercaler **T** 12
intercéder **I / p.p.inv.** 20
intercepter **T** 12
interclasser **T** 12
interconnecter **T** 12
interdire **T** 78
intéresser **T / Pr** (à) 12
interférer **I / p.p.inv.** 20
interfolier **T** 15
intérioriser **T** 12
interjeter **T** 27
interligner **T** 12
interloquer **T** 16
internationaliser **T** 12
interner **T** 12
interpeller T **24**
interpénétrer **-s'- + être** 20
interpoler **T** 12
interposer **T / Pr** 12
interpréter **T / Pr** 20
interroger **T** 17
interrompre **T / Pr** 72
intervenir **I / + être** 4
intervertir **T** 35
interviewer **T** 12
intimer **T** 12
intimider **T** 12

Verbe	Modèle
intituler **T / Pr**	12
intoxiquer **T**	16
intriguer **T / I,** p.p.inv. / -gu- partout	16
intriquer **T / Pr**	16
introduire **T / Pr**	85
introniser **T**	12
intuber **T**	12
invaginer **-s'- + être**	12
invalider **T**	12
invectiver **I,** p.p.inv. / **T**	12
inventer **T**	12
inventorier **T**	15
inverser **T**	12
invertir **T**	35
investiguer **I / p.p.inv.** / -gu- partout	16
investir **T**	35
invétérer **-s'- + être**	20
inviter **T**	12
invoquer **T**	16
ioder **T**	12
iodler **I / p.p.inv.**	12
ioniser **T**	12
iouler **I / p.p.inv.**	12
iriser **T**	12
ironiser **I / p.p.inv.**	12
irradier **I,** p.p.inv. / **T / Pr**	35
irriguer **T /** -gu- partout	16
irriter **T**	12
islamiser **T / Pr**	12
isoler **T / Pr**	12
italianiser **T**	12

J, K

Verbe	Modèle
jabler **T**	12
jaboter **I / p.p.inv.**	12
jacasser **I / p.p.inv.**	12
jacter **I / p.p.inv.**	12
jaillir **I / p.p.inv.**	35
jalonner **T**	12
jalouser **T**	12
japper **I / p.p.inv.**	12
jardiner **I,** p.p.inv. / **T**	12
jargonner **I / p.p.inv.**	12
jarreter **I / p.p.inv.**	27
jaser **I / p.p.inv.**	12
jasper **T**	12
jaspiner **I / p.p.inv.**	12
jauger **T / I,** p.p.inv.	17
jaunir **T / I,** p.p.inv.	35
javeler T	23
javelliser T	12
jerker **I / p.p.inv.**	12
jeter T / Pr	**27**
jeûner **I / p.p.inv.**	12
jobarder **T**	12
jodler **I / p.p.inv.**	12
joindre T / I, p.p.inv. / **Pr** (à)	**71**
jointoyer **T**	31
joncer **T**	18
joncher **T**	12
jongler **I / p.p.inv.**	12
jouailler **I / p.p.inv.**	12
jouer I, p.p.inv. / **T / Ti** (à, de, sur, avec), p.p.inv. / **Pr** (de)	**13**
jouir **Ti** (de) / **I / p.p.inv.**	35
jouter **I / p.p.inv.**	12
jouxter **T**	12
jubiler **I / p.p.inv.**	12
jucher **T / I,** p.p.inv. / **Pr**	12
judaïser **T / Pr**	12
juger **T / Ti** (de), p.p.inv. / **Pr**	17
juguler **T**	12
jumeler **T**	23
juponner **T**	12
jurer **T / I,** p.p.inv. / **Ti** (avec), p.p.inv. / **Pr**	12
justifier **T / Ti** (de), p.p.inv. / **Pr**	15
juter **I / p.p.inv.**	12
juxtaposer **T**	12
kidnapper **T**	12
kilométrer **T**	20
klaxonner **I / p.p.inv.**	12

L

Verbe	Modèle
labéliser **T**	12
labelliser **T**	12
labialiser **T**	12
labourer **T**	12
lacer **T**	18
lacérer **T**	20
lâcher **T / I,** p.p.inv.	12
laïciser **T**	12
lainer **T**	12
laisser **T / Pr**	12
laitonner **T**	12
laïusser **I / p.p.inv.**	12
lambiner **I / p.p.inv.**	12
lambrisser **T**	12
lamenter **-se- + être**	12
lamer **T**	12
laminer **T**	12
lamper **T**	12
lancer **T / I,** p.p.inv. / **Pr**	18
lanciner **T / I,** p.p.inv.	12
langer **T**	17
langueyer **T /** -y- partout	30
languir **I,** p.p.inv. / **Ti** (après), p.p.inv. / **Pr** (de)	35
lanterner **I / p.p.inv.**	12
laper **I,** p.p.inv. / **T**	12
lapider **T**	12
lapiner **I / p.p.inv.**	12
laquer **T**	16
larder **T**	12
lardonner **T**	12
larguer **T /** -gu- partout	16
larmoyer **I / p.p.inv.**	31
lasser **T / Pr** (de)	12
latiniser **T**	12
latter **T**	12
laver **T / Pr**	12
layer **T**	29 ou 30
lécher **T**	20
légaliser **T**	12
légender **T**	12
légiférer **I / p.p.inv.**	20
légitimer **T**	12
léguer **T /** -gu- partout	20
lénifier **T**	15
léser **T**	20
lésiner **I / p.p.inv.**	12
lessiver **T**	12
lester **T**	12
leurrer **T / Pr**	12
lever **T / I,** p.p.inv. / **Pr**	25
léviger **T**	17
levretter **I / p.p.inv.**	12
lézarder **I,** p.p.inv. / **T / Pr**	12
liaisonner **T**	12
liarder **I / p.p.inv.**	12
libeller **T**	12
libéraliser **T**	12
libérer **T / Pr**	20
licencier **T**	15
licher **T**	12
liciter **T**	12

lier **T / Pr** 15
lifter **T / I,** p.p.inv. 12
ligaturer **T** 12
ligner **T** 12
lignifier **-se- + être** 15
ligoter **T** 12
liguer **T / Pr** (contre) / -gu- partout 16
limer **T / Pr** 12
limiter **T / Pr** (à, dans) 12
limoger **T** 17
liquéfier **T / Pr** 15
liquider **T** 12
lire T **82**
liserer **T** 25
lisérer **T** 20
lisser **T** 12
lister **T** 12
liter **T** 12
lithographier **T** 15
livrer **T / Pr** (à) 12
lixivier **T** 15
lober **T / I,** p.p.inv. 12
localiser **T** 12
locher **T** 12
lock-outer **T** 12
lofer **I / p.p.inv.** 12
loger **I,** p.p.inv. / **T** 17
longer **T** 17
lorgner **T** 12
lotionner **T** 12
lotir **T** 35
louanger **T** 17
loucher **I / Ti** (sur) / **p.p.inv.** 12
louer **T / Pr** (de) 13
louper **T / I,** p.p.inv. / **U,** p.p.inv. dans l'expression familière *ça n'a pas loupé* 12
lourder **T** 12
lourer **T** 12
louver **T** 12
louveter **I / p.p.inv.** 27
louvoyer **I / p.p.inv.** 31
lover **T / Pr** 12
lubrifier **T** 15
luger **I / p.p.inv.** 17
luire **I / p.p.inv.** 85
luncher **I / p.p.inv.** 12
lustrer **T** 12
luter **T** 12
lutiner **T** 12
lutter **I / p.p.inv.** 12
luxer **T / Pr** 12
lyncher **T** 12
lyophiliser **T** 12
lyser **T** 12

M

macadamiser **T** 12
macérer **T / I,** p.p.inv. 20
mâcher **T** 12
machiner **T** 12
mâchonner **T** 12
mâchouiller **T** 12
mâchurer **T** 12
macler **T** 12
maçonner **T** 12
maculer **T** 12
madériser **-se- + être** 12
maganer **T /** Québec 12
magasiner **I / p.p.inv. /** Québec 12
magner **-se- + être** 12
magnétiser **T** 12
magnétoscoper **T** 12
magnifier **T** 15
magouiller **T / I,** p.p.inv. 12
maigrir **I,** p.p.inv. / **T** 35
mailler **T / I,** p.p.inv. 12
maintenir **T / Pr** 4
maîtriser **T / Pr** 12
majorer **T** 12
malaxer **T** 12
malléabiliser **T** 12
malmener **T** 25
malter **T** 12
maltraiter **T** 12
manager **T** 17
mandater **T** 12
mander **T** 12
mandriner **T** 12
mangeotter **T / I,** p.p.inv. 12
manger T / I, p.p.inv. **17**
manier **T / Pr** 15
manifester **T / I,** p.p.inv. / **Pr** 12
manigancer **T** 18
manipuler **T** 12
manœuvrer **T / I,** p.p.inv. 12
manquer **I,** p.p.inv. / **T** / **Ti** (à, de), p.p.inv. 16
manucurer **T** 12
manufacturer **T** 12
manutentionner **T** 12
maquer **T** 16
maquignonner **T** 12
maquiller **T / Pr** 12
marabouter **T /** Afrique 12
marauder **I / p.p.inv.** 12
marbrer **T** 12
marchander **T / I,** p.p.inv. 12
marcher **I / p.p.inv.** 12
marcotter **T** 12
margauder **I / p.p.inv.** 12
marger **T** 17
marginaliser **T** 12
marginer **T** 12
margoter **I / p.p.inv.** 12
margotter **I / p.p.inv.** 12
marier **T / Pr** 15
mariner **T / I,** p.p.inv. 12
marivauder **I / p.p.inv.** 12
marmiter **T** 12
marmonner **I,** p.p.inv. / **T** 12
marmotter **T / I,** p.p.inv. 12
marner **T / I,** p.p.inv. 12
maronner **I / p.p.inv.** 12
maroquiner **T** 12
maroufler **T** 12
marquer **T / I,** p.p.inv. 16
marqueter **T** 27
marrer **-se- + être** 12
marteler **T** 25
martyriser **T** 12
marxiser **T** 12
masculiniser **T** 12
masquer **T / I,** p.p.inv. 16
massacrer **T** 12
masser **T / I,** p.p.inv. / **Pr** 12
massicoter **T** 12
massifier **T** 15
mastiquer **T** 16
masturber **T / Pr** 12
matcher **I,** p.p.inv. / **T** 12
matelasser **T** 12
mater **T** 12
mâter **T** 12
matérialiser **T / Pr** 12
materner **T** 12
materniser **T** 12
mathématiser **T** 12

mâtiner **T**	12
matir **T**	35
matraquer **T**	16
matricer **T**	18
maudire T	**79**
maugréer **I,** p.p.inv. / **T** / -é- partout	14
maximaliser **T**	12
maximiser **T**	12
mazer **T**	12
mazouter **T / I,** p.p.inv.	12
mécaniser **T**	12
mécher **T**	20
méconduire **-se- + être** / Belgique ; Zaïre	85
méconnaître **T**	75
mécontenter **T**	12
médailler **T**	12
médiatiser **T**	12
médicaliser **T**	12
médire Ti (de) / **p.p.inv.**	**78**
méditer **T / Ti** (sur), **p.p.inv.** / **I,** p.p.inv.	12
méduser **T**	12
méfier **-se-** (de) **+ être**	15
mégir **T**	35
mégisser **T**	12
mégoter **I / p.p.inv.**	12
méjuger **T / Ti** (de), p.p.inv. / **Pr**	17
mélanger **T**	17
mêler **T / Pr**	12
mémérer **I / p.p.inv. /** Québec	12
mémoriser **T**	12
menacer **T**	18
ménager **T / Pr**	17
mendier **I,** p.p.inv. / **T**	15
mendigoter **T / I,** p.p.inv.	12
mener **T / I,** p.p.inv.	25
mensualiser **T**	12
mentaliser **T**	12
mentionner **T**	12
mentir **I / p.p.inv.**	38
menuiser **T / I,** p.p.inv.	12
méprendre **-se-** (sur) **+ être**	68
mépriser **T**	12
merceriser **T**	12
merder **I,** p.p.inv. / **T**	12
merdoyer **I / p.p.inv.**	31
meringuer **T /** -gu- partout	16
mériter **T / Ti** (de), p.p.inv.	12
mésallier **-se- + être**	15
mésestimer **T**	12
messeoir **Ti** (à) / **p.p.inv.** / **Déf**	61
mesurer **T / Pr** (à, avec)	12
mésuser **Ti** (de) / **p.p.inv.**	12
métaboliser **T**	12
métalliser **T**	12
métamorphiser **T**	12
métamorphoser **T / Pr**	12
métastaser **T / I,** p.p.inv.	12
météoriser **I / p.p.inv.**	12
méthaniser **T**	12
métisser **T**	12
métrer **T**	20
mettre T / Pr (à, en)	**6**
meubler **T / I,** p.p.inv.	12
meugler **I / p.p.inv.**	12
meuler **T**	12
meurtrir **T**	35
miauler **I / p.p.inv.**	12
microfilmer **T**	12
mignoter **T**	12
migrer **I / p.p.inv.**	12
mijoter **T / I,** p.p.inv.	12
militariser **T**	12
militer **I / p.p.inv.**	12
millésimer **T**	12
mimer **T / I,** p.p.inv.	12
minauder **I / p.p.inv.**	12
mincir **I,** p.p.inv. / **T**	35
miner **T**	12
minéraliser **T**	12
miniaturiser **T**	12
minimaliser **T**	12
minimiser **T**	12
minorer **T**	12
minuter **T**	12
mirer **T / Pr** (dans)	12
miroiter **I / p.p.inv.**	12
miser **T / Ti** (sur), p.p.inv. / **I,** p.p.inv., Suisse	12
miter **-se- + être**	12
mithridatiser **T**	12
mitiger **T**	17
mitonner **I,** p.p.inv. / **T**	12
mitrailler **T**	12
mixer **T**	12
mixtionner **T**	12
mobiliser **T / Pr**	12
modeler **T / Pr** (sur)	25
modéliser **T**	12
modérer **T / Pr**	20
moderniser **T / Pr**	12
modifier **T**	15
moduler **T / I,** p.p.inv.	12
moffler **T /** Belgique	12
moirer **T**	12
moiser **T**	12
moisir **I,** p.p.inv. / **T**	35
moissonner **T**	12
moitir **T**	35
molester **T**	12
moleter **T**	27
molletonner **T**	12
mollir **I,** p.p.inv. / **T**	35
momifier **T / Pr**	15
monder **T**	12
mondialiser **T**	12
monétiser **T**	12
monnayer **T**	29 ou 30
monologuer **I / p.p.inv.** / -gu- partout	16
monopoliser **T**	12
monter **I + être / T + avoir** / **Pr**	12
montrer **T / Pr**	12
moquer **T / Pr** (de)	16
moquetter **T**	12
moraliser **T / I,** p.p.inv.	12
morceler **T**	23
mordancer **T**	18
mordiller **T**	12
mordorer **T**	12
mordre **T / Ti** (à), p.p.inv. / **Pr**	66
morfler **I / p.p.inv.**	12
morfondre **-se- + être**	66
morguer **T /** -gu- partout	16
morigéner **T**	20
mortaiser **T**	12
mortifier **T**	15
motionner **I / p.p.inv.**	12
motiver **T**	12
motoriser **T**	12
motter **-se- + être**	12
moucharder **T / I,** p.p.inv.	12
moucher **T / Pr**	12
moucheronner **I / p.p.inv.**	12
moucheter **T**	27

moudre T	**96**
moufeter **I / p.p.inv.**	12
moufter **I / p.p.inv.**	12
mouiller **T / I,** p.p.inv. / **Pr**	12
mouler **T**	12
mouliner **T**	12
moulurer **T**	12
mourir I / Pr / + être	**43**
mousser **I / p.p.inv.**	12
moutonner **I / p.p.inv.**	12
mouvementer **T**	12
mouvoir **T / Pr**	55
moyenner **T**	12
muer **I,** p.p.inv. / **T / Pr** (en)	13
mugir **I / p.p.inv.**	35
multiplier **T / I,** p.p.inv. / **Pr**	15
municipaliser **T**	12
munir **T / Pr** (de)	35
murer **T / Pr**	12
mûrir **I,** p.p.inv. / **T**	35
murmurer **I,** p.p.inv. / **T**	12
musarder **I / p.p.inv.**	12
muscler **T**	12
museler **T**	23
muser **I / p.p.inv.**	12
musiquer **T**	16
musser **T**	12
muter **T / I,** p.p.inv.	12
mutiler **T**	12
mutiner **-se- + être**	12
mutualiser **T**	12
mystifier **T**	15
mythifier **T**	15

N

nacrer **T**	12
nager **I,** p.p.inv. / **T**	17
naître I / + être	**76**
nanifier **T**	15
naniser **T**	12
nantir **T / Pr** (de)	35
napper **T**	12
narguer **T /** -gu- partout	16
narrer **T**	12
nasaliser **T**	12
nasiller **T / p.p.inv.**	12
nationaliser **T**	12
natter **T**	12
naturaliser **T**	12
naufrager **I / p.p.inv.**	17
naviguer **I / p.p.inv. /** -gu- partout	16
navrer **T**	12
néantiser **T**	12
nébuliser **T**	12
nécessiter **T**	12
nécroser **T / Pr**	12
négliger **T / Pr**	17
négocier **T / I,** p.p.inv.	15
neiger **U / p.p.inv.**	17
nervurer **T**	12
nettoyer **T**	31
neutraliser **T / Pr**	12
niaiser **I / p.p.inv. /** Québec	12
nicher **I,** p.p.inv. / **Pr**	12
nickeler **T**	23
nidifier **I / p.p.inv.**	15
nieller **T**	12
nier **T**	15
nimber **T**	12
nipper **T / Pr**	12
nitrater **T**	12
nitrer **T**	12
nitrifier **T**	15
nitrurer **T**	12
niveler **T**	23
noircir **T / I,** p.p.inv. / **Pr**	35
noliser **T**	12
nomadiser **I / p.p.inv.**	12
nombrer **T**	12
nominaliser **T**	12
nominer **T**	12
nommer **T / Pr**	12
nonupler **T**	12
nordir **I / p.p.inv.**	35
normaliser **T / Pr**	12
noter **T**	12
notifier **T**	15
nouer **T**	13
nourrir **T / Pr** (de)	35
nover **T**	12
noyauter **T**	12
noyer **T / Pr**	31
nuancer **T**	18
nucléariser **T**	12
nuer **T**	13
nuire **Ti** (à) / **p.p.inv.**	85
numériser **T**	12
numéroter **T / I,** p.p.inv.	12

O

obéir **Ti** (à) / **p.p.inv.** sauf à la voix passive : *elles ont été obéies*	35
obérer **T**	20
objecter **T**	12
objectiver **T**	12
obliger **T**	17
obliquer **I / p.p.inv.**	16
oblitérer **T**	20
obnubiler **T**	12
obombrer **T**	12
obscurcir **T / Pr**	35
obséder **T**	20
observer **T / Pr**	12
obstiner **-s'- + être**	12
obstruer **T**	13
obtempérer **Ti** (à) **/ p.p.inv.**	20
obtenir **T**	4
obturer **T**	12
obvenir **I / + être**	4
obvier **Ti** (à) / **p.p.inv.**	15
occasionner **T**	12
occidentaliser **T**	12
occire **T / Déf :** usité seulement à l'inf., au part. passé et aux temps composés	–
occlure **T**	94
occulter **T**	12
occuper **T / Pr** (de)	12
ocrer **T**	12
octavier **I / p.p.inv.**	15
octroyer **T / Pr**	31
octupler **T**	12
œilletonner **T**	12
œuvrer **I / p.p.inv.**	12
offenser **T / Pr** (de)	12
officialiser **T**	12
officier **I / p.p.inv.**	15
offrir **T / Pr**	45
offusquer **T / Pr** (de)	16
oindre **T /** Usité surtout à l'inf. et au part. passé	71
oiseler **I / p.p.inv.**	23
ombrager **T**	17
ombrer **T**	12
omettre **T**	6
ondoyer **I,** p.p.inv. / **T**	31

onduler **I,** p.p.inv. / **T** 12
opacifier **T** 15
opaliser **T** 12
opérer **T / I,** p.p.inv. / **Pr** 20
opiacer **T** 18
opiner **Ti / p.p.inv.** 12
opposer **T / Pr** (à) 12
oppresser **T** 12
opprimer **T** 12
opter **I** (pour, en faveur de) / **p.p.inv.** 12
optimaliser **T** 12
optimiser **T** 12
oraliser **T** 12
orbiter **I / p.p.inv.** 12
orchestrer **T** 12
ordonnancer **T** 18
ordonner **T** 12
organiser **T / Pr** 12
organsiner **T** 12
orienter **T / Pr** 12
ornementer **T** 12
orner **T** 12
orthographier **T** 15
osciller **I / p.p.inv.** 12
oser **T** 12
ossifier **-s'- + être** 15
ôter **T / Pr** 12
ouater **T** 12
ouatiner **T** 12
oublier **T / Pr** 15
ouiller **T** 12
ouïr T **48**
ourdir **T** 35
ourler **T** 12
outiller **T** 12
outrager **T** 17
outrepasser **T** 12
outrer **T** 12
ouvrager **T** 17
ouvrer **T** 12
ouvrir T / I, p.p.inv. / **Pr** **45**
ovaliser **T** 12
ovationner **T** 12
ovuler **I / p.p.inv.** 12
oxyder **T / Pr** 12
oxygéner **T / Pr** 20
ozoner **T** 12
ozoniser **T** 12

P

pacager **T / I,** p.p.inv. 17
pacifier **T** 15
pacquer **T** / -cqu- partout 16
pactiser **I / p.p.inv.** 12
paganiser **T** 12
pagayer **I / p.p.inv.** 29 ou 30
paginer **T** 12
pagnoter **-se- + être** 12
paillassonner **T** 12
pailler **T** 12
pailleter **T** 27
paître **T / I,** p.p.inv. / **Déf :** passé simple, subj. imparf. et temps composés inusités 99
palabrer **I / p.p.inv.** 12
palanquer **I,** p.p.inv. / **T** 16
palataliser **T** 12
palettiser **T** 12
pâlir **I,** p.p.inv. / **T** 35
palissader **T** 12
palisser **T** 12
palissonner **T** 12
pallier **T** 15
palmer **T** 12
palper **T** 12
palpiter **I / p.p.inv.** 12
pâmer **-se- + être** 12
panacher **T / Pr** 12
paner **T** 12
panifier **T** 15
paniquer **I,** p.p.inv. / **T / Pr** 16
panneauter **I / p.p.inv.** 12
panosser **T /** Suisse ; Savoie 12
panser **T** 12
panteler **I / p.p.inv.** 23
pantoufler **I / p.p.inv.** 12
papillonner **I / p.p.inv.** 12
papilloter **I / p.p.inv.** 12
papoter **I / p.p.inv.** 12
parachever **T** 25
parachuter **T** 12
parader **I / p.p.inv.** 12
parafer **T** 12
paraffiner **T** 12
paraître **I / + être ou avoir** 75
paralyser **T** 12
paramétrer **T** 20
parangonner **T** 12
parapher **T** 12
paraphraser **T** 12
parasiter **T** 12
parcellariser **T** 12
parcelliser **T** 12
parcourir **T** 42
pardonner **T / Ti** (à), p.p. inv., sauf à la voix passive : *elle a été pardonnée* 12
parementer **T** 12
parer **T / Ti** (à), p.p.inv. **/ Pr** (de) 12
paresser **I / p.p.inv.** 12
parfaire **T / Déf :** usité à l'inf., au part. passé, au sing. de l'ind. prés. et aux temps composés 5
parfiler **T** 12
parfondre **T** 66
parfumer **T / Pr** 12
parier **T** 15
parjurer **-se- + être** 12
parlementer **I / p.p.inv.** 12
parler **I,** p.p. inv. / **Ti** (de), p.p.inv. / **T / Pr,** p.p.inv. 12
parodier **T** 15
parquer **T / I,** p.p.inv. 16
parqueter **T** 27
parrainer **T** 12
parsemer **T** 25
partager **T** 17
participer **Ti** (à) / **p.p.inv.** 12
particulariser **T** 12
partir I / + être **38**
parvenir **I / + être** 4
passementer **T** 12
passer **I / T / Pr** (de) / **+ être ou avoir** sauf à la voix pronominale : toujours *être* 12
passionner **T / Pr** (pour) 12
passiver **T** 12
pasteuriser **T** 12
pasticher **T** 12
patauger **I / p.p.inv.** 17
pateliner **I / p.p.inv.** 12
patenter **T** 12
patienter **I / p.p.inv.** 12
patiner **I,** p.p.inv. / **T / Pr** 12
pâtir **I / p.p.inv.** 35
pâtisser **I / p.p.inv.** 12
patoiser **I / p.p.inv.** 12

Verbe	N°
patouiller **I,** p.p.inv. / **T**	12
patronner **T**	12
patrouiller **I / p.p.inv.**	12
pâturer **T / I,** p.p.inv.	12
paumer **T / Pr**	12
paumoyer **T**	31
paupériser **T**	12
pauser **I / p.p.inv.**	12
pavaner **-se- + être**	12
paver **T**	12
pavoiser **T / I,** p.p.inv.	12
payer T / I, p.p.inv. / **Pr**	**29 ou 30**
peaufiner **T**	12
pécher **I / p.p.inv.**	20
pêcher **T**	12
pécloter **I / p.p.inv. /** Suisse	12
pédaler **I / p.p.inv.**	12
peigner **T / Pr**	12
peindre T / Pr	**70**
peiner **T / I,** p.p.inv.	12
peinturer **T**	12
peinturlurer **T**	12
peler **T / I,** p.p.inv.	25
peller **T /** Suisse	12
pelleter **T**	27
pelliculer **T**	12
peloter **T**	12
pelotonner **T / Pr**	12
pelucher **I / p.p.inv.**	12
pénaliser **T**	12
pencher **T / I,** p.p.inv. / **Pr**	12
pendiller **I / p.p.inv.**	12
pendouiller **I / p.p.inv.**	12
pendre **T / I,** p.p.inv. / **Pr**	66
penduler **I / p.p.inv.**	12
pénétrer **T / I,** p.p.inv. / **Pr** (de)	20
penser **I,** p.p.inv. / **Ti** (à), p.p.inv. / **T**	12
pensionner **T**	12
pépier **I / p.p.inv.**	15
percer **T / I,** p.p.inv.	18
percevoir **T**	51
percher **I,** p.p.inv. / **T / Pr**	12
percuter **T / I,** p.p.inv.	12
perdre **T / I,** p.p.inv. / **Pr**	66
perdurer **I / p.p.inv.**	12
pérenniser **T**	12
perfectionner **T / Pr**	12
perforer **T**	12
perfuser **T**	12
péricliter **I / p.p.inv.**	12
périmer **-se- + être**	12
périr **I / p.p.inv.**	35
perler **T / I,** p.p.inv.	12
permettre **T / Pr**	6
permuter **T / I,** p.p.inv.	12
pérorer **I / p.p.inv.**	12
peroxyder **T**	12
perpétrer **T**	20
perpétuer **T / Pr**	13
perquisitionner **I,** p.p.inv. / **T**	12
persécuter **T**	12
persévérer **I / p.p.inv.**	20
persifler **T**	12
persister **I** (dans, à + inf.) / **p.p.inv.**	12
personnaliser **T**	12
personnifier **T**	15
persuader **T / Pr** (de)	12
perturber **T**	12
pervertir **T / Pr**	35
pervibrer **T**	12
peser **T / I,** p.p.inv.	25
pester **I / p.p.inv.**	12
pétarader **I / p.p.inv.**	12
péter **I,** p.p.inv. / **T**	20
pétiller **I / p.p.inv.**	12
petit-déjeuner **I / p.p.inv.**	12
pétitionner **I / p.p.inv.**	12
pétouiller **I / p.p.inv. /** Suisse	12
pétrifier **T**	15
pétrir **T**	35
pétuner **I / p.p.inv.**	12
peupler **T / Pr**	12
phagocyter **T**	12
philosopher **I / p.p.inv.**	12
phosphater **T**	12
phosphorer **I / p.p.inv.**	12
photocomposer **T**	12
photocopier **T**	15
photographier **T**	15
phraser **T**	12
piaffer **I / p.p.inv.**	12
piailler **I / p.p.inv.**	12
pianoter **I / p.p.inv.**	12
piauler **I / p.p.inv.**	12
picoler **T**	12
picorer **T**	12
picoter **T**	12
piéger **T**	21
piéter **I / p.p.inv.**	20
piétiner **I,** p.p.inv. / **T**	12
pieuter **-se- + être**	12
pifer **T**	12
piffer **T**	12
pigeonner **T**	12
piger **T**	17
pigmenter **T**	12
pignocher **I / p.p.inv.**	12
piler **T / I,** p.p.inv.	12
piller **T**	12
pilonner **T**	12
piloter **T**	12
pimenter **T**	12
pinailler **I / p.p.inv.**	12
pincer **T**	18
pinter **I,** p.p.inv. / **T / Pr**	12
piocher **T**	12
pioncer **I / p.p.inv.**	18
piorner **I / p.p.inv. /** Suisse	12
piper **T**	12
pique-niquer **I / p.p.inv.**	16
piquer **T / I,** p.p.inv. / **Pr**	16
piqueter **T / I,** p.p.inv., Québec	27
pirater **T / I,** p.p.inv.	12
pirouetter **I / p.p.inv.**	12
pisser **T / I,** p.p.inv.	12
pister **T**	12
pistonner **T**	12
pitonner **T / I,** p.p.inv.	12
pivoter **I / p.p.inv.**	12
placarder **T**	12
placer T / Pr	**18**
placoter **I / p.p.inv. /** Québec	12
plafonner **I,** p.p.inv. / **T**	12
plagier **T**	15
plaider **T / I,** p.p.inv.	12
plaindre **T / Pr**	69
plaire I (à) **/ U** dans des expressions figées : *s'il vous/te plaît ; plaît-il,* etc. / **Pr / p.p.inv.** même à la voix pronominale	**91**
plaisanter **I,** p.p.inv. / **T**	12
planchéier **T /** -é- partout	15
plancher **I / Ti** (sur) / **p.p.inv.**	12
planer **T / I,** p.p.inv.	12
planifier **T**	15
planquer **T / Pr**	16
planter **T / Pr**	12

plaquer **T**	16
plasmifier **T**	15
plastifier **T**	15
plastiquer **T**	16
plastronner **I / p.p.inv.**	12
platiner **T**	12
plâtrer **T**	12
plébisciter **T**	12
pleurer **I,** p.p.inv. / **T**	12
pleurnicher **I / p.p.inv.**	12
pleuvasser **U / p.p.inv.**	12
pleuviner **U / p.p.inv.**	12
pleuvoir U / I / p.p.inv.	**62**
pleuvoter **U / p.p.inv.**	12
plier **T / I,** p.p.inv. / **Pr** (à)	15
plisser **T / I,** p.p.inv.	12
plomber **T**	12
plonger **T / I,** p.p.inv. / **Pr**	17
ployer **T / I,** p.p.inv.	31
plucher **I / p.p.inv.**	12
plumer **T**	12
pluviner **U / p.p.inv.**	12
pocharder **-se- + être**	12
pocher **T**	12
poêler **T**	12
poétiser **T**	12
poignarder **T**	12
poiler **-se- + être**	12
poinçonner **T**	12
poindre **I / Déf :** usité seulement à l'ind. prés., au part. prés. et à la 3e pers. du sing. des temps simples	71
pointer **T / I,** p.p.inv. / **Pr**	12
pointiller **I,** p.p.inv. / **T**	12
poireauter **I / p.p.inv.**	12
poiroter **I / p.p.inv.**	12
poisser **T**	12
poivrer **T / Pr**	12
polariser **T / Pr** (sur)	12
polémiquer **I / p.p.inv.**	16
policer **T**	18
polir **T**	35
polissonner **I / p.p.inv.**	12
politiser **T**	12
polluer **T**	13
polycopier **T**	15
polymériser **T**	12
pommader **T**	12
pommeler **-se- + être**	23
pommer **I / p.p.inv.**	12
pomper **T**	12
pomponner **T / Pr**	12
poncer **T**	18
ponctionner **T**	12
ponctuer **T**	13
pondérer **T**	20
pondre **T**	66
ponter **I,** p.p.inv. / **T**	12
pontifier **I / p.p.inv.**	15
populariser **T**	12
poquer **I / p.p.inv.**	16
porter **T / I,** p.p.inv. / **Pr**	12
portraiturer **T**	12
poser **T / I,** p.p.inv. / **Pr**	12
positionner **T / Pr**	12
posséder **T / Pr**	20
postdater **T**	12
poster **T / Pr**	12
postillonner **I / p.p.inv.**	12
postposer **T**	12
postsynchroniser **T**	12
postuler **T / I,** p.p.inv.	12
potasser **T**	12
potentialiser **T**	12
potiner **I / p.p.inv.**	12
poudrer **T**	12
poudroyer **I / p.p.inv.**	31
pouffer **I / p.p.inv.**	12
pouliner **I / p.p.inv.**	12
pouponner **I / p.p.inv.**	12
pourchasser **T**	12
pourfendre **T**	66
pourlécher **-se- + être**	20
pourrir **I,** p.p.inv. **/ T**	35
poursuivre **T**	86
pourvoir Ti (à), p.p.inv. / **T / Pr** (de, en)	**54**
pousser **T / I,** p.p.inv. / **Pr**	12
poutser **T /** Suisse	12
pouvoir T / U + être au pronominal : *il se peut que* (+ subj.) / **p.p.inv. / Déf :** pas d'impér.	**7**
praliner **T**	12
pratiquer **T / Pr**	16
préaviser **T**	12
précariser **T**	12
précautionner **-se- + être**	12
précéder **T**	20
préchauffer **T**	12
prêcher **T / I,** p.p.inv.	12
précipiter **T / I,** p.p.inv. / **Pr**	12
préciser **T / Pr**	12
précompter **T**	12
préconiser **T**	12
prédestiner **T**	12
prédéterminer **T**	12
prédiquer **T**	16
prédire **T**	78
prédisposer **T**	12
prédominer **I / p.p.inv.**	12
préétablir **T**	35
préexister **I / p.p.inv.**	12
préfacer **T**	18
préférer **T**	20
préfigurer **T**	12
préfixer **T**	12
préformer **T**	12
préjuger **T / Ti** (de), p.p.inv.	17
prélasser **-se- + être**	12
prélever **T**	25
préluder **I / Ti** (à) / **p.p.inv.**	12
préméditer **T**	12
prémunir **T / Pr** (contre)	35
prendre T / I, p.p.inv. / **Pr** (à, de, pour)	**68**
prénommer **T**	12
préoccuper **T / Pr** (de)	12
préparer **T / Pr**	12
prépayer **T**	29 ou 30
préposer **T**	12
prérégler **T**	20
présager **T**	17
prescrire **T / Pr**	81
présélectionner **T**	12
présenter **T / I,** p.p.inv. / **Pr**	12
préserver **T**	12
présider **T / Ti** (à), p.p.inv.	12
pressentir **T**	38
presser **T / I,** p.p.inv. / **Pr**	12
pressurer **T / Pr**	12
pressuriser **T**	12
prester **T /** Belgique ; Zaïre	12
présumer **T / Ti** (de), p.p.inv.	12
présupposer **T**	12
présurer **T**	12
prétendre **T / Ti** (à), p.p.inv.	66

Verbe	Tableau
prêter **T / Ti** (à), p.p.inv. / **Pr** (à)	12
prétériter **T /** Suisse	12
prétexter **T**	12
prévaloir I, p.p.inv. / **Pr** (de)	**57**
prévariquer **I / p.p.inv.**	16
prévenir **T**	4
prévoir T	**53**
prier **T / I,** p.p.inv.	15
primer **T / Ti** (sur), p.p.inv.	12
priser **T**	12
privatiser **T**	12
priver **T / Pr** (de)	12
privilégier **T**	15
procéder **I / Ti** (à) / **p.p.inv.**	20
proclamer **T**	12
procréer **T /** -é- partout	14
procurer **T**	12
prodiguer **T /** -gu- partout	16
produire **T / Pr**	85
profaner **T**	12
proférer **T**	20
professer **T**	12
professionnaliser **T / Pr**	12
profiler **T / Pr**	12
profiter **Ti** (de, à) / **I / p.p.inv.**	12
programmer **T**	12
progresser **I / p.p.inv.**	12
prohiber **T**	12
projeter **T**	27
prolétariser **T / Pr**	12
proliférer **I / p.p.inv.**	20
prolonger **T**	17
promener **T / I,** p.p.inv. / **Pr**	25
promettre **T / I,** p.p.inv. / **Pr**	6
promouvoir **T /** Usité surtout à l'inf., au part. passé *(promu/ue/us/ues)*, aux temps composés et à la voix passive	55
promulguer **T /** -gu- partout	16
prôner **T**	12
prononcer **T / I,** p.p.inv. / **Pr**	18
pronostiquer **T**	16
propager **T / Pr**	17
prophétiser **T**	12
proportionner **T**	12
proposer **T / Pr**	12
propulser **T / Pr**	12
proroger **T**	17
proscrire **T**	81
prospecter **T**	12
prospérer **I / p.p.inv.**	20
prosterner **-se- + être**	12
prostituer **T / Pr**	13
protéger T	**21**
protester **I,** p.p. inv. / **Ti** (de), p.p.inv. / **T** (langage juridique)	12
prouver **T**	12
provenir **I / + être**	4
provigner **T / I,** p.p.inv.	12
provisionner **T**	12
provoquer **T**	16
psalmodier **T / I,** p.p.inv.	15
psychanalyser **T**	12
psychiatriser **T**	12
publier **T**	15
puddler **T**	12
puer **I / T / p.p.inv.**	13
puiser **T / I,** p.p.inv.	12
pulluler **I / p.p.inv.**	12
pulser **T**	12
pulvériser **T**	12
punaiser **T**	12
punir **T**	35
purger **T / Pr**	17
purifier **T**	15
putréfier **T / Pr**	15
putter **I / p.p.inv.**	12
pyrograver **T**	12

Q

Verbe	Tableau
quadriller **T**	12
quadrupler **T / I,** p.p.inv.	12
qualifier **T / Pr**	15
quantifier **T**	15
quartager **T**	17
quarter **T**	12
quémander **T / I,** p.p.inv.	12
quereller **T / Pr**	12
quérir **T / Déf :** usité seulement à l'inf. prés. après *aller, envoyer, faire* et *venir*	–
questionner **T**	12
quêter **T / I,** p.p.inv.	12
queuter **I / p.p.inv.**	12
quintupler **T / I,** p.p.inv.	12
quittancer **T**	18
quitter **T / I,** p.p.inv., Afrique	12

R

Verbe	Tableau
rabâcher **T / I,** p.p.inv.	12
rabaisser **T / Pr**	12
rabattre **T / I,** p.p.inv. / **Pr** (sur)	74
rabibocher **T / Pr** (avec)	12
rabioter **T**	12
râbler **T**	12
rabonnir **I / p.p.inv.**	35
raboter **T**	12
rabougrir **T / Pr**	35
rabouter **T**	12
rabrouer **T**	13
raccommoder **T / Pr**	12
raccompagner **T**	12
raccorder **T**	12
raccourcir **T / I,** p.p.inv.	35
raccrocher **T / I,** p.p.inv. / **Pr** (à)	12
raccuser **T /** Belgique	12
racheter **T / Pr**	28
raciner **T**	12
racketter **T**	12
racler **T / Pr** dans l'expression *se racler la gorge*	12
racoler **T**	12
raconter **T**	12
racornir **T**	35
rader **T**	12
radicaliser **T**	12
radier **T**	15
radiner **I,** p.p.inv. / **Pr**	12
radiobaliser **T**	12
radiodiffuser **T**	12
radiographier **T**	15
radioguider **T**	12
radoter **I,** p.p.inv. / **T**	12
radouber **T**	12
radoucir **T / Pr**	35
raffermir **T / Pr**	35
raffiner **T / Ti** (sur), p.p.inv.	12
raffoler **Ti** (de) / **p.p.inv.**	12
raffûter **T**	12
rafistoler **T**	12
rafler **T**	12
rafraîchir **T / I,** p.p.inv. / **Pr**	35
ragaillardir **T**	35
rager **I / p.p.inv.**	17
ragréer **T /** -é- partout	14
raguer **I / p.p.inv. /** -gu- partout	16

Verbe	Modèle
raidir **T / Pr**	35
railler **T**	12
rainer **T**	12
rainurer **T**	12
raire **I / p.p.inv. / Déf :** pas de passé simple, pas de subjonctif imparfait	90
raisonner **I,** p.p.inv. / **T**	12
rajeunir **T / I,** p.p.inv. / **Pr**	35
rajouter **T**	12
rajuster **T**	12
ralentir **T / I,** p.p.inv.	35
râler **I / p.p.inv.**	12
ralinguer **T / I,** p.p.inv. / -gu- partout	16
raller **I / p. p. inv.**	12
rallier **T / Pr** (à)	15
rallonger **T / I,** p.p.inv.	17
rallumer **T / Pr**	12
ramager **T / I,** p.p.inv.	17
ramasser **T / Pr**	12
ramender **T**	12
ramener **T / Pr**	25
ramer **T / I,** p.p.inv.	12
rameuter **T**	12
ramifier **T / Pr**	15
ramollir **T / Pr**	35
ramoner **T**	12
ramper **I / p.p.inv.**	12
rancarder **T / Pr** (sur)	12
rancir **I,** p.p.inv. / **T**	35
rançonner **T**	12
randomiser **T**	12
randonner **I / p.p.inv.**	12
ranger **T / Pr**	17
ranimer **T / Pr**	12
rapatrier **T**	15
râper **T**	12
rapercher **T /** Suisse	12
rapetasser **T**	12
rapetisser **T / I,** p.p.inv.	12
rapiécer T	**22**
rapiner **T / I,** p.p.inv.	12
raplatir **T**	35
rapointir **T**	35
rappareiller **T**	12
rapparier **T**	15
rappeler **T / Pr**	23
rappliquer **I / p.p.inv.**	16
rappointir **T**	35
rapporter **T / Pr** (à)	12
rapprendre **T**	68
rapprêter **T**	12
rapprocher **T / Pr** (de)	12
raquer **T**	16
raréfier **T / Pr**	15
raser **T / Pr**	12
rassasier **T**	15
rassembler **T / Pr**	12
rasseoir **T / Pr**	58 ou 59
rasséréner **T / Pr**	20
rassir **I / + être ou avoir**	35
rassortir **T**	35
rassurer **T**	12
ratatiner **T / Pr**	12
râteler **T**	23
rater **I,** p.p.inv. / **T**	12
ratiboiser **T**	12
ratifier **T**	15
ratiner **T**	12
ratiociner **I / p.p.inv.**	12
rationaliser **T**	12
rationner **T**	12
ratisser **T / I,** p.p.inv.	12
rattacher **T / Pr** (à)	12
rattraper **T / Pr**	12
raturer **T**	12
raucher **T**	12
rauquer **I / p.p.inv.**	16
ravager **T**	17
ravaler **T / Pr**	12
ravauder **T**	12
ravigoter **T**	12
ravilir **T**	35
raviner **T**	12
ravir **T**	35
raviser **-se- + être**	12
ravitailler **T**	12
raviver **T**	12
ravoir **T / Pr,** Belgique / **Déf :** usité seulement à l'inf. prés.	–
rayer **T**	30
rayonner **I,** p.p.inv. / **T**	12
razzier **T**	15
réabonner **T**	12
réabsorber **T**	12
réaccoutumer **T**	12
réactiver **T**	12
réactualiser **T**	12
réadapter **T**	12
réadmettre **T**	6
réaffirmer **T**	12
réagir **I / p.p.inv.**	35
réajuster **T**	12
réaléser **T**	20
réaligner **T**	12
réaliser **T / Pr**	12
réaménager **T**	17
réamorcer **T**	18
réanimer **T**	12
réapparaître **I / + être ou avoir**	75
réapprendre **T**	68
réapprovisionner **T**	12
réargenter **T**	12
réarmer **T / I,** p.p.inv.	12
réarranger **T**	17
réassigner **T**	12
réassortir **T**	35
réassurer **T**	12
rebaisser **I,** p.p.inv. / **T**	12
rebaptiser **T**	12
rebâtir **T**	35
rebattre **T**	74
rebeller **-se- + être**	12
rebiffer **-se- + être**	12
rebiquer **I / p.p.inv.**	16
reblanchir **T**	35
reboire **T / I,** p.p.inv.	89
reboiser **T**	12
rebondir **I / p.p.inv.**	35
reborder **T**	12
reboucher **T**	12
reboutonner **T**	12
rebroder **T**	12
rebrousser **T**	12
rebrûler **T**	12
rebuter **T**	12
recacheter **T**	27
recadrer **T**	12
recalcifier **T**	15
recalculer **T**	12
recaler **T**	12
recapitaliser **T**	12
récapituler **T**	12
recarder **T**	12
recarreler **T**	23
recaser **T**	12
recauser **Ti** (de) / **p.p.inv.**	12
recéder **T**	20

receler **T** 25
recenser **T** 12
recentrer **T** 12
receper **T** 25
recéper **T** 20
réceptionner **T** 12
recercler **T** 12
recevoir T / Pr **51**
rechampir **T** 35
réchampir **T** 35
rechanger **T** 17
rechanter **T** 12
rechaper **T** 12
réchapper **I / Ti** (à, de) / **+ être ou avoir** 12
recharger **T** 17
rechasser **T** 12
réchauffer **T / Pr** 12
rechausser **T / Pr** 12
rechercher **T** 12
rechigner **I / Ti** (à) / **p.p.inv.** 12
rechristianiser **T** 12
rechuter **I / p.p.inv.** 12
récidiver **I / p.p.inv.** 12
réciproquer **I,** p.p.inv. / **T /** Belgique ; Zaïre 16
réciter **T** 12
réclamer **T / I,** p.p.inv. / **Pr** (de) 12
reclasser **T** 12
reclouer **T** 13
recoiffer **T / Pr** 12
récoler **T** 12
recoller **T / Ti** (à), p.p.inv. 12
récolter **T** 12
recommander **T / Pr** (de) 12
recommencer **T / I,** p.p.inv. 18
recomparaître **I / p.p.inv.** 75
récompenser **T** 12
recomposer **T** 12
recompter **T** 12
réconcilier **T / Pr** (avec) 15
recondamner **T** 12
reconduire **T** 85
réconforter **T** 12
reconnaître **T / Pr** 75
reconquérir **T** 44
reconsidérer **T** 20
reconstituer **T** 13
reconstruire **T** 85
reconvertir **T / Pr** 35

recopier **T** 15
recorder **T** 12
recorriger **T** 17
recoucher **T** 12
recoudre **T** 97
recouper **T / I,** p.p.inv. 12
recourber **T** 12
recourir **T / I,** p.p.inv. / **Ti** (à), p.p.inv. 42
recouvrer **T** 12
recouvrir **T** 45
recracher **T / I,** p.p.inv. 12
recréer **T /** -é- partout 14
récréer **T /** -é- partout 14
recrépir **T** 35
recreuser **T** 12
récrier **-se- + être** 15
récriminer **I / p.p.inv.** 12
récrire **T** 81
recristalliser **T / I,** p.p.inv. 12
recroître **I / p.p.inv.** 93
recroqueviller **-se- + être** 12
recruter **T / Pr** 12
rectifier **T** 15
recueillir **T / Pr** 46
recuire **T / I,** p.p.inv. 85
reculer **T / I,** p.p.inv. 12
reculotter **T** 12
récupérer **T / I,** p.p.inv. 20
récurer **T** 12
récuser **T / Pr** 12
recycler **T / Pr** 12
redécouvrir **T** 45
redéfaire **T** 5
redéfinir **T** 35
redemander **T** 12
redémarrer **I / p.p.inv.** 12
redéployer **T** 31
redescendre **I + être** **/ T + avoir** 66
redevenir **I / + être** 4
redevoir **T** 10
rediffuser **T** 12
rédiger **T** 17
redimensionner **T /** Suisse 12
rédimer **T** 12
redire **T** 77
rediscuter **T** 12
redistribuer **T** 13
redonner **T** 12

redorer **T** 12
redoubler **T / Ti** (de), p.p.inv. / **I,** p.p.inv. 12
redouter **T** 12
redresser **T / I,** p.p.inv. / **Pr** 12
réduire **T / I,** p.p.inv. / **Pr** (à) 85
réécouter **T** 12
réécrire **T** 81
réédifier **T** 15
rééditer **T** 12
rééduquer **T** 16
réélire **T** 82
réembaucher **T** 12
réemployer **T** 31
réemprunter **T** 12
réengager **T / I,** p.p.inv. / **Pr** 17
réenregistrer **T** 12
réensemencer **T** 18
rééquilibrer **T** 12
réer **I / p.p.inv. /** -é- partout 14
réescompter **T** 12
réessayer **T** 29 ou 30
réétudier **T** 15
réévaluer **T** 13
réexaminer **T** 12
réexpédier **T** 15
réexporter **T** 12
refaçonner **T** 12
refaire **T / Pr** 5
refendre **T** 66
référencer **T** 18
référer **Ti** (à), p.p.inv. dans l'expression *en référer à* / **Pr** (à) 20
refermer **T** 12
refiler **T** 12
réfléchir **T / I,** p.p.inv. / **Ti** (à, sur), p.p.inv. / **Pr** (dans, sur) 35
refléter **T / Pr** (dans) 20
refleurir **I,** p.p.inv. / **T** 35
refluer **I / p.p.inv.** 13
refonder **T** 12
refondre **T** 66
reformer **T / Pr** 12
réformer **T** 12
reformuler **T** 12
refouiller **T** 12
refouler **T** 12
réfracter **T** 12
refréner **T** 20

réfréner **T** 20
réfrigérer **T** 20
refroidir **T / I,** p.p.inv. 35
réfugier **-se- + être** 15
refuser **T / I,** p.p.inv. / **Pr** 12
réfuter **T** 12
regagner **T** 12
régaler **T / Pr** 12
regarder **T / Ti** (à), p.p.inv. / **I,** p.p.inv. / **Pr** 12
regarnir **T** 35
régater **I / p.p.inv.** 12
regeler **T / U,** p.p.inv. 25
régénérer **T** 20
régenter **T** 12
regimber **I,** p.p.inv. / **Pr** 12
régionaliser **T** 12
régir **T** 35
registrer **T** 12
réglementer **T** 12
régler **T** 20
régner **I / p.p.inv.** 20
regonfler **T / I,** p.p.inv. 12
regorger **I / p.p.inv.** 17
regratter **T** 12
regréer **T /** -é- partout 14
regreffer **T** 12
régresser **I / p.p.inv.** 12
regretter **T /** -tt- partout 12
regrimper **I,** p.p.inv. / **T** 12
regrossir **I / p.p.inv.** 35
regrouper **T / Pr** 12
régulariser **T** 12
réguler **T** 12
régurgiter **T** 12
réhabiliter **T** 12
réhabituer **T** 13
rehausser **T** 12
réhydrater **T** 12
réifier **T** 15
réimperméabiliser **T** 12
réimplanter **T** 12
réimporter **T** 12
réimposer **T** 12
réimprimer **T** 12
réincarcérer **T** 20
réincarner **-se-** (dans) **+ être** 12
réincorporer **T** 12
réinscrire **T** 81
réinsérer **T** 20
réinstaller **T** 12
réintégrer **T** 20
réintroduire **T** 85
réinventer **T** 12
réinvestir **T / I,** p.p.inv. 35
réinviter **T** 12
réitérer **T / I,** p.p.inv. 20
rejaillir **I / p.p.inv.** 35
rejeter **T / I,** p.p.inv. / **Pr** 27
rejoindre **T / Pr** 71
rejointoyer **T** 31
rejouer **T / I,** p.p.inv. 13
réjouir **T / Pr** (de) 35
rejuger **T** 17
relâcher **T / I,** p.p.inv. / **Pr** 12
relaisser **-se- + être** 12
relancer **T / I,** p.p.inv. 18
rélargir **T** 35
relater **T** 12
relativiser **T** 12
relaver **T** 12
relaxer **T / Pr** 12
relayer **T / Pr** 29 ou 30
reléguer **T /** -gu- partout 20
relever **T / Ti** (de), p.p.inv. / **Pr** 25
relier **T** 15
relire **T / Pr** 82
reloger **T** 17
relouer **T** 13
reluire **I / p.p.inv.** 85
reluquer **T** 16
remâcher **T** 12
remailler **T** 12
remanger **T / I,** p.p.inv. 17
remanier **T** 15
remaquiller **T** 12
remarcher **I / p.p.inv.** 12
remarier **-se- + être** 15
remarquer **T** 16
remastiquer **T** 16
remballer **T** 12
rembarquer **T / I / Pr** (dans) 16
rembarrer **T** 12
rembaucher **T** 12
remblaver **T** 12
remblayer **T** 29 ou 30
rembobiner **T** 12
remboîter **T** 12
rembouger **T** 17
rembourrer **T** 12
rembourser **T** 12
rembrunir **-se- + être** 35
rembucher **T** 12
remédier **Ti** (à) / **p.p.inv.** 15
remembrer **T** 12
remémorer **T / Pr** 12
remercier **T** 15
remettre **T / Ti** (sur), p.p.inv., Belgique / **Pr** (à) 6
remeubler **T** 12
remilitariser **T** 12
remiser **T / Pr** 12
remmailler **T** 12
remmailloter **T** 12
remmancher **T** 12
remmener **T** 25
remmouler **T** 12
remodeler **T** 25
remonter **I + être / T + avoir / Pr** 12
remontrer **T** 12
remordre **T** 66
remorquer **T** 16
remoudre **T** 96
remouiller **T** 12
remouler **T** 12
rempailler **T** 12
rempaqueter **T** 27
rempiéter **T** 20
rempiler **T / I,** p.p.inv. 12
remplacer **T** 18
remplier **T** 15
remplir **T / Pr** 35
remployer **T / Pr** 31
remplumer **-se- + être** 12
rempocher **T** 12
rempoissonner **T** 12
remporter **T** 12
rempoter **T** 12
remprunter **T** 12
remuer **T / I,** p.p.inv. / **Pr** 13
rémunérer **T** 20
renâcler **I / p.p.inv.** 12
renaître **I / Ti** (à) / **Déf :** pas de part. passé, donc pas de temps composés 76
renauder **I / p.p.inv.** 12
rencaisser **T** 12
rencarder **T / Pr** (sur) 12
renchérir **I / p.p.inv.** 35

rencogner **T / Pr** (dans) 12
rencontrer **T / Pr** 12
rendormir **T / Pr** 37
rendosser **T** 12
rendre T / I / Pr (attention : p.p.inv. seulement dans l'expression *se rendre compte de...*) **66**
renégocier **T** 15
reneiger **U / p.p.inv.** 17
renfaîter **T** 12
renfermer **T / Pr** 12
renfiler **T** 12
renfler **T** 12
renflouer **T** 13
renfoncer **T** 18
renforcer **T** 18
renformir **T** 35
renfrogner **-se- + être** 12
rengager **T / I,** p.p.inv. / **Pr** 17
rengainer **T** 12
rengorger **-se- + être** 17
rengraisser **I / p.p.inv.** 12
rengrener **T** 25
rengréner **T** 20
renier **T / Pr** 15
renifler **I,** p.p.inv. / **T** 12
renommer **T** 12
renoncer **Ti** (à), p.p.inv. / **I,** p.p.inv. / **T,** Belgique 18
renouer **T / I,** p.p.inv. 13
renouveler **T / Pr** 23
rénover **T** 12
renseigner **T / Pr** 12
rentabiliser **T** 12
rentamer **T** 12
renter **T** 12
rentoiler **T** 12
rentraire **T** 90
rentrayer **T** 29 ou 30
rentrer **I + être / T + avoir** 12
renverser **T / I,** p.p.inv. / **Pr** 12
renvider **T** 12
renvoyer **T** 33
réoccuper **T** 12
réopérer **T** 20
réorchestrer **T** 12
réorganiser **T** 12
réorienter **T** 12
repairer **I / p.p.inv.** 12
repaître T / Pr (de) **99**
répandre T / Pr **67**
reparaître **I / + être** ou **avoir** 75
réparer **T** 12
reparler **I / Ti** (de) / **p.p.inv.** 12
repartager **T** 17
repartir **I + être / T** au sens de *répliquer* 38
répartir **T** 35
repasser **I,** p.p.inv. / **T** 12
repaver **T** 12
repayer **T** 29 ou 30
repêcher **T** 12
repeindre **T** 70
rependre **T** 66
repenser **Ti** (à), p.p.inv. / **T** 12
repentir **-se-** (de) **+ être** 38
repercer **T** 18
répercuter **T / Pr** (sur) 12
reperdre **T** 66
repérer **T** 20
répertorier **T** 15
répéter **T / Pr** 20
repeupler **T** 12
repiquer **T / Ti** (à), p.p.inv. / **Pr** 16
replacer **T** 18
replanter **T** 12
replâtrer **T** 12
repleuvoir **U / p.p.inv.** 62
replier **T / Pr** 15
répliquer **T / I,** p.p.inv. / **Pr** 16
replisser **T** 12
replonger **T / I,** p.p.inv. / **Pr** 17
reployer **T** 31
repolir **T** 35
répondre **T / I,** p.p.inv. / **Ti** (à, de), p.p.inv. 66
reporter **T / Pr** (à) 12
reposer **T / Ti** (sur), p.p.inv. / **I,** p.p.inv. / **Pr** 12
repositionner **T** 12
repourvoir **T /** Suisse 54
repousser **T / I,** p.p.inv. 12
reprendre **T / I,** p.p.inv. / **Pr** 68
représenter **T / I,** p.p.inv. / **Pr** 12
réprimander **T** 12
réprimer **T** 12
repriser **T** 12
reprocher **T / Pr** 12
reproduire **T / Pr** 85
reprogrammer **T** 12
reprographier **T** 15
réprouver **T** 12
répudier **T** 15
répugner **Ti** (à) / **p.p.inv.** 12
réputer **T** 12
requérir **T** 44
requêter **T** 12
requinquer **T / Pr** 16
réquisitionner **T** 12
requitter **T** 12
resaler **T** 12
resalir **T / Pr** 35
rescinder **T** 12
reséquer **T** 20
réserver **T / Pr** 12
résider **I / p.p.inv.** 12
résigner **T / Pr** (à) 12
résilier **T** 15
résiner **T** 12
résister **Ti** (à) / **p.p.inv.** 12
resocialiser **T** 12
résonner **I / p.p.inv.** 12
résorber **T / Pr** 12
résoudre T / Pr (à) **95**
respectabiliser **T** 12
respecter **T / Pr** 12
respirer **I,** p.p.inv. / **T** 12
resplendir **I / p.p.inv.** 35
responsabiliser **T** 12
resquiller **T / I,** p.p.inv. 12
ressaigner **I / p.p.inv.** 12
ressaisir **T / Pr** 35
ressasser **T** 12
ressauter **T / I,** p.p.inv. 12
ressayer **T** 29 ou 30
ressembler **Ti** (à) / **Pr / p.p.inv.** 12
ressemeler **T** 23
ressemer **T** 25
ressentir **T / Pr** (de) 38
resserrer **T / Pr** 12
resservir **T / I,** p.p.inv. 37
ressortir **I + être / T + avoir / Ti** (à) **+ être / U + être** 38
ressortir (= être du ressort de) **Ti** (à), **+ être** 35
ressouder **T** 12
ressourcer **-se- + être** 18
ressouvenir **-se-** (de) **+ être** 4
ressuer **I / p.p.inv.** 13

ressurgir **I / p.p.inv.** 35
ressusciter **I + être / T + avoir** 12
ressuyer **T** 32
restaurer **T / Pr** 12
rester **I / + être** 12
restituer **T** 12
restreindre **T / Pr** 70
restructurer **T** 12
résulter **Ti** (de) / **U + être ou avoir / p.p.inv. / Déf :** usité seulement à l'inf., aux 3es pers., aux part. présent et passé 12
résumer **T / Pr** (à) 12
resurchauffer **T** 12
resurgir **I / p.p.inv.** 35
rétablir **T / Pr** 35
retailler **T** 12
rétamer **T** 12
retaper **T / Pr** 12
retarder **T / I,** p.p.inv. 12
retâter **T / Ti** (de), p.p.inv. 12
reteindre **T** 70
retendre **T** 66
retenir **T / Pr** 4
retenter **T** 12
retentir **I / p.p.inv.** 35
retercer **T** 18
reterser **T** 12
réticuler **T** 12
retirer **T / Pr** 12
retisser **T** 12
retomber **I / + être** 12
retondre **T** 66
retordre **T** 66
rétorquer **T** 16
retoucher **T / Ti** (à), p.p.inv. 12
retourner **T + avoir / I + être / Pr / U**, p.p.inv. dans l'expression *de quoi il retourne* 12
retracer **T** 18
rétracter **T / Pr** 12
retraduire **T** 85
retraiter **T** 12
retrancher **T / Pr** 12
retranscrire **T** 81
retransmettre **T** 6
retravailler **T / I,** p.p.inv. 12
retraverser **T** 12
rétrécir **T / I,** p.p.inv. / **Pr** 35
rétreindre **T** 70
retremper **T / Pr** 12
rétribuer **T** 13
rétroagir **Ti** (sur) / **p.p.inv.** 35
rétrocéder **T** 20
rétrograder **I,** p.p.inv. / **T** 12
retrousser **T** 12
retrouver **T / Pr** 12
retuber **T** 12
réunifier **T** 15
réunir **T / Pr** 35
réussir **I,** p.p.inv. / **Ti** (à), p.p.inv. / **T** 35
réutiliser **T** 12
revacciner **T** 12
revaloir **T / Déf :** usité surtout à l'inf. prés., au futur simple et au conditionnel présent 56
revaloriser **T** 12
revancher **-se- + être** 12
revasculariser **T** 12
rêvasser **I / p.p.inv.** 12
réveiller **T / Pr** 12
réveillonner **I / p.p.inv.** 12
révéler **T / Pr** 20
revendiquer **T** 16
revendre **T** 66
revenir **I / + être** 4
rêver **I,** p.p.inv. / **T / Ti** (à, de), p.p.inv. 12
réverbérer **T** 20
revercher **T** 12
reverdir **T / I,** p.p.inv. 35
révérer **T** 20
revernir **T** 35
reverser **T** 12
revêtir **T** 41
revigorer **T** 12
réviser **T** 12
revisiter **T** 12
revisser **T** 12
revitaliser **T** 12
revivifier **T** 15
revivre **I,** p.p.inv. / **T** 87
revoir **T / Pr** 52
revoler **I / p.p.inv.** 12
révolter **T / Pr** 12
révolutionner **T** 12
révoquer **T** 16
revoter **T / I,** p.p.inv. 12
revouloir **T** 8
révulser **T** 12
rewriter **T** 12
rhabiller **T / Pr** 12
rhumer **T** 12
ribler **T** 12
ribouler **I / p.p.inv.** 12
ricaner **I / p.p.inv.** 12
ricocher **I / p.p.inv.** 12
rider **T / Pr** 12
ridiculiser **T** 12
rifler **T** 12
rigidifier **T** 15
rigoler **I / p.p.inv.** 12
rimailler **T / I,** p.p.inv. 12
rimer **I,** p.p.inv. / **T** 12
rincer **T / Pr** 18
ringarder **T** 12
ringardiser **T** 12
rioter **I / p.p.inv.** 12
ripailler **I / p.p.inv.** 12
riper **T / I,** p.p.inv. 12
ripoliner **T** 12
riposter **Ti** (à), p.p.inv. / **I,** p. p.inv. / **T** 12
rire I / Ti (de) / **Pr** (de) / **p.p.inv.** même à la voix pronominale **83**
risquer **T / Ti** (de), p.p.inv. / **Pr** 16
rissoler **T / I,** p.p.inv. 12
ristourner **T** 12
ritualiser **T** 12
rivaliser **I / p.p.inv.** 12
river **T** 12
riveter **T** 27
rober **T** 12
robotiser **T** 12
rocher **I / p.p.inv.** 12
rocouer **T** 13
rôdailler **I / p.p.inv.** 12
roder **T** 12
rôder **I / p.p.inv.** 12
rogner **T / Ti,** p.p.inv. / **I,** p.p.inv. 12
rognonner **I / p.p.inv.** 12
roidir **T** 35
roiller **U / p.p.inv. /** Suisse 12
romancer **T** 18
romaniser **T / I,** p.p.inv. 12
rompre T / Ti (avec), p.p.inv. / **I,** p.p.inv. / **Pr** **72**

ronchonner **I / p.p.inv.**	12
ronéoter **T**	12
ronéotyper **T**	12
ronfler **I / p.p.inv.**	12
ronger **T**	17
ronronner **I / p.p.inv.**	12
roquer **I / p.p.inv.**	16
roser **T**	12
rosir **T / I,** p.p.inv.	35
rosser **T**	12
roter **I / p.p.inv.**	12
rôtir **T / I,** p.p.inv. / **Pr**	35
roucouler **I,** p.p.inv. / **T**	12
rouer **T**	13
rougeoyer **I / p.p.inv.**	31
rougir **T / I,** p.p.inv.	35
rouiller **T / I,** p.p.inv. / **Pr**	12
rouir **T**	35
rouler **T / I,** p.p.inv. / **Pr**	12
roulotter **T**	12
roupiller **I / p.p.inv.**	12
rouscailler **I / p.p.inv.**	12
rouspéter **I / p.p.inv.**	20
roussir **T / I,** p.p.inv.	35
roustir **T**	35
router **T**	12
rouvrir **T / I,** p.p.inv.	45
rubaner **T**	12
rubéfier **T**	15
rubriquer **T**	16
rucher **T**	12
rudoyer **T**	31
ruer **I,** p.p.inv. / **Pr** (sur)	13
rugir **I / p.p.inv.**	35
ruiler **T**	12
ruiner **T / Pr**	12
ruisseler **I / p.p.inv.**	23
ruminer **T**	12
rupiner **I / p.p.inv.**	12
ruser **I / p.p.inv.**	12
russifier **T**	15
russiser **T**	12
rustiquer **T**	16
rutiler **I / p.p.inv.**	12
rythmer **T**	12

S

sabler **T**	12
sablonner **T**	12
saborder **T**	12
saboter **T**	12
sabouler **T**	12
sabrer **T**	12
saccader **T**	12
saccager **T**	17
saccharifier **T**	15
sacquer **T /** -cqu- partout	16
sacraliser **T**	12
sacrer **T / I,** p.p.inv.	12
sacrifier **T / Ti** (à), p.p.inv. / **Pr**	15
safraner **T**	12
saietter **T**	12
saigner **T / I,** p.p.inv. / **Pr**	12
saillir (= faire saillie) **I / p.p.inv. / Déf :** usité seulement aux 3es pers. et aux temps impersonnels	**50**
saillir (= s'accoupler) **T / Déf :** usité seulement à l'inf., aux 3es personnes des temps simples et au part. présent	35
saisir **T / Pr** (de)	35
salarier **T**	15
saler **T**	12
salifier **T**	15
salir **T / Pr**	35
saliver **I / p.p.inv.**	12
saloper **T**	12
salpêtrer **T**	12
saluer **T**	13
sanctifier **T**	15
sanctionner **T**	12
sanctuariser **T**	12
sangler **T**	12
sangloter **I / p.p.inv.**	12
saouler **T / Pr**	12
saper **T / Pr**	12
saponifier **T**	15
saquer **T**	16
sarcler **T**	12
sarmenter **T**	12
sasser **T**	12
satelliser **T**	12
satiner **T**	12
satiriser **T**	12
satisfaire **T / Ti** (à), p.p.inv. / **Pr** (de)	5
saturer **T**	12
saucer **T**	18
saucissonner **I,** p.p.inv. / **T**	12
saumurer **T**	12
sauner **I / p.p.inv.**	12
saupoudrer **T**	12
saurer **T**	12
sauter **I,** p.p.inv. / **T**	12
sautiller **I / p.p.inv.**	12
sauvegarder **T**	12
sauver **T / Pr**	12
savoir T / Pr	**9**
savonner **T**	12
savourer **T**	12
scalper **T**	12
scandaliser **T / Pr** (de)	12
scander **T**	12
scanner **T**	12
scarifier **T**	15
sceller **T**	12
scénariser **T**	12
scheider **T**	12
schématiser **T**	12
schlinguer **I / p.p.inv. /** -gu- partout	16
schlitter **T**	12
scier **T**	15
scinder **T / Pr**	12
scintiller **I / p.p.inv.**	12
scléroser **T / Pr**	12
scolariser **T**	12
scotcher **T**	12
scotomiser **T**	12
scrabbler **I / p.p.inv.**	12
scratcher **T**	12
scruter **T**	12
sculpter **T / I,** p.p.inv.	12
sécher **T / I,** p.p.inv.	20
seconder **T**	12
secouer **T / Pr**	13
secourir **T**	42
secréter **T**	20
sécréter **T**	20
sectionner **T**	12
sectoriser **T**	12
séculariser **T**	12
sécuriser **T**	12
sédentariser **T**	12
sédimenter **I,** p.p.inv. / **Pr**	12
séduire **T**	85
segmenter **T**	12
séjourner **I / p.p.inv.**	12

sélecter **T**	12
sélectionner **T**	12
seller **T**	12
sembler **I / U / p.p.inv.**	12
semer **T**	25
semoncer **T**	18
sensibiliser **T**	12
sentir **T / I,** p.p.inv. / **Pr**	38
seoir Ti (à) / **U:** *il sied de* / **Déf**	**61**
séparer **T / Pr** (de)	12
septupler **T / I,** p.p.inv.	12
séquestrer **T**	12
sérancer **T**	18
serfouir **T**	35
sérier **T**	15
seriner **T**	12
seringuer **T /** -gu- partout	16
sermonner **T**	12
serpenter **I / p.p.inv.**	12
serrer **T**	12
sertir **T**	35
servir **T / I,** p.p.inv. / **Ti** (à, de), p.p.inv. / **Pr** (de)	37
sévir **I / p.p.inv.**	35
sevrer **T**	25
sextupler **T / I,** p.p.inv.	12
sexualiser **T**	12
shampouiner **T**	12
shooter **I,** p.p.inv. / **Pr**	12
shunter **T**	12
sidérer **T**	20
siéger **I / p.p.inv.**	21
siffler **I,** p.p.inv. / **T**	12
siffloter **I,** p.p.inv. / **T**	12
signaler **T / Pr**	12
signaliser **T**	12
signer **T / Pr**	12
signifier **T**	15
silhouetter **T / Pr**	12
sillonner **T**	12
similiser **T**	12
simplifier **T**	15
simuler **T**	12
singer **T**	17
singulariser **T / Pr**	12
siniser **T**	12
sintériser **T**	12
sinuer **I / p.p.inv.**	13
siphonner **T**	12
siroter **T / I,** p.p.inv.	12
situer **T / Pr**	13
skier **I / p.p.inv.**	15
slalomer **I / p.p.inv.**	12
slaviser **T**	12
slicer **T**	18
smasher **I,** p.p.inv. / **T**	12
smiller **T**	12
sniffer **T**	12
snober **T**	12
sociabiliser **T**	12
socialiser **T**	12
sodomiser **T**	12
soigner **T**	12
solder **T / Pr** (par)	12
solenniser **T**	12
solfier **T**	15
solidariser **T / Pr** (avec)	12
solidifier **T / Pr**	15
soliloquer **I / p.p.inv.**	16
solliciter **T**	12
solubiliser **T**	12
solutionner **T**	12
somatiser **T**	12
sombrer **I / p.p.inv.**	12
sommeiller **I / p.p.inv.**	12
sommer **T**	12
somnoler **I / p.p.inv.**	12
sonder **T**	12
songer **Ti** (à) / **I / p.p.inv.**	17
sonnailler **I / p.p.inv.**	12
sonner **I,** p.p.inv. / **T**	12
sonoriser **T**	12
sophistiquer **T**	16
sortir **I + être / T + avoir**	38
sortir **T /** langage juridique	35
soucier **-se-** (de) **+ être**	15
souder **T / Pr**	12
soudoyer **T**	31
souffler **I,** p.p.inv. / **T**	12
souffleter **T**	27
souffrir **T / I,** p.p.inv. / **Ti** (de), p.p.inv. **/ Pr**	45
soufrer **T**	12
souhaiter **T**	12
souiller **T**	12
soulager **T / Pr**	17
soûler **T / Pr**	12
soulever **T / Pr**	25
souligner **T**	12
soumettre **T / Pr** (à)	6
soumissionner **T**	12
soupçonner **T**	12
souper **I / p.p.inv.**	12
soupeser **T**	25
soupirer **I,** p.p.inv. / **T / Ti** (après), p.p.inv.	12
souquer **T / I,** p.p.inv.	16
sourciller **I / p.p.inv.**	12
sourdre **I / Déf:** usité seulement à l'inf. prés. et aux 3es pers. de l'ind. prés. *(il/s sourd/ent)* et de l'imparf. *(elle/s sourdait/aient)*	66
sourire **I / Ti** (à) / **Pr / p.p.inv.** même à la voix pronominale	83
sous-alimenter **T**	12
sous-assurer **T**	12
souscrire **T / I,** p.p.inv. / **Ti** (à), p.p.inv.	81
sous-déclarer **T**	12
sous-employer **T**	31
sous-entendre **T**	66
sous-estimer **T**	12
sous-évaluer **T**	13
sous-exploiter **T**	12
sous-exposer **T**	12
sous-louer **T**	13
sous-payer **T**	29 ou 30
sous-tendre **T**	66
sous-titrer **T**	12
soustraire **T / Déf:** pas de passé simple, pas de subj. imparf.	90
sous-traiter **T**	12
sous-utiliser **T**	12
sous-virer **I / p.p.inv.**	12
soutacher **T**	12
soutenir **T / Pr**	4
soutirer **T**	12
souvenir **-se-** (de) / **U,** p.p.inv. dans des expressions comme *il me souvient que...*	4
soviétiser **T**	12
spatialiser **T**	12
spécialiser **T / Pr**	12
spécifier **T**	15
spéculer **I / p.p.inv.**	12
speeder **I / p.p.inv.**	12
spiritualiser **T**	12
spolier **T**	15

Verbe	Tableau
sponsoriser **T**	12
sporuler **I / p.p.inv.**	12
sprinter **I / p.p.inv.**	12
squatter **T**	12
squattériser **T**	12
squeezer **T**	12
stabiliser **T**	12
staffer **T**	12
stagner **I / p.p.inv.**	12
standardiser **T**	12
starifier **T**	15
stariser **T**	12
stationner **I / p.p.inv.**	12
statuer **I / p.p.inv.**	13
statufier **T**	15
sténographier **T**	15
stérer **T**	20
stériliser **T**	12
stigmatiser **T**	12
stimuler **T**	12
stipendier **T**	15
stipuler **T**	12
stocker **T**	12
stopper **T / I,** p.p.inv.	12
stratifier **T**	15
stresser **T**	12
striduler **I / p.p.inv.**	12
strier **T**	15
structurer **T**	12
stupéfaire **T / Déf :** usité seulement à la 3e pers. du sing. de l'ind. prés. et des temps composés ; remplacé par *stupéfier* aux autres temps	5
stupéfier **T**	15
stuquer **T**	16
styler **T**	12
styliser **T**	12
subdéléguer **T /** -gu- partout	20
subdiviser **T**	12
subir **T**	35
subjuguer **T /** -gu- partout	16
sublimer **T / I,** p.p.inv.	12
submerger **T**	17
subodorer **T**	12
subordonner **T**	12
suborner **T**	12
subroger **T**	17
subsidier **T /** Belgique	15
subsister **I / p.p.inv.**	12
substantiver **T**	12
substituer **T / Pr** (à)	13
subsumer **T**	12
subtiliser **T / I,** p.p.inv.	12
subvenir **Ti** (à) / **p.p.inv.**	4
subventionner **T**	12
subvertir **T**	35
succéder **Ti** (à) / **Pr / p.p.inv.** même à la voix pronominale	20
succomber **I / Ti** (à) / **p.p.inv.**	12
sucer **T**	18
suçoter **T**	12
sucrer **T / Pr**	12
suer **I,** p.p.inv. / **T**	13
suffire Ti (à) / **Pr / p.p.inv.** même à la voix pronominale	**84**
suffixer **T**	12
suffoquer **T / I,** p.p.inv.	16
suggérer **T**	20
suggestionner **T**	12
suicider **-se- + être**	12
suiffer **T**	12
suinter **I / p.p.inv.**	12
suivre T / I, p.p.inv. / **U,** p.p.inv. / **Pr**	**86**
sulfater **T**	12
sulfurer **T**	12
superposer **T / Pr** (à)	12
superviser **T**	12
supplanter **T**	12
suppléer **T / Ti** (à), p.p.inv. / -é- partout	14
supplicier **T**	15
supplier **T**	15
supporter **T / Pr**	12
supposer **T**	12
supprimer **T / Pr**	12
suppurer **I / p.p.inv.**	12
supputer **T**	12
surabonder **I / p.p.inv.**	12
surajouter **T**	12
suralimenter **T**	12
surbaisser **T**	12
surcharger **T**	17
surchauffer **T**	12
surclasser **T**	12
surcomprimer **T**	12
surcontrer **T**	12
surcouper **T**	12
surdéterminer **T**	12
surdorer **T**	12
surélever **T**	25
surenchérir **I / p.p.inv.**	35
surentraîner **T**	12
suréquiper **T**	12
surestimer **T**	12
surévaluer **T**	13
surexciter **T**	12
surexploiter **T**	12
surexposer **T**	12
surfacer **T / I,** p.p.inv.	18
surfaire **T /** Usité surtout à l'inf. prés., à l'ind. prés. et au part. passé	5
surfer **I / p.p.inv.**	12
surfiler **T**	12
surgeler **T**	25
surgir **I / p.p.inv.**	35
surhausser **T**	12
surimposer **T**	12
suriner **T**	12
surinformer **T**	12
surir **I / p.p.inv.**	35
surjaler **I / p.p.inv.**	12
surjeter **T**	27
surligner **T**	12
surlouer **T**	13
surmédicaliser **T**	12
surmener **T**	25
surmonter **T**	12
surmouler **T**	12
surnager **I / p.p.inv.**	17
surnommer **T**	12
suroxyder **T**	12
surpasser **T / Pr**	12
surpayer **T**	29 ou 30
surpiquer **T**	16
surplomber **T / I,** p.p.inv.	12
surprendre **T**	68
surproduire **T**	85
surprotéger **T**	21
sursaturer **T**	12
sursauter **I / p.p.inv.**	12
sursemer **T**	25
surseoir Ti (à) / **p.p.inv.**	**60**
surtaxer **T**	12
surtitrer **T**	12
surveiller **T**	12
survendre **T**	66
survenir **I / + être**	4

survirer **I / p.p.inv.** 12
survivre **I / Ti** (à) / **p.p.inv.** 87
survoler **T** 12
survolter **T** 12
susciter **T** 12
suspecter **T** 12
suspendre **T** 66
sustenter **T / Pr** 12
susurrer **I,** p.p.inv. / **T** 12
suturer **T** 12
swinguer **I / p.p.inv.** / -gu- partout 16
symboliser **T** 12
sympathiser **I** (avec) / **p.p.inv.** 12
synchroniser **T** 12
syncoper **T / I,** p.p.inv. 12
syndicaliser **T** 12
syndiquer **T / Pr** 16
synthétiser **T** 12
systématiser **T** 12

T

tabasser **T** 12
tabler **Ti** (sur) / **p.p.inv.** 12
tabouer **T** 13
tabouiser **T** 12
tacher **T** 12
tâcher **Ti** (de + inf.), p.p.inv. / **T** 12
tacheter **T** 27
tacler **I,** p.p.inv. / **T** 12
taillader **T** 12
tailler **T / Pr** 12
taire **T / Pr** 91
taler **T** 12
taller **I / p.p.inv.** 12
talocher **T** 12
talonner **T / I,** p.p.inv. 12
talquer **T** 16
tambouriner **I,** p.p.inv. / **T** 12
tamiser **T** 12
tamponner **T / Pr** 12
tancer **T** 18
tanguer **I / p.p.inv.** / -gu- partout 16
taniser **T** 12
tanner **T** 12
tanniser **T** 12
tapager **I / p.p.inv.** 17
taper **Ti** (sur), p.p.inv. / **T / I / Pr** 12
tapiner **I / p.p.inv.** 12
tapir **-se- + être** 35
tapisser **T** 12
tapoter **T** 12
taquer **T** 16
taquiner **T** 12
tarabuster **T** 12
tarauder **T** 12
tarder **I / Ti** (à) / **p.p.inv.** 12
tarer **T** 12
targuer **-se-** (de) **+ être** / -gu- partout 16
tarifer **T** 12
tarir **T / I,** p.p.inv. / **Pr** 35
tartiner **T** 12
tartir **I / p.p.inv.** 35
tasser **T / Pr** 12
tâter **T / Ti** (de, à), p.p.inv. / **Pr** 12
tâtonner **I / p.p.inv.** 12
tatouer **T** 13
taveler **T** 23
taxer **T** 12
tayloriser **T** 12
tchatcher **I / p.p.inv.** 12
techniciser **T** 12
techniser **T** 12
technocratiser **T** 12
teiller **T** 12
teindre **T / Pr** 70
teinter **T** 12
télécharger **T** 12
télécommander **T** 12
télédiffuser **T** 12
télégraphier **T / I,** p.p.inv. 15
téléguider **T** 12
télématiser **T** 12
téléphoner **I,** p.p.inv. / **T** 12
télescoper **T / Pr** 12
téléviser **T** 12
télexer **T** 12
témoigner **T / I,** p.p.inv. / **Ti** (de), p.p.inv. 12
tempérer **T** 20
tempêter **I / p.p.inv.** 12
temporiser **I / p.p.inv.** 12
tenailler **T** 12
tendre **T / Ti** (à, vers) p.p.inv. 66
tenir **T / I,** p.p.inv. / **Ti** (à, de), p.p.inv. / **Pr / U,** p.p.inv. dans des expressions comme *qu'à cela ne tienne* ou *il ne tient qu'à toi de...* 4
tenonner **T** 12
ténoriser **I / p.p.inv.** 12
tenter **T** 12
tercer **T** 18
tergiverser **I / p.p.inv.** 12
terminer **T / Pr** 12
ternir **T** 35
terrasser **T** 12
terreauter **T** 12
terrer **T / Pr** 12
terrifier **T** 15
terrir **I / p.p.inv.** 35
terroriser **T** 12
terser **T** 12
tester **I,** p.p.inv. / **T** 12
tétaniser **T** 12
téter **T / I,** p.p.inv. 20
texturer **T** 12
théâtraliser **T** 12
théoriser **T / I,** p.p.inv. 12
thésauriser **T** 12
tiédir **I,** p.p.inv. / **T** 35
tiercer **T** 18
tiller **T** 12
timbrer **T** 12
tinter **T / I,** p.p.inv. 12
tintinnabuler **I / p.p.inv.** 12
tiper **T /** Suisse 12
tipper **T /** Suisse 12
tiquer **I / p.p.inv.** 16
tirailler **T / I,** p.p.inv. 12
tire-bouchonner **T** 12
tirer **T / I,** p.p.inv. / **Pr** 12
tisonner **T** 12
tisser **T** 12
titiller **T** 12
titrer **T** 12
tituber **I / p.p.inv.** 12
titulariser **T** 12
toiletter **T** 12
toiser **T** 12
tolérer **T** 20
tomber **I + être / T + avoir** 12
tomer **T** 12
tondre **T** 66

tonifier **T**	15
tonitruer **I / p.p.inv.**	13
tonner **I / U / p.p.inv.**	12
tonsurer **T**	12
tontiner **T**	12
toper **I / p.p.inv.**	12
toquer **-se-** (de) **+ être**	16
torcher **T / Pr**	12
torchonner **T**	12
tordre **T / Pr**	66
toréer **I / p.p.inv. /** -é- partout	14
torpiller **T**	12
torréfier **T**	15
torsader **T**	12
tortiller **T / I,** p.p.inv. / **Pr**	12
tortorer **T**	12
torturer **T / Pr**	12
tosser **I / p.p.inv.**	12
totaliser **T**	12
toucher **T / Ti** (à), p.p.inv. / **Pr**	12
touer **T**	13
touiller **T**	12
toupiller **T**	12
toupiner **I / p.p.inv.**	12
tourber **I / p.p.inv.**	12
tourbillonner **I / p.p.inv.**	12
tourillonner **T / I,** p.p.inv.	12
tourmenter **T / Pr**	12
tournailler **I / p.p.inv.**	12
tournebouler **T**	12
tourner **T / I,** p.p.inv. / **Pr**	12
tournicoter **I / p.p.inv.**	12
tourniquer **I / p.p.inv.**	16
tournoyer **I / p.p.inv.**	31
tousser **I / p.p.inv.**	12
toussoter **I / p.p.inv.**	12
trabouler **I / p.p.inv.**	12
tracasser **T**	12
tracer **T / I,** p.p.inv.	18
tracter **T**	12
traduire **T / Pr**	85
traficoter **I,** p.p.inv. / **T**	12
trafiquer **I,** p.p.inv. / **T / Ti** (de), p.p.inv.	16
trahir **T / Pr**	35
traînailler **I / p.p.inv.**	12
traînasser **I / p.p.inv.**	12
traîner **T / I,** p.p.inv. / **Pr**	12
traire **T / Déf:** pas de passé simple, pas de subj. imparf.	90
traiter **T / I,** p.p.inv. / **Ti** (de), p.p.inv.	12
tramer **T / Pr**	12
trancher **T / I,** p.p.inv.	12
tranquilliser **T / Pr**	12
transbahuter **T**	12
transborder **T**	12
transcender **T**	12
transcoder **T**	12
transcrire **T**	81
transférer **T**	20
transfigurer **T**	12
transfiler **T**	12
transformer **T / Pr**	12
transfuser **T**	12
transgresser **T**	12
transhumer **I,** p.p.inv. / **T**	12
transiger **I / p.p.inv.**	17
transir **T /** Usité surtout à l'inf., à l'ind. et au part. passé	35
transistoriser **T**	12
transiter **T / I,** p.p.inv.	12
transmettre **T / Pr**	6
transmigrer **I / p.p.inv.**	12
transmuer **T**	13
transmuter **T**	12
transparaître **I / p.p.inv.**	75
transpercer **T**	18
transpirer **I / p.p.inv.**	12
transplanter **T**	12
transporter **T / Pr**	12
transposer **T**	12
transsuder **I / p.p.inv.**	12
transvaser **T**	12
transvider **T**	12
trapper **T /** Québec	12
traquer **T**	16
traumatiser **T**	12
travailler **I,** p.p.inv. / **T**	12
travailloter **I / p.p.inv.**	12
traverser **T**	12
travestir **T / Pr**	35
trébucher **I,** p.p.inv. / **T**	12
tréfiler **T**	12
treillager **T**	17
treillisser **T**	12
trémater **T**	12
trembler **I / p.p.inv.**	12
trembloter **I / p.p.inv.**	12
trémousser **-se- + être**	12
tremper **T / I,** p.p.inv.	12
trémuler **I / p.p.inv.**	12
trépaner **T**	12
trépasser **I / p.p.inv.**	12
trépider **I / p.p.inv.**	12
trépigner **I / p.p.inv.**	12
tressaillir **I / p.p.inv.**	47
tressauter **I / p.p.inv**	12
tresser **T**	12
treuiller **T**	12
trévirer **T**	12
trianguler **T**	12
triballer **T**	12
tricher **I / Ti** (sur) / **p.p.inv.**	12
tricoter **T / I,** p.p.inv.	12
trier **T**	15
trifouiller **I / p.p.inv.**	12
triller **I / p.p.inv.**	12
trimarder **I / p.p.inv.**	12
trimbaler **T / Pr**	12
trimballer **T**	12
trimer **I / p.p.inv.**	12
tringler **T**	12
trinquer **I / p.p.inv.**	16
triompher **I / Ti** (de) / **p.p.inv.**	12
tripatouiller **T**	12
tripler **T / I,** p.p.inv.	12
tripoter **T / I,** p.p.inv.	12
triquer **T**	16
trisser **T / I,** p.p.inv. / **Pr**	12
triturer **T / Pr**	12
tromper **T / Pr**	12
trompeter **I,** p.p.inv. / **T**	27
tronçonner **T**	12
trôner **I / p.p.inv.**	12
tronquer **T**	16
tropicaliser **T**	12
troquer **T**	16
trotter **I,** p.p.inv. / **Pr**	12
trottiner **I / p.p.inv.**	12
troubler **T / Pr**	12
trouer **T**	13
trousser **T / Pr**	12
trouver **T / Pr / U,** p.p.inv. : *il se trouve que...*	12
truander **I,** p.p.inv. / **T**	12
trucider **T**	12
truffer **T**	12
truquer **T**	16
trusquiner **T**	12

truster **T** 12
tuber **T** 12
tuer **T / Pr** 13
tuiler **T** 12
tuméfier **T** 15
turbiner **I,** p.p.inv. / **T** 12
turlupiner **T** 12
tuteurer **T** 12
tutoyer **T** 31
tuyauter **T** 12
twister **I / p.p.inv.** 12
typer **T** 12
tyranniser **T** 12

U

ulcérer **T** 20
ululer **I / p.p.inv.** 12
unifier **T / Pr** 15
uniformiser **T** 12
unir **T / Pr** 35
universaliser **T** 12
upériser **T** 12
urbaniser **T / Pr** 12
urger **U / p.p.inv.** / Usité surtout avec le pronom démonstratif familier : *ça urge* 17
uriner **I,** p.p.inv. / **T** 12
user **Ti** (de), p.p.inv. / **T / Pr** 12
usiner **T** 12
usurper **T** 12
utiliser **T** 12

V

vacciner **T** 12
vaciller **I / p.p.inv.** 12
vadrouiller **I / p.p.inv.** 12
vagabonder **I / p.p.inv.** 12
vagir **I / p.p.inv.** 35
vaguer **I / p.p.inv. /** -gu- partout 16
vaincre T **73**
valdinguer **I / p.p.inv.** / -gu- partout 16
valider **T** 12
valoir I, p.p.inv. / **T / Pr / U,** p.p.inv. : *il vaut mieux...* **56**
valoriser **T** 12
valser **I,** p.p.inv. / **T** 12
vamper **T** 12
vampiriser **T** 12
vandaliser **T** 12
vanner **T** 12
vanter **T / Pr** (de) 12
vaporiser **T** 12
vaquer **I / Ti** (à) / **p.p.inv.** 16
varapper **I / p.p.inv.** 12
varier **T / I,** p.p.inv. 15
varloper **T** 12
vasectomiser **T** 12
vaseliner **T** 12
vasouiller **I / p.p.inv.** 12
vassaliser **T** 12
vaticiner **I / p.p.inv.** 12
vautrer **-se- + être** 12
vedettiser **T** 12
végéter **I / p.p.inv.** 20
véhiculer **T** 12
veiller **I,** p.p.inv. / **T / Ti** (à, sur), p.p.inv. / **Pr,** Suisse 12
veiner **T** 12
vêler **I / p.p.inv.** 12
velouter **T** 12
vendanger **T / I,** p.p.inv. 17
vendre **T / Pr** 66
vénérer **T** 20
venger **T / Pr** (de) 17
venir I / + être **4**
venter **U / p.p.inv.** 12
ventiler **T** 12
verbaliser **I,** p.p.inv. / **T** 12
verdir **T / I,** p.p.inv. 35
verdoyer **I / p.p.inv.** 31
verduniser **T** 12
verglacer **U / p.p.inv.** 18
vérifier **T** 15
vermiller **I / p.p.inv.** 12
vermillonner **I / p.p.inv.** 12
vermouler **-se- + être** 12
vernir **T** 35
vernisser **T** 12
verrouiller **T / Pr** 12
verser **T / I,** p.p.inv. 12
versifier **I,** p.p.inv. / **T** 15
vesser **I / p.p.inv.** 12
vétiller **I / p.p.inv.** 12
vêtir T / Pr **41**
vexer **T / Pr** 12
viabiliser **T** 12
viander **I,** p.p.inv. / **Pr** 12
vibrer **I,** p.p.inv. / **T** 12
vibrionner **I / p.p.inv.** 12
vicier **T** 15
vidanger **T** 17
vider **T** 12
vidimer **T** 12
vieillir **I,** p.p.inv. / **T / Pr** 35
vieller **I / p.p.inv.** 12
vigneter **I / p.p.inv.** 27
vilipender **T** 12
villégiaturer **I / p.p.inv.** 12
vinaigrer **T** 12
viner **T** 12
vinifier **T** 15
violacer **-se- + être** 18
violenter **T** 12
violer **T** 12
violeter **T** 27
violoner **I / p.p.inv.** 12
virer **I,** p.p.inv. / **Ti** (à), p.p.inv. / **T** 12
virevolter **I / p.p.inv.** 12
virguler **T** 12
viriliser **T** 12
viroler **T** 12
viser **T / I,** p.p.inv. / **Ti** (à), p.p.inv. 12
visionner **T** 12
visiter **T** 12
visser **T** 12
visualiser **T** 12
vitrer **T** 12
vitrifier **T** 15
vitrioler **T** 12
vitupérer **T / Ti** (contre), p.p.inv. 20
vivifier **T** 15
vivoter **I / p.p.inv.** 12
vivre I, p.p.inv. / **T** **87**
vocaliser **I,** p.p.inv. / **T** 12
vociférer **I,** p.p.inv. / **Ti** (contre), p.p.inv. / **T** 20
voguer **I / p.p.inv.** / -gu- partout 16
voiler **T / Pr** 12
voir T / Ti (à), p.p.inv. / **Pr** **52**
voisiner **Ti** (avec) / **p.p.inv.** 12
voiturer **T** 12
volatiliser **T / Pr** 12
volcaniser **T** 12

W, Y, Z

Imprimé en Italie par

LA TIPOGRAFICA VARESE
Società per Azioni

Varese
Dépôt légal : mai 2005
N° projet : 10112861
533200 - mai 2005